新潮文庫

文鳥・夢十夜

夏目漱石著

新潮社版

2341

目次

文鳥・夢十夜

文鳥

十月早稲田《わせだ》に移る。伽藍《がらん》の様な書斎《しょさい》に只一人《ただひとり》、片附けた顔を頬杖《ほおづえ》で支えていると、三重吉《みえきち》*が来て、鳥を御飼いなさいと云う。飼ってもいいと答えた。然《しか》し念の為《ため》だから、何を飼うのかねと聞いたら、文鳥ですと云う返事であった。

文鳥は三重吉の小説に出て来る位だから奇麗《きれい》な鳥に違《ちがい》なかろうと思って、じゃ買ってくれたまえと頼《たの》んだ。ところが三重吉は是非御飼いなさいと、同じ様な事を繰《く》り返している。うむ買うよ買うよとやはり頬杖を突《つ》いたままで、むにゃむにゃ云ってるうちに三重吉は黙《だま》ってしまった。大方頬杖に愛想を尽《つ》かしたんだろうと、この時始めて気が附いた。

すると三分ばかりして、今度は籠《かご》を御買いなさいと云いだした。これも宜《よろ》しいと答えると、是非御買いなさいと念を押《お》す代りに、鳥籠の講釈《こうしゃく》を始めた。その講釈は大分込《こ》み入ったものであったが、気の毒な事に、みんな忘れてしまった。只好《い》いのは二十円位すると云う段になって、急にそんな高価《たかい》のでなくっても善かろうと云って置いた。三重吉はにやにやしている。

それから全体何所《どこ》で買うのかと聞いてみると、なに何所の鳥屋にでもありますと、実に平凡な答をした。籠はと聞き返すと、籠ですか、籠はその何ですよ、なに何所にかあるでしょう、とまるで雲を攫《つか》む様な寛大《かんだい》な事を云う。でも君あてがなくっちゃ不可《い》けなかろうと、あたかも不可ない様な顔をしてみせたら、三重吉は頰《ほっ》ぺたへ手を宛《あ》てて、何でも駒込《こまごめ》に籠の名人があるそうですが年寄だそうですから、もう死んだかも知れませんと、非常に心細くなってしまった。

何しろ言いだしたものに責任を負わせるのは当然の事だから、早速万事を三重吉に依頼《いらい》する事にした。すると、すぐ金を出せと云う。金は慥《たしか》に出した。三重吉はどこで買ったか、七子《ななこ》の三《み》つ折《おれ》の紙入を懐中《かいちゅう》していて、人の金でも自分の金でも悉皆《しっかい》この紙入の中に入れる癖《くせ》がある。自分は三重吉が五円札を慥にこの紙入の底へ押し込んだのを目撃《もくげき》した。

斯様《かよう》にして金は慥に三重吉の手に落ちた。然し鳥と籠とは容易にやって来ない。

そのうち秋が小春《こはる》になった。三重吉は度々《たびたび》来る。よく女の話などをして帰って行く。文鳥と籠の講釈は全く出ない。硝子《ガラス》戸を透《すか》して五尺の縁側《えんがわ》には日が好く当る。どうせ文鳥を飼うなら、こんな暖かい季節に、この縁側へ鳥籠を据《す》えてやったら、文鳥も定めし鳴き善かろうと思う位であった。

三重吉の小説によると、文鳥は千代々《ちよちよ》と鳴くそうである。その鳴き声が大分《だいぶん》気に入ったと見えて、三重吉は千代々を何度となく使っている。或《あるい》は千代と云う女に惚《ほ》れていた事があるのかも知れない。然し当人は一向そんな事を云わない。自分も聞いてみない。只縁側に日が善く当る。そうして文鳥が鳴かない。

そのうち霜《しも》が降《ふ》り出した。自分は毎日伽藍の様な書斎に、寒い顔を片附けてみたり、取乱してみたり、頬杖を突いたり已《や》めたりして暮していた。戸は二重に締《し》め切った。火鉢《ひばち》に炭ばかり継《つ》いでいる。文鳥は遂《つい》に忘れた。

ところへ三重吉が門口《かどぐち》から威勢《いせい》よく這入《はい》って来た。時は宵《よい》の口であった。寒いから火鉢の上へ胸から上を翳《かざ》して、浮《う》かぬ顔をわざとほてらしていたのが、急に陽気になった。三重吉は豊隆《ほうりゅう》*を従えている。豊隆はいい迷惑《めいわく》である。二人が籠を一つずつ持っている。その上に三重吉が大きな箱を兄《あに》き分《ぶん》に抱《かか》えている。五円札が文鳥と籠と箱になったのはこの初冬《はつふゆ》の晩であった。

三重吉は大得意《だい》である。まあ御覧なさいと云う。豊隆その洋燈《ランプ》をもっと此方《こっち》へ出せなどと云う。その癖寒いので鼻の頭が少し紫色《むらさきいろ》になっている。

成程《なるほど》立派な籠が出来た。台が漆《うるし》で塗《ぬ》ってある。竹は細く削《けず》った上に、色が染《つ》けてある。それで三円だと云う。安いなあ豊隆と云っている。豊隆はうん安いと云っている。

自分は安いか高いか判然と判《わか》らないが、まあ安いなあと云っている。好《い》いのになると二十円もするそうですと云う。二十円はこれで二返目*である。二十円に比べて安いのは無論である。

　この漆はね、先生、日向《ひなた》へ出して曝《さら》して置くうちに黒味が取れて段々朱《しゅ》の色が出て来ますから、――そうしてこの竹は一返善く煮たんだから大丈夫《だいじょうぶ》ですよなどと、しきりに説明をしてくれる。何が大丈夫なのかねと聞き返すと、まあ鳥を御覧なさい、奇麗でしょうと云っている。

　成程奇麗だ。次の間へ籠を据えて四尺ばかり此方《こっち》から見ると少しも動かない。薄暗《うすぐら》い中に真白に見える。籠の中にうずくまっていなければ鳥とは思えない程白い。何だか寒そうだ。

　寒いだろうねと聞いてみると、その為に箱を作ったんだと云う。夜になればこの箱に入れてやるんだと云う。籠が二つあるのはどうするんだと聞くと、この粗末《そまつ》な方へ入れて時々行水を使わせるのだと云う。これは少し手数が掛《かか》るなと思っていると、それから糞《ふん》をして籠を汚《よご》しますから、時々掃除《そうじ》をして御遣《おや》りなさいとつけ加えた。三重吉は文鳥の為には中々強硬《きょうこう》である。

　それをはいはい引受けると、今度は三重吉が袂《たもと》から粟《あわ》を一袋《ふくろ》出した。これを毎朝食わせなくっちゃ不可《いけ》ません。もし餌《え》をかえてやらなければ、餌《え》壺《つぼ》を出して殻《から》だけ吹《ふい》て御遣《おやん》なさい。そうしないと文鳥が実のある粟を一々拾い出さなくっちゃなりませんから。水も毎朝かえて御遣んなさい。先生は寝坊《ねぼう》だから丁度好いでしょうと大変文鳥に親切を極《きわ》めている。そこで自分もよろしいと万事受合った。ところへ豊隆が袂から餌壺と水入を出して行儀よく自分の前に並べた。こう一切万事を調えて置いて、実行を逼《せま》られると、義理にも文鳥の世話をしなければならなくなる。内心《うち》では余程覚束《おぼつか》なかったが、まずやってみようとまでは決心した。もし出来なければ家のものが、どうかするだろうと思った。

やがて三重吉は鳥籠を叮嚀《ていねい》に箱の中へ入れて、縁側へ持ち出して、此所《ここ》へ置きますからと云って帰った。自分は伽藍の様な書斎の真中《まんなか》に床《とこ》を展《の》べて冷かに寝た。夢に文鳥を背負い込んだ心持《しょ》は、少し寒かったが眠《ねぶ》ってみれば不断の夜の如《ごと》く穏《おだや》かである。

翌朝《よくあさ》眼が覚めると硝子《ガラス》戸に日が射《さ》している。忽《たちま》ち文鳥に餌をやらなければならないなと思った。けれども起きるのが退儀《たいぎ》であった。今に遣《や》ろう、今に遣ろうと考えているうちに、とうとう八時過になった。仕方がないから顔を洗う序《ついで》を以《もっ》て、冷たい縁を素足で踏《ふ》みながら、箱の蓋《ふた》を取って鳥籠を明海《あかるみ》へ出した。文鳥は眼をぱちつかせている。もっと早く起きたかったろうと思ったら気の毒になった。

文鳥の眼は真黒である。瞼《まぶた》の周囲《まわり》に細い淡紅色《ときいろ》の絹糸を縫《ぬ》い附けた様な筋が入っている。眼をぱちつかせる度に絹糸が急に寄って一本になる。と思うと又丸くなる。籠を箱から出すや否《いな》や、文鳥は白い首を一寸傾《ちよつとかたぶ》けながらこの黒い眼を移して始めて自分の顔を見た。そうしてちちと鳴いた。

自分は静かに鳥籠を箱の上に据えた。文鳥はぱっと留り木を離《はな》れた。そうして又留り木に乗った。留り木は二本ある。黒味がかった青軸《あおじく》*を程よき距離《きより》に橋と渡《わた》して横に並べた。その一本を軽く踏まえた足を見ると如何《いか》にも華奢《きやしや》に出来ている。細長い薄《うす》紅《くれない》の端《はし》に真珠を削《けず》った様な爪《つめ》が着いて、手頃《てごろ》な留り木を甘《うま》く抱え込んでいる。すると、ひらりと眼先が動いた。文鳥は既《すで》に留り木の上で方向《むき》を換《か》えていた。しきりに首を左右に傾《かたぶ》ける。傾けかけた首を不図《ふと》持ち直して、心持前へ伸《の》したかと思ったら、白い羽根が又ちらりと動いた。文鳥の足は向うの留り木の真中あたりに具合よく落ちた。ちちと鳴く。そうして遠くから自分の顔を覗《のぞ》き込んだ。

自分は顔を洗いに風呂場《ふろば》へ行った。帰りに台所へ廻って、戸棚《とだな》を明けて、昨夕《ゆうべ》三重吉の買って来てくれた粟の袋を出して、餌壺の中へ餌を入れて、もう一つには水を一杯入れて、又書斎の縁側へ出た。

三重吉は用意周到《しゆうとう》な男で、昨夕《ゆうべ》叮嚀に餌を遣る時の心得を説明して行った。その説によると、無暗《むやみ》に籠の戸を明けると文鳥が逃げ出してしまう。だから右の手で籠の戸を明けながら、左の手をその下へ宛てがって、外から出口を塞《ふさ》ぐ様にしなくっては危険だ。餌壺を出す時も同じ心得で遣らなければならない。とその手つきまでしてみせたが、こう両方の手を使って、餌壺をどうして籠の中へ入れる事が出来るのか、つい聞いて置かなかった。

自分は已《や》むを得ず餌壺を持ったまま手の甲で籠の戸をそろりと上へ押し上げた。同時に左の手で開《あ》いた口をすぐ塞いだ。鳥は一寸振り返った。そうして、ちちと鳴いた。自分は出口を塞いだ左の手の処置に窮《きゅう》した。人の隙《すき》を窺《うかが》って逃げる様な鳥とも見えないので、何となく気の毒になった。三重吉は悪い事を教えた。

大きな手をそろそろ籠の中へ入れた。すると文鳥は急に羽搏《はばたき》を始めた。細く削った竹の目から暖いむく毛が、白く飛ぶ程に翼《つばさ》を鳴らした。自分は急に自分の大きな手が厭《いや》になった。粟の壺と水の壺を留り木の間に漸《ようや》く置くや否や、手を引き込ました。籠の戸ははたりと自然《ひとりで》に落ちた。文鳥は留り木の上に戻《もど》った。白い首を半ば横に向けて、籠の外にいる自分を見上げた。それから曲げた首を真直《まっすぐ》にして足の下《もと》にある粟と水を眺《なが》めた。自分は食事をしに茶の間へ行った。

その頃は日課として小説を書いている時分であった。飯《めし》と飯の間は大抵《たいてい》机に向って筆を握《にぎ》っていた。静かな時は自分で紙の上を走るペンの音を聞く事が出来た。伽藍の様な書斎へは誰《だれ》も這入って来ない習慣であった。筆の音に淋《さび》しさと云う意味を感じた朝も昼も晩もあった。然し時々はこの筆の音がぴたりと已む、又已めねばならぬ、折も大分あった。その時は指の股《また》に筆を挟《はさ》んだまま手の平へ顎《あご》を載《の》せて硝子越《ガラスごし》に吹き荒《あ》れた庭を眺めるのが癖であった。それが済むと載せた顎を一応撮《つま》んでみる。それでも筆と紙が一所にならない時は、撮んだ顎を二本の指で伸《の》してみる。すると縁側で文鳥が忽ち千代々々と二声《ふたこえ》鳴いた。

筆を擱《お》いて、そっと出てみると、文鳥は自分の方を向いたまま、留り木の上から、のめりそうに白い胸を突き出して、高く千代と云った。三重吉が聞いたらさぞ喜ぶだろうと思う程な美《い》い声で千代と云った。三重吉は今に馴れると千代と鳴きますよ、きっと鳴きますよ、と受合って帰って行った。

自分は又籠の傍《そば》へしゃがんだ。文鳥は膨《ふく》らんだ首を二三度竪横《たてよこ》に向け直した。やがて一団《ひとかたまり》の白い体《からだ》がぽいと留り木の上を抜《ぬ》け出した。と思うと奇麗な足の爪が半分程餌壺の縁《ふち》から後へ出た。小指を掛けてもすぐ引っ繰り返りそうな餌壺は釣鐘《つりがね》の様に静かである。さすがに文鳥は軽いものだ。何だか淡雪《あわゆき》の精の様な気がした。

文鳥はつと嘴《くちばし》を餌壺の真中に落した。そうして二三度左右に振《ふ》った。奇麗に平《なら》して入れてあった粟がはらはらと籠の底に零《こぼ》れた。文鳥は嘴を上げた。咽喉《のど》の所で微《かす》かな音がする。又嘴を粟の真中に落す。又微な音がする。その音が面白い。静かに聴《き》いていると、丸くて細やかで、しかも非常に速《すみや》かである。菫《すみれ》程な小さい人が、黄金《こがね》の槌《つち》で瑪瑙《めのう》の碁石《ごいし》でもつづけ様に敲《たた》いている様な気がする。

嘴の色を見ると紫を薄く混ぜた紅《べに》の様である。その紅が次第に流れて、粟をつつく口尖《くちさき》の辺《あたり》は白い。象牙《ぞうげ》を半透明《はんとうめい》にした白さである。この嘴が粟の中へ這入《はい》る時は非常に早い。左右に振り蒔《ま》く粟の珠《たま》も非常に軽そうだ。文鳥は身を逆さまにしないばかりに尖《とが》った嘴を黄色い粒の中に刺《さ》し込んでは、膨くらんだ首を惜気《おしげ》もなく右左《みぎひだり》へ振る。籠の底に飛び散る粟の数は幾粒《いくつぶ》だか分らない。それでも餌壺だけは寂然《せきぜん》として静かである。重いものである。餌壺の直径は一寸五分《ぶ》程だと思う。

自分はそっと書斎へ帰って淋しくペンを紙の上に走らしていた。縁側では文鳥がちちと鳴く。折々は千代々々とも鳴く。外では木枯《こがらし》が吹いていた。

夕方には文鳥が水を飲む所を見た。細い足を壺の縁へ懸《か》けて、小《ち》さい嘴に受けた一雫《ひとしずく》を大事そうに、仰向《あおむ》いて呑《の》み下している。この分では一杯の水が十日位続くだろうと思って又書斎へ帰った。晩には箱へしまって遣った。寝る時硝子戸から外を覗いたら、月が出て、霜が降っていた。文鳥は箱の中でことりともしなかった。

明《あく》る日《ひ》もまた気の毒な事に遅《おそ》く起きて、箱から籠を出してやったのは、やっぱり八時過ぎであった。箱の中ではとうから目が覚めていたんだろう。それでも文鳥は一向不平らしい顔もしなかった。籠が明るい所へ出るや否や、いきなり眼をしばたたいて、心持首をすくめて、自分の顔を見た。

昔し美しい女を知っていた。この女が机に凭《もた》れて何か考えている所を、後《うし》ろから、そっと行って、紫の帯上げの房《ふさ》になった先を、長く垂らして、頸筋《くびすじ》の細いあたりを、上から撫《な》で廻したら、女はものう気に後《うしろ》を向いた。その時女の眉《まゆ》は心持八の字に寄っていた。それで眼尻《めじり》と口元には笑《わらい》が萌《きざ》していた。同時に恰好《かっこう》の好《よ》い頸を肩《かた》まですくめていた。文鳥が自分を見た時、自分は不図この女の事を思い出した。この女は今嫁《よめ》に行った。自分が紫の帯上でいたずらをしたのは縁談の極《きま》った二三日後《あと》である。

餌壺にはまだ粟が八分通り這入っている。然し殻も大分混っていた。水入には粟の殻が一面に浮いて、苛《いた》く濁《にご》っていた。易《か》えて遣らなければならない。又大きな手を籠の中へ入れた。非常に要心して入れたにも拘《かかわ》らず、文鳥は白い翼を乱して騒《さわ》いだ。小い羽根が一本抜けても、自分は文鳥に済まないと思った。殻は奇麗に吹いた。吹かれた殻は木枯が何処《どこ》かへ持って行った。水も易えてやった。水道の水だから大変冷たい。

その日は一日淋しいペンの音を聞いて暮した。その間《あいだ》には折々千代々々と云う声も聞えた。文鳥も淋しいから鳴くのではなかろうかと考えた。然し縁側へ出てみると、二本の留り木の間を、彼方《あちら》へ飛んだり、此方《こちら》へ飛んだり、絶間なく行きつ戻りつしている。少しも不平らしい様子はなかった。

夜は箱へ入れた。明る朝眼が覚めると、外は白い霜だ。文鳥も眼が覚めているだろうが、中々起きる気にならない。枕元《まくらもと》にある新聞を手に取るさえ難儀だ。それでも煙草《たばこ》は一本ふかした。この一本をふかしてしまったら、起きて籠から出して遣ろうと思いながら、口から出る煙《けぶり》の行方《ゆくえ》を見詰《みつ》めていた。するとこの煙の中に、首をすくめた、眼を細くした、しかも心持眉を寄せた昔の女の顔が一寸見えた。自分は床の上に起き直った。寝巻の上へ羽織を引掛けて、すぐ縁側へ出た。そうして箱の蓋をはずして、文鳥を出した。文鳥は箱から出ながら、千代々々と二声鳴いた。

三重吉の説によると、馴れるに従って、文鳥が人の顔を見て鳴く様になるんだそうだ。現に三重吉の飼っていた文鳥は、三重吉が傍《そば》にいさえすれば、しきりに千代々々と鳴きつづけたそうだ。のみならず三重吉の指の先から餌《え》を食ると云う。自分もいつか指の先で餌をやってみたいと思った。

次の朝は又怠《なま》けた。昔の女の顔もつい思い出さなかった。顔を洗って、食事を済まして、始めて、気が附いた様に縁側へ出て見ると、いつの間にか籠が箱の上に乗っている。文鳥はもう留り木の上を面白そうにあちら、こちらと飛び移っている。そうして時々は首を伸《の》して籠の外を下の方から覗いている。その様子が中々無邪気《むじゃき》である。昔紫の帯上でいたずらをした女は襟《えり》の長い、脊《せい》のすらりとした、一寸首を曲げて人を見る癖があった。

粟はまだある。水もまだある。文鳥は満足している。自分は粟も水も易えずに書斎へ引込んだ。

昼過ぎ又縁側へ出た。食後の運動かたがた、五六間の廻り縁を、あるきながら書見する積《つもり》であった。ところが出てみると粟がもう七分がた尽きている。水も全く濁ってしまった。書物を縁側へ抛《ほう》り出して置いて、急いで餌と水を易えて遣った。

次の日もまた遅く起きた。しかも顔を洗って飯を食うまでは縁側を覗かなかった。書斎に帰ってから、或《あるい》は昨日《きのう》の様に、家人《うちのもの》が籠を出して置きはせぬかと、一寸縁へ顔だけ出して見たら、果して出してあった。その上餌も水も新しくなっていた。自分はやっと安心して首を書斎に入れた。途端《とたん》に文鳥は千代々々と鳴いた。それで引込めた首を又出してみた。けれども文鳥は再び鳴かなかった。けげんな顔をして硝子越《ごし》に庭の霜を眺めていた。自分はとうとう机の前に帰った。

書斎の中では相変らずペンの音がさらさらする。書きかけた小説は大分《だいぶん》はかどった。

指の先が冷たい。今朝《けさ》埋《い》けた佐倉炭《さくらずみ》は白くなって、薩摩《さつま》五徳《ごとく》に懸けた鉄瓶《てつびん》が殆《ほとん》ど冷めている。炭取は空だ。手を敲いたが一寸台所まで聴えない。立って戸を明けると、文鳥は例に似ず留り木の上にじっと留っている。よく見ると足が一本しかない。自分は炭取を縁に置いて、上からこごんで籠の中を覗き込んだ。いくら見ても足は一本しかない。文鳥はこの華奢《きゃしゃ》な一本の細い足に総身《そうみ》を託《たく》して黙然《もくねん》として、籠の中に片附いている。

自分は不思議に思った。文鳥に就《つい》て万事を説明した三重吉もこの事だけは抜いたと見える。自分が炭取に炭を入れて帰った時、文鳥の足はまだ一本であった。しばらく寒い縁側に立って眺めていたが、文鳥は動く気色《けしき》もない。音を立てないで見詰めていると、文鳥は丸い眼を次第に細くし出した。大方眠《ねむ》たいのだろうと思って、そっと書斎《しょさい》へ這入ろうとして、一歩足を動かすや否や、文鳥は又眼を開《あ》いた。同時に真白な胸の中から細い足を一本出した。自分は戸を閉《た》てて火鉢《ひばち》へ炭をついだ。

小説は次第に忙《いそが》しくなる。朝は依然《いぜん》として寝坊をする。一度家《うち》のものが文鳥の世話をしてくれてから、何だか自分の責任が軽くなった様な心持がする。家のものが忘れる時は、自分が餌《え》をやる水をやる。籠《かご》の出し入れをする。しない時は、家のものを呼んでさせる事もある。自分は只《ただ》文鳥の声を聞くだけが役目の様になった。

それでも縁側《えんがわ》へ出る時は、必ず籠の前へ立留って文鳥の様子を見た。大抵は狭《せま》い籠を苦にもしないで、二本の留り木を満足そうに往復《おうふく》していた。天気の好《い》い時は薄《うす》い日を硝子越《ガラスごし》に浴びて、しきりに鳴き立てていた。然し三重吉の云った様に、自分の顔を見てことさらに鳴く気色は更になかった。

自分の指からじかに餌を食うなどと云う事は無論なかった。折々機嫌《きげん》のいい時は麺麭《パン》の粉《こ》などを人指指《ひとさしゆび》の先へつけて竹の間から一寸出してみる事があるが文鳥は決して近づかない。少し無遠慮《ぶえんりょ》に突《つ》き込《こ》んでみると、文鳥は指の太いのに驚いて白い翼を乱して籠の中を騒ぎ廻るのみであった。二三度試みた後《のち》、自分は気の毒になって、この芸だけは永久に断念してしまった。今の世にこんな事の出来るものがいるかどうだか甚《はなは》だ疑わしい。恐《おそ》らく古代の聖徒《せいんと》の仕事だろう。三重吉は嘘《うそ》を吐《つ》いたに違《ちが》いない。

或日の事、書斎で例の如くペンの音を立て侘《わ》びしい事を書き連ねていると、不図《ふと》妙《みょう》な音が耳に這入った。縁側でさらさら、さらさら云う。女が長い衣《きぬ》の裾《すそ》を捌《さば》いている様にも受取られるが、只の女のそれとしては、余りに仰山《ぎょうさん》である。雛段《ひなだん》をあるく、内裏雛《だいりびな》の袴《はかま》の襞《ひだ》の擦れる音とでも形容したらよかろうと思った。自分は書きかけた小説を余所《よそ》にして、ペンを持ったまま縁側へ出てみた。すると文鳥が行水を使っていた。

水は丁度易え立てであった。文鳥は軽い足を水入の真中に胸毛《むなげ》まで浸《ひた》して、時々は白い翼を左右にひろげながら、心持水入の中にしゃがむ様に腹を圧《お》し附けつつ、総身の毛を一度に振っている。そうして水入の縁《ふち》にひょいと飛び上る。しばらくして又飛び込む。水入の直径は一寸五分位に過ぎない。飛び込んだ時は尾も余り、頭も余り、脊《せ》は無論余る。水に浸《つ》かるのは足と胸だけである。それでも文鳥は欣然《きんぜん》として行水を使っている。

自分は急に易籠《かえかご》を取って来た。そうして文鳥をこの方へ移した。それから如露《じょろ》を持って風呂場へ行って、水道の水を汲《く》んで、籠の上からさあさあと掛《か》けてやった。如露の水が尽《つき》る頃には白い羽根から落ちる水が珠になって転がった。文鳥は絶えず眼をぱちぱちさせていた。

昔紫の帯上でいたずらをした女が、座敷で仕事をしていた時、裏二階から懐中鏡《ふところかがみ》で女の顔へ春の光線を反射させて楽しんだ事がある。女は薄紅《うすあか》くなった頰を上げて、繊《ほそ》い手を額の前に翳《かざ》しながら、不思議そうに瞬《まばたき》をした。この女とこの文鳥とは恐らく同じ心持だろう。

日数《ひかず》が立つに従って文鳥は善く囀《さえ》ずる。然し能《よ》く忘れられる。或る時は餌壺《えつぼ》が粟《あわ》の殻《から》だけになっていた事がある。ある時は籠の底が糞《ふん》で一杯になっていた事がある。ある晩宴会《えんかい》があって遅く帰ったら、冬の月が硝子越に差し込んで、広い縁側がほの明るく見えるなかに、鳥籠がしんとして、箱の上に乗っていた。その隅《すみ》に文鳥の体が薄白く浮《う》いたまま留り木の上に、有るか無きかに思われた。自分は外套《がいとう》の羽根を返して、すぐ鳥籠を箱のなかへ入れてやった。

翌日文鳥は例の如《ごと》く元気よく囀《さえず》っていた。それからは時々寒い夜も箱にしまってやるのを忘れることがあった。ある晩いつもの通り書斎で専念にペンの音を聞いていると、突然《とつぜん》縁側の方でがたりと物の覆《くつがえ》った音がした。然し自分は立たなかった。依然として急ぐ小説を書いていた。わざわざ立って行って、何でもないと忌々《いまいま》しいから、気にかからないではなかったが、やはり一寸《ちょっと》聞耳を立てたまま知らぬ顔で済ましていた。その晩寝《ね》たのは十二時過ぎであった。便所に行った序《ついで》、気《き》掛《がか》りだから、念の為《ため》一応縁側へ廻ってみると――

籠は箱の上から落ちている。そうして横に倒《たお》れている。水入も餌壺も引繰《ひっくり》返っている。粟は一面に縁側に散らばっている。留り木は抜《ぬ》け出している。文鳥はしのびやかに鳥籠の桟《さん》にかじり附いていた。自分は明日から誓《ちか》ってこの縁側に猫を入れまいと決心した。

翌日《あくるひ》文鳥は鳴かなかった。粟を山盛入れてやった。水を漲《みなぎ》る程《ほど》入れてやった。文鳥は一本足のまま長らく留り木の上を動かなかった。午飯《ひるめし》を食ってから、三重吉に手紙を書こうと思って、二三行書き出すと、文鳥がちちと鳴いた。自分は手紙の筆を留めた。文鳥が又ちちと鳴いた。出てみたら粟も水も大分《だいぶん》減っている。手紙はそれぎりにして裂《さ》いて捨てた。

翌日《よくじつ》文鳥が又鳴かなくなった。留り木を下りて籠の底へ腹を圧し附けていた。胸の所が少し膨らんで、小さい毛が漣《さざなみ》の様に乱れて見えた。自分はこの朝、三重吉から例の件で某所《ぼうしょ》まで来てくれと云う手紙を受取った。十時までにと云う依頼《いらい》であるから、文鳥をそのままにして置いて出た。三重吉に逢《あ》ってみると例の件が色々長くなって、一所に午飯を食う。一所に晩飯を食う。その上明日《あす》の会合まで約束して宅《うち》へ帰った。帰ったのは夜《よ》の九時頃である。文鳥の事はすっかり忘れていた。疲《つか》れたから、すぐ床《とこ》へ這入《はい》って寝てしまった。

翌日《あくるひ》眼が覚めるや否《いな》や、すぐ例の件を思いだした。いくら当人が承知だって、そんな所へ嫁に遣《や》るのは行末よくあるまい、まだ子供だから何処へでも行けと云われる所へ行く気になるんだろう。一旦行けば無暗《むやみ》に出られるものじゃない。世の中には満足しながら不幸に陥《おちい》って行く者が沢山《たくさん》ある。などと考えて楊枝《ようじ》を使って、朝飯を済まして又例の件を片附けに出掛けて行った。

帰ったのは午後三時頃である。玄関へ外套を懸けて廊下《ろうか》伝いに書斎へ這入る積りで例の縁側へ出てみると、鳥籠が箱の上に出してあった。けれども文鳥は籠の底に反っ繰り返っていた。二本の足を硬《かた》く揃《そろ》えて、胴と直線に伸ばしていた。自分は籠の傍《わき》に立って、じっと文鳥を見守った。黒い眼を眠《ねぶ》っている。瞼《まぶた》の色は薄蒼《うすあお》く変った。

餌壺には粟の殻ばかり溜《たま》っている。啄《ついば》むべきは一粒もない。水入は底の光る程涸《か》れている。西へ廻った日が硝子戸を洩《も》れて斜めに籠に落ちかかる。台に塗《ぬ》った漆《うるし》は、三重吉の云った如く、いつの間にか黒味が脱《ぬ》けて、朱の色が出て来た。

自分は冬の日に色づいた朱の台を眺《なが》めた。空になった餌壺を眺めた。空《むな》しく橋を渡《わた》している二本の留り木を眺めた。そうしてその下に横《よこた》わる硬い文鳥を眺めた。

自分はこごんで両手に鳥籠を抱《かか》えた。そうして、書斎へ持って這入った。十畳《じょう》の真中へ鳥籠を卸《おろ》して、その前へかしこまって、籠の戸を開いて、大きな手を入れて、文鳥を握ってみた。柔《やわら》かい羽根は冷切っている。

拳《こぶし》を籠から引き出して、握った手を開けると、文鳥は静《しずか》に掌《てのひら》の上にある。自分は手を開けたまま、しばらく死んだ鳥を見詰めていた。それから、そっと座布団の上に卸した。そうして、烈《はげ》しく手を鳴らした。

十六になる小女《こおんな》が、はいと云って敷居《しきい》際《ぎわ》に手をつかえる。自分はいきなり布団《ふとん》の上にある文鳥を握って、小女の前へ抛《ほう》り出した。小女は俯向《うつむ》いて畳《たたみ》を眺めたまま黙《だま》っている。自分は、餌を遣らないから、とうとう死んでしまったと云いながら、下女の顔を睥《にら》めつけた。下女はそれでも黙っている。

自分は机の方へ向き直った。そうして三重吉へ端書《はがき》をかいた。「家人《うちのもの》が餌を遣らないものだから、文鳥はとうとう死んでしまった。たのみもせぬものを籠へ入れて、しかも餌を遣る義務さえ尽さないのは残酷《ざんこく》の至りだ」と云う文句であった。

自分は、これを投函《だ》して来い、そうしてその鳥をそっちへ持って行けと下女に云った。下女は、どこへ持って参りますかと聞き返した。どこへでも勝手に持って行けと怒鳴りつけたら、驚《おどろ》いて台所の方へ持って行った。

しばらくすると裏庭で、子供が文鳥を埋《うめ》るんだ埋るんだと騒いでいる。庭掃除《そうじ》に頼《たの》んだ植木屋が、御嬢《おじょう》さん、此処《ここ》いらが好いでしょうと云っている。自分は進まぬながら、書斎でペンを動かしていた。

翌日は何だか頭が重いので、十時頃になって漸《ようや》く起きた。顔を洗いながら裏庭を見ると、昨日植木屋の声のしたあたりに、小《ち》さい公札が、蒼い木賊《とくさ》の一株と並んで立っている。高さは木賊よりもずっと低い。庭下駄を穿《は》いて、日影《ひかげ》の霜《しも》を踏《ふ》み砕いて、近附いて見ると、公札の表には、この土手登るべからずとあった。筆子《ふでこ》の手蹟《しゅせき》である。

午後三重吉から返事が来た。文鳥は可愛想な事を致《いた》しましたとあるばかりで家人《うちのもの》が悪いとも残酷だとも一向書いてなかった。

夢十夜

第一夜

こんな夢を見た。

腕組《うでぐみ》をして枕元《まくらもと》に坐っていると、仰向《あおむき》に寝《ね》た女が、静かな声でもう死にますと云う。女は長い髪《かみ》を枕に敷《し》いて、輪廓《りんかく》の柔《やわ》らかな瓜実顔《うりざねがお》をその中に横たえている。真白《まっしろ》な頬《ほお》の底に温かい血の色が程《ほど》よく差して、唇《くちびる》の色は無論赤い。到底《とうてい》死にそうには見えない。然し女は静かな声で、もう死にますと判然《はっきり》云った。自分も確《たしか》にこれは死ぬなと思った。そこで、そうかね、もう死ぬのかね、と上から覗《のぞ》き込《こ》む様にして聞いてみた。死にますとも、と云いながら、女はぱっちりと眼を開けた。大きな潤《うるおい》のある眼で、長い睫《まつげ》に包まれた中は、只《ただ》一面に真黒であった。その真黒な眸《ひとみ》の奥《おく》に、自分の姿が鮮《あざやか》に浮《う》かんでいる。

自分は透《す》き徹《とお》る程深く見えるこの黒眼の色沢《つや》を眺《なが》めて、これでも死ぬのかと思った。それで、ねんごろに枕の傍《そば》へ口を付けて、死ぬんじゃなかろうね、大丈夫《だいじょうぶ》だろうね、と又聞き返した。すると女は黒い眼を眠《ねむ》そうに睜《みはっ》たまま、やっぱり静かな声で、でも、死ぬんですもの、仕方がないわと云った。

じゃ、私の顔が見えるかいと一心に聞くと、見えるかいって、そら、そこに、写ってるじゃありませんかと、にこりと笑って見せた。自分は黙《だま》って、顔を枕から離《はな》した。腕組をしながら、どうしても死ぬのかなと思った。

しばらくして、女が又こう云った。

「死んだら、埋《う》めて下さい。大きな真珠貝《しんじゆがい》で穴を掘《ほ》って。そうして天から落ちて来る星の破片《かけ》を墓標《はかじるし》に置いて下さい。そうして墓の傍に待っていて下さい。又逢《またあ》いに来ますから」

自分は、何時《いつ》逢いに来るかねと聞いた。

「日が出るでしょう。それから日が沈《しず》むでしょう。それから又出るでしょう、そうして又沈むでしょう。——赤い日が東から西へ、東から西へと落ちて行くうちに、——あなた、待っていられますか」

自分は黙って首肯《うなずい》た。女は静かな調子を一段張り上げて、

「百年待っていて下さい」と思い切た声で云った。

「百年、私《わたくし》の墓の傍に坐って待っていて下さい。きっと逢いに来ますから」

自分は只待っていると答えた。すると、黒い眸《ひとみ》のなかに鮮に見えた自分の姿が、ぼうっと崩《くず》れて来た。静かな水が動いて写る影《かげ》を乱した様に、流れ出したと思ったら、女の眼がぱちりと閉じた。長い睫の間から涙《なみだ》が頬へ垂れた。――もう死んでいた。

自分はそれから庭へ下りて、真珠貝で穴を掘った。真珠貝は大きな滑《なめ》かな縁《ふち》の鋭《する》どい貝であった。土をすくう度に、貝の裏に月の光が差してきらきらした。湿《しめ》った土の匂《におい》もした。穴はしばらくして掘れた。女をその中に入れた。そうして柔らかい土を、上からそっと掛《か》けた。掛ける毎《たび》に真珠貝の裏に月の光が差した。

それから星の破片《かけ》の落ちたのを拾って来て、かろく土の上へ乗せた。星の破片《かけ》は丸かった。長い間大空を落ちている間に、角が取れて滑かになったんだろうと思った。抱《だ》き上げて土の上へ置くうちに、自分の胸と手が少し暖くなった。

自分は苔《こけ》の上に坐った。これから百年の間こうして待っているんだなと考えながら、腕組をして、丸い墓石を眺めていた。そのうちに、女の云った通り日が東から出た。大きな赤い日であった。それが又女の云った通り、やがて西へ落ちた。赤いまんまでのっと落ちて行った。一つと自分は勘定《かんじょう》した。

しばらくすると又唐紅《からくれない》の天道《てんとう》がのそりと上《のぼ》って来た。そうして黙って沈んでしまった。二つと又勘定した。

自分はこう云う風に一つ二つと勘定して行くうちに、赤い日をいくつ見たか分らない。勘定しても、勘定しても、しつくせない程赤い日が頭の上を通り越《こ》して行った。それでも百年がまだ来ない。しまいには、苔の生えた丸い石を眺めて、自分は女に欺《だま》されたのではなかろうかと思い出した。

すると石の下から斜《はす》に自分の方へ向いて青い茎《くき》が伸《の》びて来た。見る間に長くなって丁度自分の胸のあたりまで来て留まった。と思うと、すらりと揺《ゆら》ぐ茎の頂《いただき》に、心持首を傾《かたぶ》けていた細長い一輪の蕾《つぼみ》が、ふっくらと瓣《はなびら》を開いた。真白な百合《ゆり》が鼻の先で骨に徹《こた》える程匂った。そこへ遥《はるか》の上から、ぽたりと露《つゆ》が落ちたので、花は自分の重みでふらふらと動いた。自分は首を前へ出して冷たい露の滴《したた》る、白い花瓣《はなびら》に接吻《せっぷん》した。自分が百合から顔を離す拍子に思わず、遠い空を見たら、暁《あかつき》の星がたった一つ瞬《またた》いていた。

「百年はもう来ていたんだな」とこの時始めて気が付いた。

第二夜

こんな夢を見た。

和尚《おしよう》の室《しつ》を退《さ》がって、廊下《ろうか》伝いに自分の部屋へ帰ると行燈《あんどう》がぼんやり点《とも》っている。片膝《かたひざ》を座蒲団《ざぶとん》の上に突《つ》いて、燈心を掻《か》き立てたとき、花の様な丁子《ちょうじ》がぱたりと朱塗《しゅぬり》の台に落ちた。同時に部屋がぱっと明かるくなった。

襖《ふすま》の画《え》は蕪村《ぶそん》の筆である。黒い柳《やなぎ》を濃《こ》く薄《うす》く、遠近《おちこち》とかいて、寒むそうな漁夫が笠《かさ》を傾《かたぶ》けて土手の上を通る。床《とこ》には海中文珠《かいちゅうもんじゅ》*の軸が懸《かか》っている。焚《た》き残した線香《せんこう》が暗い方でいまだに臭《にお》っている。広い寺だから森閑《しんかん》として、人気がない。黒い天井《てんじょう》に差す丸行燈の丸い影《かげ》が、仰向く途端《とたん》に生きてる様に見えた。

立膝《たてひざ》をしたまま、左の手で座蒲団を捲《めく》って、右を差し込んでみると、思った所に、ちゃんとあった。あれば安心だから、蒲団をもとの如《ごと》く直して、その上にどっかり坐った。

お前は侍《さむらい》である。侍なら悟《さと》れぬ筈《はず》はなかろうと和尚が云った。そう何日《いつ》までも悟れぬ所を以《もっ》て見ると、御前は侍ではあるまいと言った。人間の屑《くず》じゃと言った。ははあ怒《おこ》ったなと云って笑った。口惜《くや》しければ悟った証拠《しょうこ》を持って来いと云ってぷいと向《むこ》うをむいた。怪《け》しからん。

隣《となり》の広間の床に据《す》えてある置時計が次の刻《とき》を打つまでには、きっと悟って見せる。悟った上で、今夜又入室する。そうして和尚の首と悟りと引替《ひきかえ》にしてやる。悟らなければ、和尚の命が取れない。どうしても悟らなければならない。自分は侍である。もし悟れなければ自刃《じじん》する。侍が辱《はずか》しめられて、生きている訳には行かない。奇麗《きれい》に死んでしまう。

こう考えた時、自分の手は又思わず布団《ふとん》の下へ這入《はい》った。そうして朱鞘《しゅざや》の短刀を引き摺《ず》り出した。ぐっと束《つか》*を握《にぎ》って、赤い鞘を向《むこう》へ払ったら、冷たい刃《は》が一度に暗い部屋で光った。凄《すご》いものが手元から、すうすうと逃《に》げて行く様に思われる。そうして、悉《ことごと》く切先《きっさき》へ集まって、殺気を一点に籠《こ》めている。自分はこの鋭い刃が、無念にも針の頭の様に縮められて、九寸五分《くすんごぶ》の先へ来て已《やむ》を得ず尖《とが》ってるのを見て、忽《たちま》ちぐさりと遣《や》り度《たく》なった。身体《からだ》の血が右の手首の方へ流れて来て、握っている束がにちゃにちゃする。唇が顫《ふる》えた。

短刀を鞘へ収めて右脇《わき》へ引きつけて置いて、それから全伽《ぜんが》を組んだ。――趙州《じょうしゅう》曰《いわ》く無と。*無とは何だ。糞坊主《くそぼうず》めと歯噛《はがみ》をした。

奥歯を強く咬《か》み締《し》めたので、鼻から熱い息が荒《あら》く出る。米噛《こめかみ》が釣《つ》って痛い。眼は普《ふ》通《つう》の倍も大きく開けてやった。

懸物《かけもの》が見える。行燈が見える。畳《たたみ》が見える。和尚の薬罐《やかん》頭がありありと見える。鰐《わに》口《ぐち》を開《あ》いて嘲笑《あざわら》った声まで聞える。怪しからん坊主だ。どうしてもあの薬罐を首にしなくてはならん。悟ってやる。無だ、無だと舌の根で念じた。無だと云うのにやっぱり線香の香《におい》がした。何だ線香の癖《くせ》に。

自分はいきなり拳骨《げんこつ》を固めて自分の頭をいやと云う程擲《なぐ》った。そうして奥歯をぎりぎりと嚙んだ。両腋《りようわき》から汗《あせ》が出る。脊中《せなか》が棒の様になった。膝の接目《つぎめ》が急に痛くなった。膝が折れたってどうあるものかと思った。けれども痛い。苦しい。無は中々出て来ない。出て来ると思うとすぐ痛くなる。腹が立つ。無念になる。非常に口惜《くや》しくなる。涙がほろほろ出る。一と思《おもい》に身を巨巌《おおいわ》の上に打《ぶ》つけて、骨も肉もめちゃめちゃに砕《くだ》いてしまいたくなる。

それでも我慢《がまん》して凝《じっ》と坐っていた。堪《た》えがたい程切ないものを胸に盛《い》れて忍《しの》んでいた。その切ないものが身体中の筋肉を下から持上げて、毛穴から外へ吹《ふ》き出よう出ようと焦《あせ》るけれども、何処《どこ》も一面に塞《ふさ》がって、まるで出口がない様な残刻極《きわ》まる状態であった。

その内に頭が変になった。行燈《あんどう》も蕪村の画も、畳も、違棚《ちがいだな》も有って無い様な、無くって有る様に見えた。と云って無はちっとも現前しない。ただ好加減《いいかげん》に坐っていた様である。ところへ忽然《こつぜん》隣座敷の時計がチーンと鳴り始めた。

はっと思った。右の手をすぐ短刀に掛けた。時計が二つ目をチーンと打った。

第三夜

　こんな夢を見た。

　六つになる子供を負《おぶ》ってる。慥《たしか》に自分の子である。只《ただ》不思議な事には何時《いつ》の間にか眼が潰《つぶ》れて、青坊主《あおぼうず》になっている。自分が御前の眼は何時潰れたのかいと聞くと、なに昔からさと答えた。声は子供の声に相違《そうい》ないが、言葉つきはまるで大人である。しかも対等だ。

　左右は青田である。路《みち》は細い。鷺《さぎ》の影が時々闇《やみ》に差す。

「田圃《たんぼ》へ掛《かか》ったね」と脊中《せなか》で云った。

「どうして解《わか》る」と顔を後ろへ振《ふ》り向ける様にして聞いたら、

「だって鷺が鳴くじゃないか」と答えた。

　すると鷺が果して二声程《ほど》鳴いた。

　自分は我子ながら少し怖《こわ》くなった。こんなものを脊負《しょ》っていては、この先どうなるか分らない。どこか打遣《うっち》ゃる所はなかろうかと向うを見ると闇の中に大きな森が見え

た。あすこならばと考え出す途端に、脊中で、

「ふん」と云う声がした。

「何を笑うんだ」

子供は返事をしなかった。只

「御父《おとっ》さん、重いかい」と聞いた。

「重かあない」と答えると

「今に重くなるよ」と云った。

自分は黙《だま》って森を目標《めじるし》にあるいて行った。田の中の路が不規則にうねって中々思う様に出られない。しばらくすると二股《ふたまた》になった。自分は股の根に立って、一寸《ちょっと》休んだ。

「石が立ってる筈だがな」と小僧が云った。

成程八寸角の石が腰《こし》程の高さに立っている。表には左り日《ひ》ケ窪《くぼ》、右堀田《ほった》原《はら》とある。闇だのに赤い字が明かに見えた。赤い字は井《い》守《もり》の腹の様な色であった。

「左が好《い》いだろう」と小僧が命令した。左を見ると最先《さっき》の森が闇の影を、高い空から自分等の頭の上へ抛《な》げかけていた。自分は一寸躊躇《ちゅうちょ》した。

「遠慮《えんりょ》しないでもいい」と小僧が又云った。自分は仕方なしに森の方へ歩き出した。腹の中では、よく盲目《めくら》の癖に何でも知ってるなと考えながら一筋道を森へ近づいてく

ると、脊中で、「どうも盲目は不自由で不可《いけな》いね」と云った。

「だから負《おぶ》ってやるから可《い》いじゃないか」

「負ぶって貰《もら》って済まないが、どうも人に馬鹿にされて不可い。親にまで馬鹿にされるから不可い」

何だか厭《いや》になった。早く森へ行って捨ててしまおうと思って急いだ。

「もう少し行くと解る。——丁度こんな晩だったな」と脊中で独言《ひとりごと》の様に云っている。

「何が」と際《きわ》どい声を出して聞いた。

「何がって、知ってるじゃないか」と子供は嘲《あざ》ける様に答えた。すると何だか知ってる様な気がし出した。けれども判然《はっきり》とは分らない。只こんな晩であった様に思える。そうしてもう少し行けば分る様に思える。分っては大変だから、分らないうちに早く捨ててしまって、安心しなくってはならない様に思える。自分は益《ますます》足を早めた。

雨は最先《さっき》から降っている。路はだんだん暗くなる。殆《ほと》んど夢中である。只脊中に小さい小僧が食付《くっつ》いていて、その小僧が自分の過去、現在、未来を悉《ことごと》く照して、寸分の事実も洩《も》らさない鏡の様に光っている。しかもそれが自分の子である。そうして盲目《めくら》である。自分は堪《たま》らなくなった。

「此処《ここ》だ、此処だ。丁度その杉の根の処《ところ》だ」

雨の中で小僧の声は判然《はっきり》聞えた。自分は覚えず留った。何時しか森の中へ這入っていた。一間ばかり先にある黒いものは慥に小僧の云う通り杉の木と見えた。

「御父さん、その杉の根の処だったね」

「うん、そうだ」と思わず答えてしまった。

「文化五年辰年《たつどし》だろう」

成程文化五年辰年らしく思われた。

「御前がおれを殺したのは今から丁度百年前だね」

自分はこの言葉を聞くや否《いな》や、今から百年前文化五年の辰年のこんな闇の晩に、この杉の根で、一人の盲目を殺したと云う自覚が、忽然《こつぜん》として頭の中に起った。おれは人殺《ひとごろし》であったんだなと始めて気が附いた途端に、脊中の子が急に石地蔵の様に重くなった。

第四夜

広い土間の真中《まんなか》に涼《すず》み台の様なものを据《す》えて、その周囲《まわり》に小さい床几《しょうぎ》が並べてある。

台は黒光りに光っている。片隅《かたすみ》には四角な膳《ぜん》を前に置いて爺《じい》さんが一人で酒を飲んでいる。肴《さかな》は煮《に》しめらしい。

爺さんは酒の加減で中々赤くなっている。その上顔中沢々《つやつや》*して皺《しわ》と云う程のものはどこにも見当らない。只白い髯《ひげ》をありたけ生やしているから年寄と云う事だけは別《わか》る。自分は子供ながら、この爺さんの年は幾何《いくつ》なんだろうと思った。ところへ裏の筧《かけひ》から手桶《ておけ》に水を汲《く》んで来た神《かみ》さんが、前垂《まえだれ》で手を拭《ふ》きながら、

「御爺さんは幾年《いくつ》かね」と聞いた。爺さんは頬張《ほおば》った煮《に》〆《しめ》を呑《の》み込《こ》んで、

「幾年か忘れたよ」と澄《す》ましていた。神さんは拭いた手を、細い帯の間に挟《はさ》んで横から爺さんの顔を見て立っていた。爺さんは茶碗《ちゃわん》の様な大きなもので酒をぐいと飲んで、そうして、ふうと長い息を白い髯の間から吹き出した。すると神さんが、

「御爺さんの家《うち》は何処《どこ》かね」と聞いた。爺さんは長い息を途中で切って、

「臍《へそ》の奥だよ」と云った。神さんは手を細い帯の間に突込んだまま、

「どこへ行くかね」と又聞いた。すると爺さんが、又茶碗の様な大きなもので熱い酒をぐいと飲んで前の様な息をふうと吹いて、

「あっちへ行くよ」と云った。

「真直かい」と神さんが聞いた時、ふうと吹いた息が、障子を通り越して柳の下を抜

けて、河原の方へ真直に行った。

爺さんが表へ出た。自分も後《あと》から出た。爺さんの腰に小さい瓢簞《ひょうたん》がぶら下がっている。肩《かた》から四角な箱を腋《わき》の下へ釣《つ》るしている。浅黄《あさぎ》の股引《ももひき》を穿《は》いて、浅黄の袖無《そでな》しを着ている。足袋《たび》だけが黄色い。何だか皮で作った足袋の様に見えた。

爺さんが真直に柳の下まで来た。柳の下に子供が三四人居た。爺さんは笑いながら腰から浅黄の手拭《てぬぐい》を出した。それを肝心綯《かんじんより》*の様に細長く綯《よ》った。そうして地面《じびた》の真中に置いた。それから手拭の周囲《まわり》に、大きな丸い輪を描《か》いた。しまいに肩にかけた箱の中から真鍮《しんちゅう》で製《こし》らえた飴屋《あめや》の笛を出した。

「今にその手拭が蛇になるから、見ておろう。見ておろう」と繰返《くりかえ》して云った。

子供は一生懸命《いっしょうけんめい》に手拭を見ていた。自分も見ていた。

「見ておろう、見ておろう、好《よ》いか」と云いながら爺さんが笛を吹いて、輪の上をぐるぐる廻り出した。自分は手拭ばかり見ていた。けれども手拭は一向動かなかった。

爺さんは笛をぴいぴい吹いた。そうして輪の上を何遍《なんべん》も廻った。草鞋《わらじ》を爪立《つまだ》てる様に、抜足《ぬきあし》をする様に、手拭に遠慮をする様に、廻った。怖《こわ》そうにも見えた。面白そうにもあった。

やがて爺さんは笛をぴたりと已《や》めた。そうして、肩に掛けた箱の口を開けて、手拭の首を、ちょいと撮《つま》んで、ぽっと放り込んだ。

「こうして置くと、箱の中で蛇になる。今に見せてやる。今に見せてやる」と云いながら、爺さんが真直に歩き出した。柳の下を抜けて、細い路を真直に下りて行った。自分は蛇が見たいから、細い道を何処までも追《つ》いて行った。爺さんは時々「今になる」と云ったり、「蛇になる」と云ったりして歩いて行く。仕舞《しまい》には、

「今になる、蛇になる、

きっとなる、笛が鳴る、」

と唄《うた》いながら、とうとう河の岸へ出た。橋も舟もないから、此処で休んで箱の中の蛇を見せるだろうと思っていると、爺さんはざぶざぶ河の中へ這入《はい》り出した。始めは膝《ひざ》位の深さであったが、段々腰から、胸の方まで水に浸《つか》って見えなくなる。それでも爺さんは

「深くなる、夜になる、

真直になる」

と唄いながら、どこまでも真直に歩いて行った。そうして髯も顔も頭も頭巾もまるで見えなくなってしまった。

自分は爺さんが向岸へ上がった時に、蛇を見せるだろうと思って、蘆《あし》の鳴る所に立

って、たった一人何時までも待っていた。けれども爺さんは、とうとう上がって来なかった。

第五夜

こんな夢を見た。

何でも余程《よほど》古い事で、神代《かみよ》に近い昔と思われるが、自分が軍《いくさ》をして運悪く敗北《まけ》た為《ため》に、生擒《いけどり》になって、敵の大将の前に引き据《す》えられた。

その頃《ころ》の人はみんな脊《せ》が高かった。そうして、みんな長い髯《ひげ》を生やしていた。革の帯を締めて、それへ棒の様な剣《つるぎ》を釣るしていた。弓は藤蔓《ふじづる》の太いのをそのまま用いた様に見えた。漆《うるし》も塗《ぬ》ってなければ磨《みが》きも掛《か》けてない。極《きわ》めて素樸《そぼく》なものであった。

敵の大将は、弓の真中《まんなか》を右の手で握《にぎ》って、その弓を草の上へ突《つ》いて、酒甕《さかがめ》を伏《ふ》せた様なものの上に腰を掛けていた。その顔を見ると、鼻の上で、左右の眉《まゆ》が太く接続《つなが》っている。その頃髪剃《かみそり》と云うものは無論なかった。

自分は虜《とりこ》だから、腰を掛ける訳に行かない。草の上に胡坐《あぐら》をかいていた。足には大きな藁沓《わらぐつ》を穿《は》いていた。この時代の藁沓は深いものであった。立つと膝頭《ひざがしら》まで来た。その端《はし》の所は藁を少し編残して、房《ふさ》の様に下げて、歩くとばらばら動く様にして、飾《かざ》りとしていた。

大将は篝火《かがりび》で自分の顔を見て、死ぬか生きるかと聞いた。これはその頃の習慣で、捕虜《とりこ》にはだれでも一応はこう聞いたものである。生きると答えると降参した意味で、死ぬと云うと屈服《くっぷく》しないと云う事になる。自分は一言《ひとこと》死ぬと答えた。大将は草の上に突いていた弓を向うへ抛《な》げて、腰に釣るした棒の様な剣をするりと抜き掛けた。それへ風に靡《なび》いた篝火が横から吹きつけた。自分は右の手を楓《かえで》の様に開いて、掌《たなごころ》を大将の方へ向けて、眼の上へ差し上げた。待てと云う相図である。大将は太い剣をかちゃりと鞘《さや》に収めた。

その頃でも恋《こい》はあった。自分は死ぬ前に一目思う女に逢《あ》いたいと云った。大将は夜が明けて鶏《とり》が鳴くまでなら待つと云った。鶏が鳴くまでに女を此処へ呼ばなければならない。鶏が鳴いても女が来なければ、自分は逢わずに殺されてしまう。

大将は腰を掛けたまま、篝火を眺《なが》めている。自分は大きな藁沓を組み合わしたまま、草の上で女を待っている。夜は段々更《ふ》ける。

時々篝火が崩《くず》れる音がする。崩れる度《たび》に狼狽《うろたえ》た様に焔《ほのお》が大将になだれかかる。真黒な眉の下で、大将の眼がぴかぴかと光っている。すると誰《たれ》やら来て、新しい枝を沢山《たくさん》火の中へ抛《な》げ込《こ》んで行く。しばらくすると、火がぱちぱちと鳴る。暗闇《くらやみ》を弾《はじ》き返す様な勇ましい音であった。

この時女は、裏の楢《なら》の木に繋《つな》いである、白い馬を引き出した。鬣《たてがみ》を三度撫《な》でて高い脊にひらりと飛び乗った。鞍《くら》もない鐙《あぶみ》もない裸馬《はだかうま》であった。長く白い足で、太腹を蹴《け》ると、馬は一散に駆《か》け出した。誰かが篝《かが》りを継《つ》ぎ足したので、遠くの空が薄明《うすあか》るく見える。馬はこの明るいものを目懸《めがけ》て闇《やみ》の中を飛んで来る。鼻から火の柱の様な息を二本出して飛んで来る。それでも女は細い足でしきりなしに馬の腹を蹴《けっ》ている。馬は蹄《ひづめ》の音が宙で鳴る程早く飛んで来る。女の髪は吹流しの様に闇の中に尾を曳《ひ》いた。それでもまだ篝のある所まで来られない。

すると真闇《まっくら》な道の傍《はた》で、忽《たちま》ちこけこっこうと云う鶏《とり》の声がした。女は身を空様《そらざま》に、両手に握った手綱《たづな》をうんと控《ひか》えた。馬は前足の蹄を堅《かた》い岩の上に発矢《はっし》と刻み込んだ。

こけこっこうと鶏《にわとり》がまた一声鳴いた。

女はあっと云って、緊《し》めた手綱を一度に緩《ゆる》めた。馬は諸膝《もろひざ》を折る。乗った人と共に真向《まとも》へ前へのめった。岩の下は深い淵《ふち》であった。

蹄の跡《あと》はいまだに岩の上に残っている。鶏《とり》の鳴く真似《まね》をしたものは天探女《あまのじゃく》である。

この蹄の痕《あと》の岩に刻みつけられている間、天探女は自分の敵《かたき》である。

第六夜

運慶《うんけい》*が護国寺《ごこくじ》の山門で仁王《におう》を刻んでいると云う評判だから、散歩ながら行って見ると、自分より先にもう大勢集まって、しきりに下馬評《げばひょう》をやっていた。

山門の前五六間《けん》の所には、大きな赤松があって、その幹が斜《なな》めに山門の甍《いらか》を隠《かく》して、遠い青空まで伸《の》びている。松の緑と朱塗《しゅぬり》の門が互《たが》いに照り合って美事に見える。その上松の位地が好《い》い。門の左の端を眼障《めざわり》にならない様に、斜《はす》に切って行って、上になる程幅《はば》を広く屋根まで突出《つきだ》しているのが何となく古風である。鎌倉《かまくら》時代とも思われる。

ところが見ているものは、みんな自分と同じく、明治の人間である。その中でも車夫が一番多い。辻待《つじまち》をして退屈だから立っているに相違《そうい》ない。

「大きなもんだなあ」と云っている。

「人間を拵《こしら》えるよりも余っ程骨が折れるだろう」とも云っている。

そうかと思うと、「へえ仁王だね。今でも仁王を彫《ほ》るのかね。へえそうかね。私《わっし》や又仁王はみんな古いのばかりかと思ってた」と云った男がある。

「どうも強そうですね。なんだってえますぜ。昔から誰《だれ》が強いって、仁王程強い人あ無いって云いますぜ。何でも日本武尊《やまとだけのみこと》よりも強いんだってえからね」と話しかけた男もある。この男は尻《しり》を端折《はしよ》って、帽子《ぼうし》を被《かぶ》らずにいた。余程無教育な男と見える。

運慶は見物人の評判には委細頓着《いさいとんじゃく》なく鑿《のみ》と槌《つち》を動かしている。一向振り向きもしない。高い所に乗って、仁王の顔の辺《あたり》をしきりに彫り抜いて行く。

運慶は頭に小さい烏帽子《えぼし》の様なものを乗せて、素袍《すおう》だか何だか別《わか》らない大きな袖を脊中で括《くく》っている。その様子が如何《いか》にも古くさい。わいわい云ってる見物人とはまるで釣り合が取れない様である。自分はどうして今時分まで運慶が生きているのかなと思った。どうも不思議な事があるものだと考えながら、やはり立って見ていた。

然《しか》し運慶の方では不思議とも奇体とも頓と感じ得ない様子で一生懸命に彫《ほっ》ている。仰向《あおむ》いてこの態度を眺めていた一人の若い男が、自分の方を振り向いて、

「さすがは運慶だな。眼中に我々なしだ。天下の英雄《えいゆう》はただ仁王と我れとあるのみと云う態度だ。天晴《あっぱ》れだ」と云って賞《ほ》め出した。

自分はこの言葉を面白いと思った。それで一寸《ちょっと》若い男の方を見ると、若い男は、すかさず、

「あの鑿と槌の使い方を見給《みたま》え。大自在の妙境《みようきよう》に達している」と云った。

運慶は今太い眉を一寸の高さに横へ彫り抜いて、鑿の歯を竪《たて》に返すや否《いな》や斜《は》すに、上から槌を打ち下した。堅い木を一と刻みに削《けず》って、厚い木屑《きくず》が槌の声に応じて飛んだと思ったら、小鼻のおっ開いた怒《いか》り鼻の側面が忽ち浮《う》き上がって来た。その刀《とう》の入れ方が如何にも無遠慮《ぶえんりょ》であった。そうして少しも疑念を挾《さしはさ》んでおらん様に見えた。

「能《よ》くああ無造作に鑿を使って、思う様な眉《まみえ》や鼻が出来るものだな」と自分はあんまり感心したから独言《ひとりごと》の様に言った。するとさっきの若い男が、

「なに、あれは眉《まみえ》や鼻を鑿で作るんじゃない。あの通りの眉や鼻が木の中に埋《うま》っているのを、鑿と槌の力で掘《ほ》り出すまでだ。まるで土の中から石を掘り出す様なものだから決して間違《まちが》う筈《はず》はない」と云った。

自分はこの時始めて彫刻とはそんなものかと思い出した。果してそうなら誰にでも出来る事だと思い出した。それで急に自分も仁王が彫ってみたくなったから見物をやめて早速家《うち》へ帰った。

道具箱から鑿と金槌を持ち出して、裏へ出てみると、先達《せんだつ》ての暴風《あらし》で倒《たお》れた樫《かし》を、薪《まき》にする積りで、木挽《こびき》に挽《ひ》かせた手頃な奴《やつ》が、沢山積んであった。

自分は一番大きいのを選んで、勢いよく彫り始めてみたが、不幸にして、仁王は見

当らなかった。その次のにも運悪く掘り当る事が出来なかった。三番目のにも仁王は居なかった。自分は積んである薪を片っ端から彫ってみたが、どれもこれも仁王を蔵《かく》しているのはなかった。遂《つい》に明治の木には到底《とうてい》仁王は埋《うま》っていないものだと悟《さと》った。それで運慶が今日まで生きている理由も略解《ほぼわか》った。

第七夜

何でも大きな船に乗っている。

この船が毎日毎夜すこしの絶間なく黒い煙《けぶり》を吐《は》いて浪《なみ》を切って進んで行く。凄《すさま》じい音である。けれども何処《どこ》へ行くんだか分らない。只波の底から焼火《やけひ》箸《ばし》の様な太陽が出る。それが高い帆柱《ほばしら》の真上まで来てしばらく挂《かか》っているかと思うと、何時《いつ》の間にか大きな船を追い越して、先へ行ってしまう。そうして、しまいには焼火箸の様にじゅっといって又波の底に沈《しず》んで行く。その度《たんび》に蒼《あお》い波が遠くの向うで、蘇枋《すおう》の色に沸《わ》き返る。すると船は凄じい音を立ててその跡を追掛《おっか》けて行く。けれども決して追附《おっつ》かない。

ある時自分は、船の男を捕《つら》まえて聞いてみた。

「この船は西へ行くんですか」

船の男は怪訝《けげん》な顔をして、しばらく自分を見ていたが、やがて、

「何故《なぜ》」と問い返した。

「落ちて行く日を追懸《おっかけ》る様だから」

船の男は呵々《からから》と笑った。そうして向うの方へ行ってしまった。

「西へ行く日の、果は東か。それは本真《ほんま》か。東出る日の、御里は西か。それも本真か。身は波の上。檝枕《かじまくら》。流せ流せ」と囃《はや》している。舳《へさき》へ行って見たら、水夫が大勢寄って、太い帆綱《ほづな》を手繰《たぐ》っていた。

自分は大変心細くなった。何時陸《おか》へ上がれる事か分らない。そうして何処へ行くのだか知れない。只黒い煙《けぶり》を吐いて波を切って行く事だけは慥《たし》かである。その波は頗《すこぶ》る広いものであった。際限もなく蒼く見える。時には紫《むらさき》にもなった。只船の動く周囲《まわり》だけは何時でも真白《まっしろ》に泡《あわ》を吹いていた。自分は大変心細かった。こんな船にいるより一《いっ》層《そ》身を投《なげ》て死んでしまおうかと思った。

乗合は沢山居た。大抵《たいてい》は異人の様であった。然し色々な顔をしていた。空が曇《くも》って船が揺《ゆ》れた時、一人の女が欄《てすり》に倚《よ》りかかって、しきりに泣いていた。眼を拭《ふ》く半巾《ハンケチ》の色が白く見えた。然し身体《からだ》には更紗《さらさ》の様な洋服を着ていた。この女を見た時に、悲し

いのは自分ばかりではないのだと気が附いた。

ある晩甲板《かんぱん》の上に出て、一人で星を眺《なが》めていたら、一人の異人が来て、天文学を知ってるかと尋《たず》ねた。自分はつまらないから死のうとさえ思っている。天文学などを知る必要がない。黙《だま》っていた。するとその異人が金牛宮《きんぎゅうきゅう》の頂《いただき》にある七星《しちせい》*の話をして聞かせた。そうして星も海もみんな神の作ったものだと云った。最後に自分に神を信仰《しんこう》するかと尋ねた。自分は空を見て黙っていた。

或時サローンに這入《はい》ったら派出*な衣裳《いしょう》を着た若い女が向うむきになって、洋琴《ピアノ》を弾《ひ》いていた。その傍《そば》に脊《せい》の高い立派な男が立って、唱歌を唄っている。その口が大変大きく見えた。けれども二人は二人以外の事にはまるで頓着《とんじゃく》していない様子であった。船に乗っている事さえ忘れている様であった。

自分は益《ますます》つまらなくなった。とうとう死ぬ事に決心した。それである晩、あたりに人の居ない時分、思い切って海の中へ飛び込んだ。ところが――自分の足が甲板を離《はな》れて、船と縁《えん》が切れたその刹那《せつな》に、急に命が惜《お》しくなった。心の底からよせばよかったと思った。けれども、もう遅《おそ》い。自分は厭《いや》でも応でも海の中へ這入らなければならない。只大変高く出来ていた船と見えて、身体は船を離れたけれども、足は容易に水に着かない。然し捕《つか》まえるものがないから、次第々々に水に近附いて来る。いくら足を縮めても近附いて来る。水の色は黒かった。

そのうち船は例の通り黒い煙《けぶり》を吐いて、通り過ぎてしまった。自分は何処へ行くんだか判《わか》らない船でも、やっぱり乗っている方がよかったと始めて悟りながら、しかもその悟りを利用する事が出来ずに、無限の後悔《こうかい》と恐怖《きょうふ》とを抱《いだ》いて黒い波の方へ静かに落ちて行った。

第八夜

床屋《とこや》の敷居《しきい》を跨《また》いだら、白い着物を着てかたまっていた三四人が、一度に入らっしゃいと云った。

真中に立って見廻すと、四角な部屋である。窓が二方に開いて、残る二方に鏡が懸《かか》っている。鏡の数を勘定《かんじょう》したら六つあった。

自分はその一つの前へ来て腰《こし》を卸《おろ》した。するとお尻がぶくりと云った。余程坐り心地が好く出来た椅子《いす》である。鏡には自分の顔が立派に映った。顔の後には窓が見えた。それから帳場格子《ちょうばごうし》が斜《はす》に見えた。格子の中には人がいなかった。窓の外を通る往来《おうらい》の人の腰から上がよく見えた。

　庄太郎が女を連れて通る。庄太郎は何時《いつ》の間にかパナマの帽子を買て被《かぶ》っている。女も何時の間に拵《こし》らえたものやら。一寸《ちょっと》解らない。双方共得意の様であった。よく女の顔を見ようと思ううちに通り過ぎてしまった。

　豆腐屋《とうふや》が喇叭《らっぱ》を吹《ふ》いて通った。喇叭を口へ宛《あて》がっているんで、頰《ほっ》ぺたが蜂《はち》に螫《さ》された様に膨《ふく》れていた。膨れたまんまで通り越したものだから、気掛りで堪《たま》らない。生涯《しょうがい》蜂に螫されている様に思う。

　芸者が出た。まだ御化粧《おつくり》をしていない。島田の根が緩《ゆる》んで、何だか頭に締《しま》りがない。顔も寝《ね》ぼけている。色沢《いろつや》が気の毒な程悪い。それで御辞儀《おじぎ》をして、どうも何とかですと云ったが、相手はどうしても鏡の中へ出て来ない。

　すると白い着物を着た大きな男が、自分の後ろへ来て、鋏《はさみ》と櫛《くし》を持って自分の頭を眺め出した。自分は薄《うす》い髭《ひげ》を捩《ひね》って、どうだろう物になるだろうかと尋ねた。白い男は、何《な》にも云わずに、手に持った琥珀色《こはくいろ》の櫛で軽く自分の頭を叩《たた》いた。

「さあ、頭もだが、どうだろう、物になるだろうか」と自分は白い男に聞いた。白い男はやはり何も答えずに、ちゃきちゃきと鋏を鳴らし始めた。

　鏡に映る影《かげ》を一つ残らず見る積りで眼を瞬《みは》っていたが、鋏の鳴るたんびに黒い毛が飛んで来るので、恐《おそ》ろしくなって、やがて眼を閉じた。すると白い男が、こう云った。

「旦那《だんな》は表の金魚売を御覧なすったか」

自分は見ないと云った。白い男はそれぎりで、頻《しき》りと鋏を鳴らしていた。すると突然《とつぜん》大きな声で危険《あぶねえ》と云ったものがある。はっと眼を開けると、白い男の袖《そで》の下に自転車の輪が見えた。人力《じんりき》の梶棒《かじぼう》が見えた。と思うと、白い男が両手で自分の頭を押《おさ》えてうんと横へ向けた。自転車と人力車はまるで見えなくなった。鋏の音がちゃきちゃきする。

やがて、白い男は自分の横へ廻って、耳の所を刈《か》り始めた。毛が前の方へ飛ばなくなったから、安心して眼を開けた。粟餅《あわもち》や、餅やあ、餅や、と云う声がすぐ、そこでする。小さい杵《きね》をわざと臼《うす》へ中《あ》てて、拍子《ひょうし》を取って餅を搗《つ》いている。粟餅屋は子供の時に見たばかりだから、一寸様子が見たい。けれども粟餅屋は決して鏡の中に出て来ない。只餅を搗く音だけする。

自分はあるたけの視力で鏡の角を覗《のぞ》き込《こ》む様にして見た。すると帳場格子のうちに、いつの間にか一人の女が坐っている。色の浅黒い眉毛《まみえ》の濃《こ》い大柄《おおがら》な女で、髪《かみ》を銀杏返《いちようがえ》しに結って、黒繻子《くろじゆす》の半襟《はんえり》の掛った素袷《すあわせ》で、立膝《たてひざ》のまま、札《さつ》の勘定をしている。札は十円札らしい。女は長い睫《まつげ》を伏《ふ》せて薄い唇《くちびる》を結んで一生懸命《いっしょうけんめい》に、札の数を読んでいるが、その読み方がいかにも早い。しかも札の数はどこまで行っても尽《つ》きる様子がない。膝の上に乗っているのは高々百枚位だが、その百枚がいつまで勘定しても百枚である。自分は茫然《ぼうぜん》としてこの女の顔と十円札を見詰めていた。すると耳の元で白い男が大きな声で「洗いましょう」と云った。丁度うまい折だから、椅子から立ち上がるや否《いな》や、帳場格子の方を振り返って見た。けれども格子のうちには女も札も何にも見えなかった。

代を払《はら》って表へ出ると、門口《かどぐち》の左側に、小判なりの桶《おけ》が五つばかり並べてあって、その中に赤い金魚や、斑入《ふいり》の金魚や、痩《や》せた金魚や、肥《ふと》った金魚が沢山入れてあった。そうして金魚売がその後《うしろ》にいた。金魚売は自分の前に並べた金魚を見詰めたまま、頬《ほお》杖《づえ》を突いて、じっとしている。騒《さわ》がしい往来の活動には殆《ほとん》ど心を留めていない。自分はしばらく立ってこの金魚売を眺めていた。けれども自分が眺めている間、金魚売はちっとも動かなかった。

第九夜

世の中が何となくざわつき始めた。今にも戦争《いくさ》が起りそうに見える。焼け出された裸馬《はだかうま》が、夜昼となく、屋敷の周囲《まわり》を暴《あ》れ廻ると、それを夜昼となく足軽《あしがる》共が犇《ひし》きながら追掛《おっか》けている様な心持がする。それでいて家のうちは森《しん》として静かである。

家《いえ》には若い母と三つになる子供がいる。父は何処《どこ》かへ行った。父が何処かへ行ったのは、月の出ていない夜中であった。床《とこ》の上で草鞋《わらじ》を穿《は》いて、黒い頭巾《ずきん》を被《かぶ》って、勝手口から出て行った。その時母の持っていた雪洞《ぼんぼり》の灯《ひ》が暗い闇《やみ》に細長く射《さ》して、生垣《いけがき》の手前にある古い檜《ひのき》を照した。

父はそれきり帰って来なかった。母は毎日三つになる子供に「御父様は」と聞いている。子供は何とも云わなかった。しばらくしてから「あっち」と答える様になった。母が「何日《いつ》御帰り」と聞いてもやはり「あっち」と答えて笑っていた。その時は母も笑った。そうして「今に御帰り」と云う言葉を何遍《なんべん》となく繰返《くりかえ》して教えた。けれども子供は「今に」だけを覚えたのみである。時々は「御父様は何処《どこ》」と聞かれて「今に」と答える事もあった。

夜になって、四隣《あたり》が静まると、母は帯を締《し》め直して、鮫鞘《さめざや》の短刀を帯の間へ差して、子供を細帯で脊中《せなか》へ脊負《しょ》って、そっと潜《くぐ》りから出て行く。母はいつでも草履《ぞうり》を穿いていた。子供はこの草履の音を聞きながら母の脊中で寝てしまう事もあった。

土塀《つちべい》の続いている屋敷町を西へ下《くだ》って、だらだら坂を降り尽すと、大きな銀杏《いちょう》がある。この銀杏を目標《めじるし》に右に切れると、一丁ばかり奥《おく》に石の鳥居がある。片側は田圃《たんぼ》で、片側は熊笹《くまざさ》ばかりの中を鳥居まで来て、それを潜《くぐ》り抜けると、暗い杉の木立になる。それから二十間ばかり敷石伝いに突き当ると、古い拝殿《はいでん》の階段の下に出る。鼠色《ねずみいろ》に洗い出された賽銭箱《さいせんばこ》の上に、大きな鈴の紐《ひも》がぶら下って昼間見ると、その鈴の傍《そば》に八幡《はちまん》宮《ぐう》と云う額が懸っている。八の字が、鳩が二羽向いあった様な書体に出来ているのが面白い。その外にも色々の額がある。大抵は家中のものの射抜いた金的を、射抜いたものの名前に添《そ》えたのが多い。偶《たま》には太刀《たち》を納めたのもある。

鳥居を潜ると杉の梢《こずえ》で何時《いつ》でも梟《ふくろう》が鳴いている。そうして、冷飯草履《ひやめしぞうり》の音がぴちゃぴちゃする。それが拝殿の前で已《や》むと、母は先《ま》ず鈴を鳴らして置いて、直《すぐ》にしゃがんで柏手《かしわで》を打つ。大抵はこの時梟が急に鳴かなくなる。それから母は一心不乱に夫の無事を祈る。母の考えでは、夫が侍《さむらい》であるから、弓矢の神の八幡へ、こうやって是非ない願《がん》を掛けたら、よもや聴《き》かれぬ道理はなかろうと一図《いちず》*に思い詰《つ》めている。

子供は能《よ》くこの鈴の音で眼を覚まして、四辺《あたり》を見ると真暗《まっくら》だものだから、急に脊中で泣き出す事がある。その時母は口の内で何か祈りながら、脊を振ってあやそうとする。すると旨《うま》く泣き已む事もある。又益《ますます》烈《はげ》しく泣き立てる事もある。いずれにしても母は容易に立たない。

一通り夫の身の上を祈ってしまうと、今度は細帯を解いて、脊中の子を摺《ず》り卸ろすように、脊中から前へ廻して、両手に抱《だ》きながら拝殿を上って行って、「好い子だから、少しの間、待って御出《おいで》よ」ときっと自分の頬を子供の頬へ擦《す》り附ける。そうして細帯を長くして、子供を縛《しば》って置いて、その片端を拝殿の欄干に括《くく》り附ける。それから段々を下りて来て二十間の敷石を往《い》ったり来たり御百度を踏《ふ》む。

拝殿に括りつけられた子は、暗闇の中で、細帯の丈《たけ》のゆるす限り、広縁の上を這《は》い廻っている。そう云う時は母に取って、甚《はなは》だ楽な夜である。けれども縛った子にひいひい泣かれると、母は気が気でない。御百度の足が非常に早くなる。大変息が切れる。仕方のない時は、中途《ちゅうと》で拝殿へ上って来て、色々すかして置いて、又御百度を踏み直す事もある。

こう云う風に、幾晩となく母が気を揉《も》んで、夜《よ》の目も寝ずに心配していた父は、とくの昔に浪士《ろうし》の為《ため》に殺されていたのである。

こんな悲い話を、夢の中で母から聞た。

第十夜

庄太郎が女に攫《さら》われてから七日目《なのか》の晩にふらりと帰って来て、急に熱が出てどっと、床に就《つ》いていると云って健さんが知らせに来た。

庄太郎は町内一の好男子で、至極《しごく》善良な正直者である。ただ一つの道楽がある。パナマの帽子を被《かぶ》って、夕方になると水菓子《みずがし》屋の店先へ腰をかけて、往来《おうらい》の女の顔を眺《なが》めている。そうして頻《しきり》に感心している。その外にはこれと云う程《ほど》の特色もない。

あまり女が通らない時は、往来を見ないで水菓子を見ている。水菓子には色々ある。水蜜桃《すいみつとう》や、林檎《りんご》や、枇杷《びわ》や、バナナを奇麗《きれい》に籠《かご》に盛って、すぐ見舞物《みやげもの》に持って行ける様に二列に並べてある。庄太郎はこの籠を見ては奇麗だと云っている。商売をするなら水菓子屋に限ると云っている。その癖《くせ》自分はパナマの帽子を被ってぶらぶら遊んでいる。

この色がいいと云って、夏蜜柑《なつみかん》などを品評する事もある。けれども、曾《かつ》て銭を出して水菓子を買った事がない。只では無論食わない。色ばかり賞《ほ》めている。

ある夕方一人の女が、不意に店先に立った。身分のある人と見えて立派な服装をしている。その着物の色がひどく庄太郎の気に入った。その上庄太郎は大変女の顔に感心してしまった。そこで大事なパナマの帽子を脱《と》って丁寧《ていねい》に挨拶《あいさつ》をしたら、女は籠詰《かごづめ》の一番大きいのを指して、これを下さいと云うんで、庄太郎はすぐその籠を取って渡《わた》した。すると女はそれを一寸提《さ》げてみて、大変重い事と云った。

庄太郎は元来閑人《ひまじん》の上に、頗《すこぶ》る気作《きさく》な男だから、ではお宅まで持って参りましょうと云って、女と一所に水菓子屋を出た。それぎり帰って来なかった。

如何《いか》な庄太郎でも、余《あん》まり呑気《のんき》過ぎる。只事じゃ無かろうと云って、親類や友達が騒ぎ出していると、七日目の晩になって、ふらりと帰って来た。そこで大勢寄ってたかって、庄さん何処《どこ》へ行っていたんだいと聞くと、庄太郎は電車へ乗って山へ行ったんだと答えた。

何でも余程長い電車に違いない。庄太郎の云う所によると、電車を下りるとすぐと原へ出たそうである。非常に広い原で、何処を見廻しても青い草ばかり生えていた。女と一所に草の上を歩いて行くと、急に絶壁《きりぎし》の天辺《てっぺん》へ出た、その時女が庄太郎に、此《こ》処《こ》から飛び込んで御覧なさいと云った。底を覗《のぞ》いて見ると、切岸《きりぎし》は見えるが底は見えない。庄太郎は又パナマの帽子を脱《ぬ》いで再三辞退した。すると女が、もし思い切って雲《くも》右衛門《えもん》＊が大嫌《だいきらい》だった。庄太郎は豚と飛び込まなければ、豚に舐《な》められますが好《よ》う御座んすかと聞いた。庄太郎は豚とけれども命には易《か》えられないと思って、やっぱり飛び込むのを見合せていた。ところへ豚が一匹鼻を鳴らして来た。庄太郎は仕方なしに、持っていた細い檳榔樹《びんろうじゅ》の洋杖《ステッキ》で、豚の鼻頭《はなづら》を打《ぶ》った。豚はぐうと云いながら、ころりと引っ繰り返って、絶壁《きりぎし》の下へ落ちて行った。庄太郎はほっと一と息接《つ》いでいると又一匹の豚が大きな鼻を庄太郎に擦《す》り附けに来た。庄太郎は已《やむ》を得ず又洋杖《ステッキ》を振り上げた。豚はぐうと鳴いて又真逆様《まっさかさま》に穴の底へ転げ込んだ。すると又一匹あらわれた。この時庄太郎は不図《ふと》気が附いて、向うを見ると、遥《はるか》の青草原《あおくさばら》の尽きる辺《あたり》から幾万匹か数え切れぬ豚が、群《むれ》をなして一直線に、この絶壁《きりぎし》の上に立っている庄太郎を見懸《めが》けて鼻を鳴らしてくる。庄太郎は心《しん》から恐縮《きょうしゅく》した。けれども仕方がないから、近寄ってくる豚の鼻頭《はなづら》を、一つ一つ丁寧に檳榔樹の洋杖で打《ぶ》っていた。不思議な事に洋杖が鼻へ触りさえすれば豚はころりと谷の底へ落ちて行く。覗いて見ると底の見えない絶壁《きりぎし》を、逆さになった豚が行列して落ちて行く。自分がこの位多くの豚を谷へ落したかと思うと、庄太郎は我ながら怖《こわ》くなった。けれども豚は続々くる。黒雲に足が生えて、青草を踏み分ける様な勢いで無尽蔵《むじんぞう》に鼻を鳴らしてくる。

庄太郎は必死の勇を振って、豚の鼻頭《はなづら》を七日六晩《むばん》叩いた。けれども、とうとう精根が尽きて、手が蒟蒻《こんにゃく》の様に弱って、仕舞《しまい》に豚に舐められてしまった。そうして絶壁《きりぎし》の上へ倒れた。

健さんは、庄太郎の話を此処までして、だから余り女を見るのは善くないよと云った。自分も尤《もっと》もだと思った。けれども健さんは庄太郎のパナマの帽子が貰《もら》いたいと云っていた。

庄太郎は助かるまい。パナマは健さんのものだろう。

永日小品

元日

雑煮《ぞうに》を食って、書斎《しょさい》に引き取ると、しばらくして三四人《さんよにん》来た。いずれも若い男である。その内の一人がフロックを着ている。着なれない所為《せい》か、メルトン*に対して妙《みょう》に遠慮《えんりょ》する傾《かたむ》きがある。あとのものは皆《みな》和服で、かつ不断着のままだから頓《とん》と正月らしくない。この連中《れんじゅう》がフロックを眺《なが》めて、やあ――やあと一ツずつ云った。みんな驚《おどろ》いた証拠《しょうこ》である。自分も一番あとで、やあと云った。

フロックは白い手巾《ハンケチ》を出して、用もない顔を拭《ふ》いた。そうして、頻《しき》りに屠蘇《とそ》を飲んだ。ほかの連中も大いに膳《ぜん》のものを突《つッ》ついている。ところへ虚子《きょし》が車で来た。これは黒い羽織に黒い紋付《もんつき》を着て、極《きわ》めて旧式に極《きま》っている。あなたは黒紋付を持っていますが、やはり能をやるからその必要があるんでしょうと聞いたら、虚子が、ええそうですと答えた。そうして、一つ謡《うた》いませんかと云い出した。自分は謡っても宜《よ》う御座んすと応じた。

それから二人して東北《とうぼく》*と云うものを謡った。余程《よほど》以前に習っただけで、殆《ほとん》ど復習と云う事をやらないから、所々甚《はなは》だ曖昧《あいまい》である。その上、我ながら覚束《おぼつか》ない声が出た。漸《ようや》く謡ってしまうと、聞いていた若い連中が、申し合せた様に自分を不味《まず》いと云い出した。中にもフロックは、あなたの声はひょろひょろしていると云った。この連中は元来謡《うたい》のうの字も心得ないもの共である。だから虚子と自分の優劣《ゆうれつ》はとても分らないだろうと思っていた。然《しか》し、批評をされてみると、素人《しろうと》でも理の当然な所だから已《やむ》を得ない。馬鹿を云えという勇気も出なかった。

すると虚子が近来鼓《つづみ》を習っているという話しを始めた。謡のうの字も知らない連中が、一つ打って御覧なさい、是非御聞かせなさいと所望《しょもう》している。虚子は自分に、じゃ、あなた謡って下さいと依頼《いらい》した。これは囃《はやし》の何物たるを知らない自分に取っては、迷惑《めいわく》でもあったが、又斬新《ざんしん》という興味もあった。謡いましょうと引き受けた。虚子は車夫を走らして鼓を取り寄せた。鼓がくると、台所から七輪《しちりん》を持って来《こ》さして、かんかんいう炭火の上で鼓の皮を焙《あぶ》り始めた。みんな驚いて見ている。自分もこの猛烈《もうれつ》な焙りかたには驚いた。大丈夫《だいじょうぶ》ですかと尋《たず》ねたら、ええ大丈夫ですと答えながら、指の先で張切った皮の上をかんと弾《はじ》いた。一寸好《ちょっとい》い音《ね》がした。もう宜《い》いでしょうと、七輪から卸《おろし》て、鼓の緒《お》を締《し》めにかかった。紋服の男が、赤い緒をいじくっている所が何となく品が好い。今度はみんな感心して見ている。

虚子はやがて羽織を脱《ぬ》いだ。そうして鼓を抱《か》い込《こ》んだ。自分は少し待ってくれと頼《たの》んだ。第一彼が何処《どこ》いらで鼓を打つか見当が付かないから一寸打ち合せをしたい。虚子は、ここで掛声《かけごえ》をいくつ掛けて、ここで鼓をどう打つから、御遣《おや》りなさいと懇《ねんごろ》に説明してくれた。自分にはとても呑《の》み込めない。けれども合点《がてん》の行くまで研究していれば、二三時間はかかる。已《やむ》を得ず、好い加減に領承した。そこで羽衣《はごろも》の曲《くせ》*を謡い出した。春霞《はるがすみ》たなびきにけりと半行《はんぎょう》程来るうちに、どうも出が好くなかったと後悔《こうかい》し始めた。甚だ無勢力である。けれども途中《とちゅう》から急に振《ふ》るい出しては、総体の調子が崩《くず》れるから、萎靡因循《いびいんじゅん》のまま、少し押《お》して行くと、虚子がやにわに大きな掛声をかけて、鼓をかんと一つ打った。

自分は虚子がこう猛烈に来《こ》ようとは夢にも予期していなかった。元来が優美な悠長《ゆうちょう》なものとばかり考えていた掛声は、まるで真剣《しんけん》勝負のそれの様に自分の鼓膜《こまく》を動かした。自分の謡はこの掛声で二三度波を打った。それが漸《ようや》く静まりかけた時に、虚子が又腹一杯に横合から威嚇《おどか》した。自分の声は威嚇される度《たび》によろよろする。そうして小さくなる。しばらくすると聞いているものがくすくす笑い出した。自分も内心から馬鹿々しくなった。その時フロックが真先《まっさき》に立って、どっと吹き出した。自分も調子につれて、一所に吹き出した。

それから散々な批評を受けた。中にもフロックのは尤《もっと》も皮肉であった。虚子は微笑《びしょう》しながら、仕方なしに自分の鼓に、自分の謡を合せて、目出度《めでたく》謡い納めた。やがて、まだ廻らなければならない所があると云って車に乗って帰って行った。あとから又色々若いものに冷かされた。細君まで一所になって夫を貶《くさ》した末、高浜さんが鼓を御打ちなさる時、襦袢《じゅばん》の袖《そで》がぴらぴら見えたが、大変好い色だったと賞《ほめ》ている。フロックは忽《たちま》ち賛成した。自分は虚子の襦袢の袖の色も、袖の色のぴらぴらする所も決して好いとは思わない。

蛇《へび》

木戸を開けて表へ出ると、大きな馬の足迹《あしあと》の中に雨が一杯湛《たま》っていた。土を踏《ふ》むと泥《どろ》の音が蹠裏《あしのうら》へ飛び附いて来る。踵《かかと》を上げるのが痛い位に思われた。手桶《ておけ》を右の手に提《さ》げているので、足の抜《ぬ》き差《さし》に都合が悪い。際《きわ》どく踏み応《こた》える時には、腰《こし》から上で調子を取る為《ため》に、手に持ったものを放り出したくなる。やがて手桶の尻《しり》をどっさと泥の底に据《す》えてしまった。危《あやう》く倒《たお》れる所を手桶の柄《え》に乗し懸《かか》って向うを見ると、叔父《おじ》さんは一間《けん》ばかり前にいた。蓑《みの》を着た肩《かた》の後《うしろ》から、三角に張った網《あみ》の底がぶら下がっている。この時被《かぶ》った笠《かさ》が少し動いた。笠のなかから非常《ひど》い路《みち》だと云った様に聞えた。蓑の影《かげ》はやがて雨に吹《ふ》かれた。

石橋の上に立って下を見ると、黒い水が草の間から推《お》されて来る。不断は黒節《くろぶし》*の上を三寸とは超《こ》えない底に、長い藻《も》が、うつらうつらと揺《うご》いて、見ても奇麗《きれい》な流れであるのに、今日は底から濁《にご》った。下から泥を吹き上げる、上から雨が叩《たた》く、真中《まんなか》を渦《うず》が重なり合って通る。しばらくこの渦を見守っていた叔父さんは、口の内で、

「獲《と》れる」と云った。

二人は橋を渡《わた》って、すぐ左へ切れた。渦は青い田の中を蜿蜒《うねうね》と延びて行く。どこまで押して行くか分らない流れの迹《あと》を跟《つ》けて一町程《ほど》来た。そうして広い田の中にたった二人淋《さび》しく立った。雨ばかり見える。叔父さんは笠の中から空を仰《あお》いだ。空は茶壺《ちゃつぼ》の蓋《ふた》の様に暗く封《ふう》じられている。その何処《どこ》からか、隙間《すきま》なく雨が落ちる。立っていると、ざあっと云う音がする。これは身に着けた笠と蓑に中《あた》る音である。それから四方の田に中る音である。向うに見える貴王《きおう》の森に中る音も遠くから交って来るらしい。森の上には、黒い雲が杉の梢《こずえ》に呼び寄せられて奥深《おくふか》く重なり合っている。それが自《じ》

然《ねん》の重みでだらりと上の方から下って来る。雲の足は今杉の頭に絡《から》み附《つ》いた。もう少しすると、森の中へ落ちそうだ。

　気が附いて足元を見ると、渦は限《かぎり》なく水上《みなかみ》から流れて来る。貴王様の裏の池の水が、あの雲に襲《おそ》われたものだろう。渦の形が急に勢いづいた様に見える。叔父さんは又捲《ま》く渦を見守って、

「獲れる」とさも何物をか取った様に云った。やがて蓑を着たまま水の中に下りた。

勢いの凄《すさま》じい割には、さ程深くもない。立って腰まで浸《つか》る位である。叔父さんは河の真中に腰を据えて、貴王の森を正面に、川上に向って、肩に担《かつ》いだ網を卸《おろ》した。

二人は雨の音の中に凝《じっ》として、まともに押して来る渦の恰好《かっこう》を眺めていた。魚がこの渦の下を、貴王の池から流されて通るに違《ちが》いない。うまく懸れば大きなのが獲れると、一心に凄《すご》い水の色を見《み》詰《つ》めていた。水は固《もと》より濁っている。上皮《うわかわ》の動く具合だけで、どんなものが、水の底を流れるか全く分りかねる。それでも瞬《まばたき》もせずに、水際まで浸った叔父さんの手首の動くのを待っていた。けれどもそれが中々に動かない。

　雨脚《あまあし》は次第に黒くなる。河の色は段々重くなる。渦の紋《もん》は劇《はげ》しく水上から回《めぐ》って来る。この時どす黒い波が鋭《するど》く眼の前を通り過そうとする中に、ちらりと色の変った模様が見えた。瞬《まばたき》を容《ゆる》さぬ咄嗟《とっさ》の光を受けたその模様には長さの感じがあった。これは

大きな鰻《うなぎ》だなと思った。

途端《とたん》に流れに逆らって、網の柄《え》を握《にぎ》っていた叔父さんの右の手首が、蓑の下から肩の上まで弾《は》ね返る様に動いた。続いて長いものが叔父さんの手を離《はな》れた。それが暗い雨のふりしきる中に、重たい縄《なわ》の様な曲線を描いて、向うの土手の上に落ちた。と思うと、草の中からむくりと鎌首《かまくび》を一尺ばかり持上げた。そうして持上げたまま屹《きっ》と二人を見た。

「覚えていろ」

声は慥《たし》かに叔父さんの声であった。同時に鎌首は草の中に消えた。叔父さんは蒼《あお》い顔をして、蛇を投げた所を見ている。

「叔父さん、今、覚えていろと云ったのは貴方《あなた》ですか」

叔父さんは漸《よう》く此方《こっち》を向いた。そうして低い声で、誰《だれ》だか能《よ》く分らないと答えた。

今でも叔父にこの話をする度に、誰だか能《よ》く分らないと答えては妙《みょう》な顔をする。

泥《どろ》　棒《ぼう》

寝《ね》ようと思って次の間《ま》へ出ると、炬燵《こたつ》の臭《におい》がぷんとした。厠《かわや》の帰りに、火が強過ぎる様だから、気を付けなくては不可《いけ》ないと妻《さい》に注意して、自分の部屋へ引取った。もう十一時を過ぎている。床《とこ》の中の夢は常の如《ごと》く安らかであった。寒い割に風《ふ》も吹かず、半鐘《はんしょう》の音も耳に応《こた》えなかった。熟睡《じゅくすい》が時の世界を盛り潰《つぶ》した様に正体を失った。

すると忽然《こつぜん》として、女の泣声で眼が覚めた。聞けばもよと云う下女の声である。この下女は驚《おどろ》いて狼狽《うろたえ》ると何時《いつ》でも泣声を出す。この間家《うち》の赤ん坊を湯に入れた時、赤ん坊が湯気《ゆけ》に上って、引き付けたといって五分ばかり泣声を出した。自分がこの下女の異様な声を聞いたのは、それが始めてである。啜《すす》り上げる様にして早口に物を云う。訴《うった》える様な、口説く様な、詫《わび》を入れる様な、情人《じょうじん》の死を悲しむ様な——到底普通《とうていふつう》の驚愕《きょうがく》の場合に出る、鋭《するど》くって短い感投詞の調子ではない。

自分は今云う通りこの異様の声で、眼が覚めた。声は慥《たし》かに妻の寝ている、次の部屋から出る。同時に襖《ふすま》を洩《も》れて赤い火が颯《さっ》と暗い書斎《しょさい》に射《さ》した。今開ける瞼《まぶた》の裏に、この光が届くや否《いな》や自分は火事だと合点《がってん》して飛び起きた。そうして、突然隔《いきなりへだ》ての唐紙《からかみ》をがらりと開けた。

その時自分は顚覆返《ひっくりかえ》った炬燵を想像していた。焦《こ》げた蒲団《ふとん》を想像していた。漲《みな》ぎる煙《けむり》と、燃える畳《たたみ》とを想像していた。ところが開けて見ると、洋燈《ランプ》は例の如く点《とも》っている。妻《さい》と子供は常の通り寝ている。炬燵は宵《よい》の位地にちゃんとある。凡《すべ》てが、寝る前に見た時と同じである。平和である。暖かである。ただ下女だけが泣いている。

下女は妻の蒲団の裾《すそ》を抑《おさ》える様にして早口に物を云う。妻は眼を覚まして、ぱちぱちさせるばかりで別に起きる様子もない。自分は何事が起ったのか殆《ほとん》ど判じかねて、敷居《しきい》際《ぎわ》に突立《つった》ったまま、ぼんやり部屋の中を見回した。途端《とたん》に下女の泣声のうちに、泥棒《どろぼう》という二字が出た。それが自分の耳に這入《はい》るや否や、凡てが解決された様に自分は忽ち《たちま》妻の部屋を大股《おおまた》に横切って、次の間に飛び出しながら、何だ——と怒鳴《どな》りつけた。けれども飛び出した次の部屋は真暗である。続く台所の雨戸が一枚外れて、美しい月の光が部屋の入口まで射し込《こ》んでいる。自分は真夜中に人の住居《すまい》の奥を照す月影《つきかげ》を見て、おのずから寒いと感じた。素足のまま板の間へ出て台所の流元まで来てみると、四辺《あたり》は寂《しん》としている。表を覗《のぞ》くと月ばかりである。自分は、戸口から一歩も外へ出る気にならなかった。

引き返して、妻の所へ来て、泥棒は逃《に》げた、安心しろ、何も窃《と》られやしない、と云った。妻はこの時漸《よう》く起き上っていた。何も云わずに洋燈《ランプ》を持って暗い部屋まで出て来て、箪笥《たんす》の前に翳《かざ》した。観音開きが取り外されている。抽斗《ひきだし》が明けたままになっている。妻は自分の顔を見て、やっぱり窃られたんですと云った。自分も漸く泥棒が窃った後で逃げたんだと気が付いた。何だか急に馬鹿々々しくなった。片方を見ると、泣いて起しに来た下女の蒲団が取ってある。その枕元《まくらもと》にもう一つ箪笥がある。その箪笥の上に又用箪笥が乗っている。暮の事なので医者の薬礼《やくれい》その他がこの内に這入っているのだそうだ。妻に調べさせると此方《こっち》の方は元の通りだと云う。下女が泣いて縁側《えんがわ》の方から飛び出したので、泥棒も已《やむ》を得ず仕事の中途で逃げたのかも知れない。

その内、外の部屋に寝ていたものもみんな起きて来た。そうしてみんな色々な事を云う。もう少し前に小用《こよう》に起きたのにとか、今夜は寝つかれないで、二時頃《ごろ》までは眼が冴《さ》えていたのにとか、悉《ことごと》く残念そうである。そのなかで、十になる長女は、泥棒が台所から這入ったのも、泥棒がみしみし縁側を歩いたのも、すっかり知っていると云った。あらまあとお房《ふさ》さんが驚いている。お房さんは十八で、長女と同じ部屋に寝る親類の娘《むすめ》である。自分は又床へ這入って寝た。

明くる日はこの騒動《そうどう》で、例よりは少し遅《おそ》く起きた。顔を洗って、朝食《あさめし》を遣《や》っていると、台所で下女が泥棒の足痕《あしあと》を見付けたとか、見付けないとか騒《さわ》いでいる。面倒《めんどう》だから書斎へ引き取った。引き取って十分も経《た》ったかと思うと、玄関《げんかん》で頼《たの》むと云う声がした。勇ましい声である。台所の方へ通じない様だから、自分で取次に出てみたら、巡査《じゅんさ》が格子《こうし》の前に立っていた。泥棒が這入ったそうですねと笑っている。戸締《とじま》りは好くしてあったのですかと聞くから、いや、どうも余り好くありませんと答えた。じゃ仕方がない、締りが悪いと何処《どこ》からでも這入りますよ、一枚々々雨戸へ釘《くぎ》を差さなくちゃ不可《いけ》ませんと注意する。自分ははあはあと返事をして置いた。この巡査に遇《あ》ってから、悪いものは、泥棒じゃなくって、不取締な主人である様な心持になった。

巡査は台所へ廻った。其処《そこ》で妻《さい》を捉《つら》まえて、紛失《ふんじつ》した物を手帳に書き付けている。繻珍《しゅちん》の丸帯が一本ですね、――丸帯と云うのは何ですか、丸帯と書いて置けば解《わか》るですか、そう、それでは繻珍の丸帯が一本と、それから……

下女がにやにや笑っている。この巡査は丸帯も腹合せも一向知らない。頗《すこぶ》る単簡《たんかん》な面白い巡査である。やがて紛失の目録を十点ばかり書き上げてその下に価格を記入して、すると〆《しめ》て百五十円になりますねと念を押して帰って行った。

自分はこの時始めて、何を窃《と》られたかを明瞭《めいりょう》に知った。失くなったものは十点、悉《ことごと》く帯である。昨夜《ゆうべ》這入ったのは帯泥棒であった。御正月を眼前に控《ひか》えた妻は異《い》な顔をしている。子供が三箇日《さんがにち》にも着物を着換《きか》える事が出来ないのだそうだ。仕方がない。

昼過には刑事が来た。座敷へ上って色々見ている。桶《おけ》の中に蠟燭《ろうそく》でも立てて仕事をしやしないかと云って、台所の小桶まで検《しら》べていた。まあお茶でも御上がんなさいと云って、日当りの好い茶の間へ坐らせて話をした。

泥棒は大抵下谷《したや》、浅草辺《あさくさあたり》から電車でやって来て、明くる日の朝又電車で帰るのだそうだ。大抵は捉《つか》まらないものだそうだ。捉まえると刑事の方が損になるものだそうだ。泥棒を電車に乗せると電車賃が損になる。裁判に出ると、弁当代が損になる。機密費は警視庁が半分取ってしまうのだそうだ。余りを各警察へ割り振るのだそうだ。牛込《うしごめ》には刑事がたった三四人しかいないのだそうだ――警察の力なら大抵の事は出来る者と信じていた自分は、甚《はなは》だ心細い気がした。話をして聞かせる刑事も心細い顔をしていた。

出入《でいり》のものを呼んで戸締りを直そうと思ったら生憎《あやにく》、暮で用が立て込んでいて来られない。そのうちに夜になった。仕方がないから、元の通りにして置いて寝る。みんな気味が悪そうである。自分も決して好い心持ではない。泥棒は各自勝手に取締るべきものであると警察から宣告されたと一般だからである。

それでも昨日《きのう》の今日だから、まあ大丈夫だろうと、気を楽に持って枕に就《つ》いた。すると又夜中に妻《さい》から起された。さっきから、台所の方ががたがた云っている。気味がわるいから起きて見て下さいと云う。成程がたがたいう。妻はもう泥棒が這入った様な顔をしている。

自分はそっと床を出た。忍《しの》び足に妻の部屋を横切って、隔ての襖の傍《そば》までくると、次の間では下女が鼾《いびき》をかいている。自分は出来るだけ静かに襖を開《あけ》た。そうして、真暗な部屋の中に一人立った。ごとりごとりと云う音がする。慥《たし》かに台所の入口である。暗いなかを影の動く様に三歩《みあし》程音のする方へ近《ちか》づくと、もう部屋の出口である。障子が立っている。そとはすぐ板敷になる。自分は障子に身を寄せて、暗がりで耳を立てた。やがて、ごとりと云った。しばらくして又ごとりと云った。自分はこの怪《あや》しい音を約四五遍聞いた。そうして、これは板敷の左にある、戸棚の奥から出るに違《ちがい》ないという事を慥めた。忽ち普通の歩調と、尋常《じんじょう》の所作をして、妻の部屋へ帰って来た。鼠が何か嚙《かじ》っているんだ、安心しろと云うと、妻はそうですかと難有《ありがた》そうな返事をした。それからは二人とも落付いて寝てしまった。

朝になって又顔を洗って、茶の間へ来ると、妻が鼠の嚙った鰹節《かつぶし》を、膳《ぜん》の前へ出して、昨夜《ゆうべ》のはこれですよと説明した。自分ははあ成程と、一晩中無惨《むざん》に遣られた鰹節を眺《なが》めていた。すると妻は、あなた序《ついで》に鼠を追って、鰹節《おかか》をしまって下されば好いのにと少し不平がましく云った。自分もそうすれば好かったとこの時始めて気が付いた。

柿

　喜《き》いちゃんと云う子がいる。滑《なめ》らかな皮膚《ひふ》と、鮮《あざや》かな眸《ひとみ》を持っているが、頬《ほお》の色は発育の好《い》い世間の子供の様に冴々《さえざえ》していない。一寸《ちよつと》見ると一面に黄色い心持ちがする。御母《おつか》さんが余り可愛《かわい》がり過ぎて表へ遊びに出さない所為《せい》だと、出入りの女髪結《おんなかみゆい》が評した事がある。御母さんは束髪《そくはつ》の流行《はや》る今の世に、昔風の髷《まげ》を四日目々々にきっと結う女で、自分の子を喜いちゃん喜いちゃんと、何時《いつ》でも、ちゃん付《づけ》にして呼んでいる。このお母《つか》さんの上に、又切下《きりさげ》の御祖母《おばあ》さんがいて、その御祖母さんが又喜いちゃん喜いちゃんと呼んでいる。喜いちゃん御琴《おこと》の御稽古《おけいこ》に行く時間ですよ。喜いちゃん無暗《むやみ》に表へ出て、其処《そこ》いらの子供と遊んでは不可《いけ》ませんなどと云っている。

　喜いちゃんは、これが為《ため》にめったに表へ出て遊んだ事がない。尤《もつと》も近所はあまり上等でない。前に塩煎餅《しおせんべい》屋がある。その隣《となり》に瓦師《かわらし》がある。少し先へ行くと下駄《げた》の歯入《はいれ》と、鋳《い》かけ錠前直《じようまえ》しがある。ところが喜いちゃんの家《うち》は銀行の御役人である。塀《へい》のなかに松が植えてある。冬になると植木屋が来て狭《せま》い庭に枯松葉《かれまつば》を一面に敷《しい》て行く。

喜いちゃんは仕方がないから、学校から帰って、退屈《たいくつ》になると、裏へ出て遊んでいる。裏は御母さんや、御祖母さんが張物をする所である。よしが洗濯《せんたく》をする所である。暮になると向鉢巻《むこうはちまき》の男が臼《うす》を担《かつ》いで来て、餅《もち》を搗《つ》く所である。それから漬菜《つけな》に塩を振《ふ》って樽《たる》へ詰込《つめこ》む所である。

喜いちゃんは此処《ここ》へ出て、御母さんや御祖母さんや、よしを相手にして遊んでいる。時には相手の居ないのに、たった一人で出てくる事がある。その時は浅い生垣《いけがき》の間から、よく裏の長屋を覗《のぞ》き込む。

長屋は五六軒《けん》ある。生垣の下が三四尺崖《がけ》になっているのだから、喜いちゃんが覗き込むと、丁度上から都合よく見下《みおろ》す様に出来ている。喜いちゃんは子供心に、こうして裏の長屋を見下すのが愉快《ゆかい》なのである。造兵*へ出る辰《たつ》さんが肌《はだ》を抜《ぬ》いで酒を呑《の》んでいると、御酒を呑んでてよと御母さんに話す。大工の源坊が手斧《ておの》を磨《と》いでいると、何か磨いでてよと御祖母さんに知らせる。その外喧嘩《けんか》をしててよ、焼芋《やきいも》を食べててよなどと、見下した通りを報告する。すると、よしが大きな声を出して笑う。御母さんも、御祖母さんも面白そうに笑う。喜いちゃんは、こうして笑って貰《もら》うのが一番得意なのである。

喜いちゃんが裏を覗いていると、時々源坊の伜《せがれ》の与吉《よきち》と顔を合す事がある。そうして、三度に一度位は話をする。けれども喜いちゃんと与吉だから、話の合う訳がない。何時でも喧嘩になってしまう。与吉が何んだ蒼《あお》ん膨《ぶく》れと下から云うと、喜いちゃんは上から、やあい鼻垂らし小僧《こぞう》、貧乏人《びんぼうにん》、と軽侮《さげすむ》ように丸い顎《あご》をしゃくって見せる。一《いっ》遍《ぺん》は与吉が怒《おこ》って下から物干竿《ものほしざお》を突《つ》き出したので、喜いちゃんは驚いて家《うち》へ逃《に》げ込んでしまった。その次には、喜いちゃんが、毛糸で奇麗《きれい》に縢《かが》った護謨毬《ゴムまり》を崖下へ落したのを、与吉が拾って中々渡《わた》さなかった。御返しよ、放っておくれよ、よう、と精一杯に焦付《せっつ》いたが与吉は毬を持ったまま、上を見て威張《いば》って突立っている。詫《あや》まれ、詫まったら返してやると云う。喜いちゃんは、誰《だれ》が詫まるものか、泥棒《どろぼう》と云ったまま、裁縫《しごと》をしている御母さんの傍《そば》へ来て泣き出した。御母さんは向《むき》になって、表向よしを取りに遣《や》ると、与吉の御袋《おふくろ》がどうも御気の毒さまと云ったぎりで毬はとうとう喜いちゃんの手に帰らなかった。

それから三日経《た》って、喜いちゃんは大きな赤い柿を一つ持って、又裏へ出た。すると与吉が例の通り崖下へ寄《よっ》て来た。喜いちゃんは生垣の間から赤い柿を出して、これ上げようかと云った。与吉は下から柿を睨《にら》めながら、なんでえ、なんでえ、そんなもの要《い》らねえやと凝《じっ》と動かずにいる。要らないの、要らなきゃ、御廃《およ》しなさいと、喜いちゃんは、垣根から手を引っ込めた。すると与吉は、やっぱりなんでえ、なんでえ、擲《な》ぐるぞと云いながら猶《なお》と崖の下へ寄って来た。じゃ欲《ほ》しいのと喜いちゃんは又柿を出した。欲しいもんけえ、そんなものと与吉は大きな眼をして、見上げている。

こんな問答を四五遍繰返《くりかえ》したあとで、喜いちゃんは、じゃ上げようと云いながら、手に持《もっ》た柿をぱたりと崖の下に落した。与吉は周章《あわ》て、泥の着《つい》た柿を拾った。そうして、拾うや否《いな》や、がぶりと横に食付た。

その時与吉の鼻の穴が震《ふる》える様に動いた。厚い唇《くちびる》が右の方に歪《ゆが》んだ。そうして、食いかいた柿の一片をぺっと吐いた。そうして懸命《けんめい》の憎悪《ぞうお》を眸《ひとみ》の裏《うち》に萃《あつ》めて、渋《しぶ》いや、こんなものと言いながら、手に持った柿を、喜いちゃんに放り付けた。柿は喜いちゃんの頭を通り越《こ》して裏の物置に当った。喜いちゃんは、やあい食辛抱《くいしんぼう》と云いながら、走《か》け出して家《うち》へ這入《はい》った。しばらくすると喜いちゃんの家で大きな笑声《わらいごえ》が聞えた。

火《ひ》鉢《ばち》

眼が覚めたら、昨夜《ゆうべ》抱《だ》いて寝《ね》た懐炉《かいろ》が腹の上で冷たくなっていた。硝子戸《ガラスど》越《ごし》に、庇《ひさし》の外を眺《なが》めると、重い空が幅《はば》三尺程《ほど》鉛《なまり》の様に見えた。胃の痛みは大分除《と》れたらしい。

思い切って、床《とこ》の上に起き上がると、予想よりも寒い。窓の下には昨日《きのう》の雪がそのままである。

風呂場《ふろば》は氷でかちかち光っている。水道は凍《こお》り着いて、栓《せん》が利《き》かない。漸《ようや》くの事で温水摩擦《まさつ》を済まして、茶の間で紅茶を茶碗《ちゃわん》に移していると、二つになる男の子が例の通り泣き出した。この子は一昨日《おととい》も一日泣いていた。昨日《きのう》も泣き続けに泣いた。妻《さい》にどうかしたのかと聞くと、どうもしたのじゃない、寒いからだと云う。仕方がない。成程泣き方がぐずぐずで痛くも苦しくもない様である。けれども泣く位だから、どこか不安な所があるのだろう。聞いていると、仕舞には此方《こっち》が不安になって来る。時によると小悪《こにく》らしくなる。大きな声で叱《しか》り付けたい事もあるが、何しろ、叱るには余り小さ過ぎると思って、つい我慢《がまん》をする。一昨日も昨日もそうであったが、今日もまた一日そうなのかと思うと、朝から心持が好くない。胃が悪いのでこの頃《ごろ》は朝飯《あさめし》を食わぬ掟《おきて》にしてあるから、紅茶茶碗を持ったまま、書斎《しょさい》へ退《しりぞ》いた。

火鉢《ひばち》に手を翳《かざ》して、少し暖《あっ》たまっていると、子供は向うの方でまだ泣いている。そのうち掌《てのひら》だけは煙《けむ》が出る程熱くなった。けれども、脊中《せなか》から肩《かた》へ掛《か》けては無暗《むやみ》に寒い。殊《こと》に足の先は冷え切って痛い位である。だから仕方なしに凝《じっ》としていた。少しでも手を動かすと、手が何処《どこ》か冷たい所に触《ふ》れる。それが刺《とげ》にでも触《さわ》った程神経に応《こた》える。

首をぐるりと回してさえ、頸《くび》の付根が着物の襟《えり》にひやりと滑《すべ》るのが堪《た》え難い感じである。自分は寒さの圧迫《あつぱく》を四方から受けて、十畳《じょう》の書斎の真中《まんなか》に竦《すく》んでいた。この書斎は板の間である。椅子《いす》を用いべき所を、絨氈《じゅうたん》を敷いて、普通《ふつう》の畳《たたみ》の如《ごと》くに想像して坐っている。ところが敷物が狭《せま》いので、四方とも二尺がたは、つるつるした板の間が剝《む》き出しに光っている。凝としてこの板の間を眺めて、竦んでいると、男の子がまだ泣いている。とても仕事をする勇気が出ない。

ところへ妻《さい》が一寸《ちよつと》時計を拝借と這入《はい》って来て、又雪になりましたと云う。見ると、細かいのが何時《いつ》の間にか、降り出した。風もない濁《にご》った空の途中《とちゅう》から、静かに、急がずに、冷刻に、落ちて来る。

「おい、去年、子供の病気で、煖炉《ストーブ》を焚《た》いた時には炭代が幾何《いくら》要ったかな」

「あの時は月末に二十八円払《はら》いました」

自分は妻の答を聞いて、座敷煖炉《ざしきストーブ》を断念した。座敷煖炉は裏の物置に転がっているのである。

「おい、もう少し子供を静かに出来ないかな」

妻は已《やむ》を得ないと云う様な顔をした。そうして、云った。

「お政《まさ》さんが御腹《おなか》が痛いって、大分苦しそうですから、林さんでも頼《たの》んで見て貰《もら》いましょうか」

お政さんが二三日寝《ね》ている事は知っていたがそれ程悪いとは思わなかった。早く医者を呼んだら可《よ》かろうと、此方《こっち》から促《うなが》す様に注意すると、妻はそうしましょうと答えて、時計を持ったまま出て行った。襖《ふすま》を閉《た》てるとき、どうもこの部屋の寒い事と云った。

まだ、かじかんで仕事をする気にならない。実を云うと仕事は山程ある。自分の原《げん》稿《こう》を一回分書かなければならない。ある未知の青年から頼まれた短篇《たんぺん》小説を二三篇読んで置く義務がある。ある雑誌へ、ある人の作を手紙を付けて紹介《しょうかい》する約束がある。この二三箇月中に読む筈《はず》で読めなかった書籍《しょせき》は机の横に堆《うずた》かく積んである。この一週間程は仕事をしようと思って机に向うと人が来る。そうして、皆《みな》何か相談を持ち込んでくる。その上に胃が痛む。その点から云うと今日は幸いである。けれども、どう考えても、寒くて億劫《おっくう》で、火鉢から手を離《はな》す事が出来ない。

すると玄関《げんかん》に車を横付けにしたものがある。下女が来て長沢さんが御出《おいで》になりましたと云う。自分は火鉢の傍《そば》に竦《すく》んだまま、上眼遣《うわめづかい》をして、這入って来る長沢を見上げながら、寒くて動けないよと云った。長沢は懐《ふところ》中から手紙を出して、この十五日は旧の正月だから、是非都合してくれとか何とか云う手紙を読んだ。相変らず金の相談である。長沢は十二時過に帰った。けれども、まだ寒くて仕様がない。いっそ湯にでも行って、元気を付けようと思って、手拭《てぬぐい》を提《さ》げて玄関へ出掛かると、御免下さいと云う吉田に出っ食わした。座敷へ上げて、色々身の上話を聞いていると、吉田はほろほろ涙《なみだ》を流して泣き出した。その内奥《おく》の方では医者が来て何だかごたごたしている。吉田が漸く帰ると、子供が又泣き出した。とうとう湯に行った。

湯から上ったら始めて暖《あ》ったかになった。晴々《せいせい》して、家《うち》へ帰って書斎に這入ると、洋燈《ランプ》が点《つ》いて窓掛《まどかけ》が下りている。火鉢には新しい切炭が活《い》けてある。自分は座布団《ざぶとん》の上にどっかりと坐った。すると、妻が奥から寒いでしょうと云って蕎麦湯《そばゆ》を持って来てくれた。お政さんの容体を聞くと、ことによると盲腸炎になるかも知れないんだそうですよと云う。自分は蕎麦湯を手に受けて、もし悪い様だったら、病院に入れてやるが可《い》いと答えた。妻はそれが宜《い》いでしょうと茶の間へ引き取た。

妻が出て行ったらあとが急に静かになった。全くの雪の夜である。泣く子は幸いに寝たらしい。熱い蕎麦湯を啜《すす》りながら、あかるい洋燈《ランプ》の下で、継《つ》ぎ立ての切炭のぱちぱち鳴る音に耳を傾《かたむ》けていると、赤い火気《かっき》が、囲われた灰の中で仄《ほのか》に揺《ゆ》れている。時々薄青《うすあお》い焰《ほのお》が炭の股《また》から出る。自分はこの火の色に、始めて一日《じつ》の暖味《あたたかみ》を覚えた。そうして次第に白くなる灰の表を五分程見守っていた。

下宿

始めて下宿をしたのは北の高台である。赤煉瓦《れんが》の小ぢんまりした二階建《だて》が気に入ったので、割合に高い一週二磅《ポンド》の宿料を払《はら》って、裏の部屋を一間《ひとま》借り受けた。その時表を専領しているK氏は目下蘇格蘭《スコットランド》巡遊《じゅんゆう》中で暫《しばら》くは帰らないのだと主婦の説明があった。

主婦と云うのは、眼の凹《くぼ》んだ、鼻のしゃくれた、顎《あご》と頬《ほお》の尖《とが》った、鋭《するど》い顔の女で、一寸《ちょっと》見ると、年恰好《かっこう》の判断が出来ない程《ほど》、女性を超越《ちょうえつ》している。疳《かん》、僻《ひが》み、意地、利《き》かぬ気、疑惑《ぎわく》、あらゆる弱点が、穏《おだや》かな眼鼻を散々に弄《もてあそ》んだ結果、こう拗《ひ》ねくれた人相になったのではあるまいかと自分は考えた。

主婦は北の国に似合わしからぬ黒い髪《かみ》と黒い眸《ひとみ》を有《も》っていた。けれども言語《げんご》は普通《ふつう》の英吉利人《イギリスじん》と少しも違《ちが》った所がない。引き移った当日、階下《した》から茶の案内があったので、降りて行って見ると、家族は誰《たれ》もいない。北向の小さい食堂に、自分は主婦とたった二人差向いに坐った。日の当った事のない様に薄暗《うすぐら》い部屋を見回すと、マントルピースの上に淋《さび》しい水仙が活《い》けてあった。主婦は自分に茶だの焼麵麭《トースト》を勧《すす》めながら、四方山《よもやま》の話をした。その時何かの拍子《ひょうし》で、生れ故郷は英吉利ではない、仏蘭西《フランス》であるという事を打ち明けた。そうして黒い眼を動かして、後の硝子壜《ガラスびん》に挿《さ》してある水仙を顧《かえ》りみながら、英吉利は曇っていて、寒くて不可《いけ》ないと云った。花でもこの通り奇麗《きれい》でないと教えた積りなのだろう。

自分は肚《はら》の中《なか》でこの水仙の乏《とぼ》しく咲いた模様と、この女のひすばった頰の中を流れている、色の褪《さ》めた血の瀝《したたり》とを比較《ひかく》して、遠い仏蘭西で見るべき暖かな夢を想像した。主婦の黒い髪や黒い眼の裏《うち》には、幾年《いくねん》の昔に消えた春の匂《におい》の空《むな》しき歴史があるのだろう。あなたは仏蘭西語を話しますかと聞いた。いいやと答えようとする舌先を遮《さえぎ》って、二三句続け様《ざま》に、滑《なめ》らかな南の方の言葉を使った。こういう骨の勝った咽喉《のど》から、どうして出るだろうと思う位美しいアクセントであった。

その夕、晩餐《ばんさん》の時は、頭の禿《は》げた髯《ひげ》の白い老人が卓《たく》に着いた。これが私の親父《おやじ》ですと主婦から紹介《しょうかい》されたので始めて主人は年寄であったんだと気が附いた。この主人は妙《みょう》な言葉遣《づかい》をする。一寸聞いても決して英人ではない。成程親子して、海峡《かいきょう》を渡《わた》って、倫敦《ロンドン》へ落ち附いたものだなと合点《がてん》した。すると老人が私は独逸人《ドイツじん》であると、尋《たず》ねもせぬのに向うから名乗って出た。自分は少し見当が外れたので、そうですかと云ったきりであった。

部屋へ帰って、書物を読んでいると、妙に下の親子が気に懸《かか》って堪《たま》らない。あの爺《じい》さんは骨張った娘《むすめ》と較《くら》べて何処《どこ》も似た所がない。顔中は腫《は》れ上った様に膨《ふく》れている真中《まんなか》に、ずんぐりした肉の多い鼻が寝転《ねころ》んで、細い眼が二つ着いている。南亜《なんあ》の大統領にクルーゲルと云うのがあった。あれによく似ている。すっきりと心持よく此方《こっち》の眸《ひとみ》に映る顔ではない。その上娘に対しての物の云い方が和気を欠いている。歯が利かなくって、もごもごしている癖《くせ》に何となく調子の荒《あら》い所が見える。娘も阿爺《おやじ》に対するときは、険相な顔がいとど険相になる様に見える。どうしても普通の親子ではない。

——自分はこう考えて寝た。

翌日朝飯《あさめし》を食いに下りると、昨夕《ゆうべ》の親子の外に、又一人家族が殖《ふ》えている。新しく食卓に連なった人は、血色の好い、愛嬌《あいきょう》のある、四十恰好《がっこう》の男である。自分は食堂の入口でこの男の顔を見た時、始めて、生気のある人間社会に住んでいる様な心持ちがした。my brother《マイ ブラザー》と主婦がその男を自分に紹介した。やっぱり亭主では無かったのである。然《しか》し兄弟とはどうしても受取れない位顔立が違っていた。

その日は中食《ちゅうじき》を外《そと》でして、三時過ぎに帰って、自分の部屋へ這入《はい》ると間もなく、茶を飲みに来いと云って呼びにきた。今日も曇《くも》っている。薄暗い食堂の戸を開けると、主婦がたった一人煖炉《ストーブ》の横に茶器を控《ひか》えて坐っていた。石炭を燃《もや》してくれたので、幾分か陽気な感じがした。燃えついたばかりの燄《ほのお》に照らされた主婦の顔を見ると、うすく火熱《ほて》った上に、心持御白粉《おしろい》を塗《つ》けている。自分は部屋の入り口で化粧《けしよう》の淋しみと云う事を、しみじみと悟《さと》った。主婦は自分の印象を見抜《みぬ》いた様な眼遣いをした。自分が主婦から一家の事情を聞いたのはこの時である。

主婦の母は、二十五年の昔、ある仏蘭西人《フランスじん》に嫁《とつ》いで、この娘を挙げた。幾年か連れ添《そ》った後夫《のち》は死んだ。母は娘の手を引いて、再び独逸人の許《もと》に嫁いだ。その独逸人が昨夜《ゆうべ》の老人である。今では倫敦のウェスト・エンド＊で仕立屋の店を出して、毎日々々そこへ通勤している。先妻の子も同じ店で働いているが、親子非常に仲が悪い。一つ家《うち》にいても、口を利いた事がない。息子は夜きっと遅《おそ》く帰る。玄関《げんかん》で靴《くつ》を脱《ぬ》いで足袋《たび》跣足《はだし》になって、爺《おやじ》に知れない様に廊下《ろうか》を通って、自分の部屋へ這入って寝てしまう。母は余程前に失くなった。死ぬ時に自分の事をくれぐれも云い置いて死んだのだが、母の財産はみんな阿爺《おやじ》の手に渡って、一銭も自由にする事が出来ない。仕方がないから、こうして下宿をして小遣を拵《こしら》えるのである。アグニスは――

主婦はそれより先を語らなかった。アグニスと云うのは此処《ここ》のうちに使われている十三四の女の子の名である。自分はその時今朝《けさ》見た息子の顔と、アグニスとの間《あいだ》に何処か似た所がある様な気がした。あたかもアグニスは焼麺麭《トースト》を抱《かか》えて厨《くりや》から出て来た。

「アグニス、焼麺麭を食べるかい」

アグニスは黙《だま》って、一片の焼麺麭を受けて又厨の方へ退《しりぞ》いた。

一箇月の後《のち》自分はこの下宿を去った。

過去の匂《にお》い

自分がこの下宿を出る二週間程《ほど》前に、K君は蘇格蘭《スコットランド》から帰って来た。その時自分は主婦によってK君に紹介された。二人の日本人が倫敦《ロンドン》の山の手の、とある小さな家に偶然《ぐうぜん》落ち合って、しかも、まだ互《たがい》に名乗り換《かわ》した事がないので、身分も、素性《すじょう》も、経歴も分らない外国婦人の力を藉《か》りて、どうか何分と頭を下げたのは、考えると今以《もっ》て妙《みょう》な気がする。その時この老令嬢《れいじょう》は黒い服を着ていた。骨張って膏《あぶら》の脱《ぬ》けた様な手を前へ出して、Kさん、これがNさんと云ったが、全く云い切らない先に、又一本の手を相手の方へ寄せて、Nさん、これがKさんと、公平に双方を等分に引き合せた。

自分は老令嬢の態度が、如何《いか》にも、厳《おごそか》で、一種重要の気に充《み》ちた形式を具《そな》えているのに、尠《すくな》からず驚《おどろ》かされた。K君は自分の向《むこう》に立って、奇麗《きれい》な二重瞼《ふたえまぶち》の尻《しり》に皺《しわ》を寄せながら、微笑《びしょう》を洩《も》らしていた。自分は笑うと云わんよりは寧《むし》ろ矛盾《むじゅん》の淋《さび》しみを感じた。幽霊《ゆうれい》の媒妁《ばいしゃく》で、結婚《けっこん》の儀式《ぎしき》を行ったら、こんな心持ではあるまいかと、立ちながら考えた。凡《すべ》てこの老令嬢の黒い影《かげ》の動く所は、生気を失って、忽《たちま》ち古蹟《こせき》に変化する様に思われる。誤ってその肉に触《ふ》れれば、触れた人の血が、其所《そこ》だけ冷たくなるとしか想像出来ない。自分は戸の外に消えてゆく女の足音に半ば頭《こうべ》を回《めぐ》らした。

老令嬢が出て行ったあとで、自分とK君は忽ち親しくなってしまった。K君の部屋は美くしい絨氈《じゅうたん》が敷《し》いてあって、白絹《しらぎぬ》の窓掛《まどかけ》が下がっていて、立派な安楽椅子《いす》とロッキング・チェアが備え附けてある上に、小さな寝室《しんしつ》が別に附属している。何より嬉《うれ》しいのは断えず煖炉《ストーブ》に火を焚《た》いて、惜気《おしげ》もなく光った石炭を崩《くず》している事である。

これから自分はK君の部屋で、K君と二人で茶を飲むことにした。昼はよく近所の料理店《りょうりや》へ一所に出掛けた。勘定《かんじょう》は必ずK君が払《はら》ってくれた。K君は何でも築港の調査に来ているとか云って、大分金を持っていた。家《うち》にいると、海老茶《えびちゃ》の繻子《しゅす》に花鳥の刺繍《ぬいとり》のあるドレッシング・ガウン*を着て、甚《はなは》だ愉快《ゆかい》そうであった。これに反して自分は日本を出たままの着物が大分汚《よご》れて、見共《みとも》ない始末であった。K君は余りだと云って新調の費用を貸してくれた。

二週間の間K君と自分とは色々な事を話した。K君が、今に慶応《けいおう》内閣を作るんだと云った事がある。慶応年間に生れたものだけで内閣を作るから慶応内閣と云うんだそうである。自分に、君は何時《いつ》の生れかと聞くから慶応三年だと答えたら、それじゃ、閣員の資格があると笑っていた。K君は慥《たし》か慶応二年か元年生れだと覚えている。自分はもう一年の事で、K君と共に枢機《すうき》に参する権利を失う所であった。

こんな面白い話をしている間に、時々下の家族が噂《うわさ》に上《のぼ》る事があった。するとK君は何時《いつ》でも眉《まゆ》をひそめて、首を振《ふ》っていた。アグニスと云う小さい女が一番可愛想《かわいそう》だと云っていた。アグニスは朝になると石炭をK君の部屋に持って来る。昼過には茶とバタと麵麭《パン》を持って来る。だまって持って来て、だまって置いて帰る。いつ見ても蒼《あお》褪《ざ》めた顔をして、大きな潤《うるおい》のある眼で一寸挨拶《ちょっとあいさつ》をするだけである。影の様にあらわれては影の様に下りて行く。嘗《かつ》て足音のした試《ため》しがない。

ある時自分は、不愉快だから、この家《うち》を出ようと思うとK君に告げた。K君は賛成して、自分はこうして調査の為《ため》方々飛び歩いている身体《からだ》だから、構わないが、君などは、もっとコンフォタブルな所へ落ち着いて勉強したら可《よ》かろうと云う注意をした。

その時K君は地中海の向側へ渡るんだと云って、しきりに旅装をととのえていた。自分が下宿を出るとき、老令嬢は切に思いとまる様にと頼んだ。下宿料は負ける、

K君のいない間は、あの部屋を使っても構わないとまで云ったが、自分はとうとう南の方へ移ってしまった。同時にK君も遠くへ行ってしまった。

二三箇月してから、突然K君の手紙に接した。旅から帰って来た。当分此処《ここ》にいるから遊びに来いと書いてあった。すぐ行きたかったけれども、色々都合があって、北の果まで推《お》し掛ける*時間がなかった。一週間程して、イスリントンまで行く用事が出来たのを幸いに、帰りにK君の所へ回ってみた。

表二階の窓から、例の羽二重《はぶたえ》の窓掛が引き絞《しぼ》ったまま硝子《ガラス》に映っている。自分は暖かい煖炉《ストーブ》と、海老茶の繻子の刺繡《ぬいとり》と、安楽椅子と、快活なK君の旅行談を予想して、勇んで、門を入って、階段を駆《か》け上る様に敲子《ノッカー》をとんとんと打った。戸の向側に足音がしないから、通じないのかと思って、再び敲子《ノッカー》に手を掛けようとする途端《とたん》に、戸が自然《じねん》と開《あ》いた。自分は敷居から一歩なかへ足を踏《ふ》み込んだ。そうして、詫《わ》びる様に自分をじっと見上げているアグニスと顔を合わした。その時この三箇月程忘れていた、過去の下宿の匂《におい》が、狭い廊下《ろうか》の真中で、自分の嗅覚《きゅうかく》を、稲妻《いなずま》の閃《ひら》めく如《ごと》く、刺激した。その匂のうちには、黒い髪と黒い眼と、クルーゲルの様な顔と、アグニスに似た息子と、息子の影の様なアグニスと、彼等の間《あいだ》に蟠《わだか》まる秘密を、一度に一斉《いっせい》に含《ふく》んでいた。自分はこの匂を嗅《か》いだ時、彼等の情意、動作、言語、顔色《がんしょく》を、あざやかに暗い地獄《じごく》の

裏《うち》に認めた。自分は二階へ上がってK君に逢《あ》うに堪《た》えなかった。

猫の墓

早稲田《わせだ》へ移ってから、猫が段々瘠《や》せて来た。一向に小供と遊ぶ気色《けしき》がない。日が当ると縁側《えんがわ》に寝《ね》ている。前足を揃《そろ》えた上に、四角な顎《あご》を載《の》せて、じっと庭の植込《うえこみ》を眺《なが》めたまま、いつまでも動く様子が見えない。小供がいくらその傍《そば》で騒《さわ》いでも、知らぬ顔をしている。小供の方でも、初めから相手にしなくなった。この猫はとても遊び仲間に出来ないと云わんばかりに、旧友を他人扱《あつか》いにしている。小供のみではない、下女はただ三度の食《めし》を、台所の隅《すみ》に置いてやるだけでその外には、殆《ほとん》ど構い附けなかった。しかもその食《めし》は大抵《たいてい》近所にいる大きな三毛猫が来て食ってしまった。猫は別に怒《おこ》る様子もなかった。喧嘩《けんか》をする所を見た試《ため》しもない。ただ、じっとして寝ていた。然《しか》しその寝方に何所《どこ》となく余裕《ゆとり》がない。伸《の》んびり楽々と身を横に、日光を領しているのと違《ちが》って、動くべきせきがないために――これでは、まだ形容し足りない。懶《ものう》さの度をある所まで通り越《こ》して、動かなければ淋《さび》しいが、動くと猶《なお》淋しいので、我慢《がまん》して、じっと辛抱《しんぼう》している様に見えた。その眼附は、何時《いつ》でも庭の植込を見ているが、彼れは恐《おそ》らく木の葉も、幹の形も意識していなかったのだろう。青味がかった黄色い瞳子《ひとみ》を、ぼんやり一と所に落ち附けているのみである。彼れが家《うち》の小供から存在を認められぬ様に、自分でも、世の中の存在を判然《はっきり》と認めていなかったらしい。

それでも時々は用があると見えて、外へ出て行く事がある。すると何時でも近所の三毛猫から追懸《おっか》けられる。そうして、怖《こわ》いものだから、縁側を飛び上がって、立て切ってある障子を突《つ》き破って、囲炉裏《いろり》の傍まで逃《に》げ込《こ》んで来る。家《うち》のものが、彼れの存在に気が附くのはこの時だけである。彼れもこの時に限って、自分が生きている事実を、満足に自覚するのだろう。

これが度重なるにつれて、猫の長い尻尾《しっぽ》の毛が段々抜《ぬ》けて来た。始めは所々がぽくぽく穴の様に落ち込んで見えたが、後《のち》には赤肌《あかはだ》に脱《ぬ》け広がって、見るも気の毒な程にだらりと垂れていた。彼れは万事に疲《つか》れ果てた、体軀《からだ》を圧《お》し曲げて、しきりに痛い局部を舐《な》め出した。

おい猫がどうかしたようだなと云うと、そうですね、やっぱり年を取った所為《せい》でしょうと、妻《さい》は至極冷淡《しごくれいたん》である。自分もそのままにして放って置いた。すると、しばらくしてから、今度は三度のものを時々吐《は》く様になった。咽喉《のど》の所に大きな波を打たして、嚔《くしゃみ》とも、しゃくりとも附かない苦しそうな音をさせる。苦しそうだけれども、已《やむ》を得ないから、気が附くと表へ追い出す。でなければ畳《たたみ》の上でも、布団《ふとん》の上でも容赦《ようしゃ》なく汚《よご》す。来客の用意に拵《こしら》えた八反《はったん》の座布団は、大方彼れの為《ため》に汚されてしまった。

「どうも仕様がないな。腸胃が悪いんだろう、宝丹《ほうたん》でも水に溶いて飲まして遣《や》れ」

妻は何とも云わなかった。二三日してから、宝丹を飲ましたかと聞いたら、飲ましても駄目《だめ》です、口を開《あ》きませんという答をした後で、魚の骨を食べさせると吐くんですと説明するから、じゃ食わせせんが好いじゃないかと、少し嶮《けん》どん*に叱《しか》りながら書見をしていた。

猫は吐気がなくなりさえすれば、依然《いぜん》として、大人しく寝ている。この頃《ごろ》では、じっと身を竦《すく》める様にして、自分の身を支える縁側だけが便《たより》であるという風に、如何《いか》にも切り詰《つ》めた蹲踞《うずく》まり方をする。眼附も少し変って来た。始めは近い視線に、遠くのものが映る如《ごと》く、悄然《しょうぜん》たるうちに、どこか落付が有ったが、それが次第に怪《あや》しく動いて来た。けれども眼の色は段々沈《しず》んで行く。日が落ちて微《かす》かな稲妻《いなずま》があらわれる様な気がした。けれども放って置いた。妻も気にも掛けなかったらしい。小供は無論猫のいる事さえ忘れている。

ある晩、彼は小供の寝る夜具の裾《すそ》に腹這《はらばい》になっていたが、やがて、自分の捕った魚を取り上げられる時に出す様な唸声《うなりごえ》を挙げた。この時変だなと気が附いたのは自分だけである。小供はよく寝ている。妻は針仕事に余念がなかった。しばらくすると猫が又唸った。妻は漸《ようや》く針の手を已《や》めた。自分は、どうしたんだ、夜中に小供の頭でも噛《かじ》られちゃ大変だと云った。まさかと妻は又襦袢《じゅばん》の袖《そで》を縫《ぬ》い出した。猫は折々唸っていた。

明くる日は囲炉裏の縁《ふち》に乗ったなり、一日唸っていた。茶を注《つ》いだり、薬罐《やかん》を取ったりするのが気味が悪い様であった。が、夜になると猫の事は自分も妻もまるで忘れてしまった。猫の死んだのは実にその晩である。朝になって、下女が裏の物置に薪《まき》を出しに行った時は、もう硬《かた》くなって、古い竈《へっつい》の上に倒《たお》れていた。

妻《さい》はわざわざその死態《しにざま》を見に行った。それから今までの冷淡に引き更《か》えて急に騒ぎ出した。出入《でいり》の車夫を頼《たの》んで、四角な墓標を買って来て、何か書いて遣《や》って下さいと云う。自分は表に猫の墓と書いて、裏にこの下に稲妻起る宵《よい》あらんと認《したた》めた。車夫はこのまま、埋《う》めても好いんですかと聞いている。まさか火葬《かそう》にも出来ないじゃないかと下女が冷かした。

小供も急に猫を可愛《かわい》がり出した。墓標の左右に硝子《ガラス》の罎《びん》を二つ活《い》けて、萩《はぎ》の花を沢山挿《たくさんさ》した。茶碗《ちゃわん》に水を汲《く》んで、墓の前に置いた。花も水も毎日取り替《か》えられた。三日目の夕方に四つになる女の子が――自分はこの時書斎《しょさい》の窓から見ていた。――たった一人墓の前へ来て、しばらく白木の棒を見ていたが、やがて手に持った、おもちゃの杓子《しゃくし》を卸《おろ》して、猫に供えた茶碗の水をしゃくって飲んだ。それも一度ではない。萩の花の落ちこぼれた水の瀝《したた》りは、静かな夕暮の中に、幾度《いくど》か愛子の小さい咽喉《のど》を潤《うる》おした。

猫の命日には、妻がきっと一切れの鮭《さけ》と、鰹節《かつぶし》を掛けた一杯の飯を墓の前に供える。今でも忘れた事がない。ただこの頃では、庭まで持って出ずに、大抵は茶の間の箪笥《たんす》の上へ載せて置くようである。

暖かい夢

風が高い建物に当って、思う如《ごと》く真直《まっすぐ》に抜《ぬ》けられないので、急に稲妻《いなずま》に折れて、頭の上から、斜《はす》に舗石《しきいし》まで吹《ふ》き卸《おろ》して来る。自分は歩きながら被《かぶ》っていた山高帽《やまたかぼう》を右の手で抑《おさ》えた。前に客待の御者《ぎょしゃ》が一人いる。御車台《ぎょしゃだい》*から、この有様を眺《なが》めていたとみえて、自分が帽子から手を離《はな》して、姿勢を正すや否《いな》や、人指指《ひとさしゆび》を竪《たて》に立てた。乗らないかと云う符徴《ふちょう》である。自分は乗らなかった。すると御者は右の手に拳骨《げんこつ》を固めて、烈《はげ》しく胸の辺《あたり》を打ち出した。二三間《げん》離れて聞いていても、とんとん音がする。倫敦《ロンドン》の御者はこうして、己《おの》れとわが手を暖めるのである。自分は振《ふ》り返って一寸《ちょっと》この御者を見た。剝《は》げ懸《かか》った堅《かた》い帽子の下から、霜《しも》に侵《おか》された厚い髪《かみ》の毛が食《は》み出している。毛布《ケット》を継《つ》ぎ合せた様な粗《あら》い茶の外套《がいとう》の脊中《せなか》の右にその肱《ひじ》を張って、肩《かた》と平行になるまで怒《いか》らしつつ、とんとん胸を敲《たた》いている。まるで一種の器械の活動する様である。自分は再び歩き出した。

道を行くものは皆《みな》追い越《こ》して行く。女でさえ後《おく》れてはいない。腰の後部《うしろ》でスカートを軽く撮《つま》んで、踵《かかと》の高い靴《くつ》が曲るかと思う位烈しく舗石《しきいし》を鳴らして急いで行く。よく見ると、どの顔もどの顔も切歯詰《せっぱ》*っている。男は正面を見たなり、女は傍目《わきめ》も触《ふ》らず、ひたすらにわが志す方《かた》へと一直線に走るだけである。その時の口は堅く結んでいる。眉《まゆ》は深く鎖《とざ》している。鼻は険しく聳《そび》えていて、顔は奥行《おくゆき》ばかり延びている。そうして、足は一文字に用のある方へ運んで行く。あたかも往来《おうらい》は歩くに堪《た》えん、戸外は居《い》るに忍《しの》びん、一刻も早く屋根の下へ身を隠《かく》さなければ、生涯《しょうがい》の耻辱《ちじょく》である、かの如き態度である。

自分はのそのそ歩きながら、何となくこの都に居づらい感じがした。上を見ると、大きな空は、何時《いつ》の世からか、仕切られて、切岸の如く聳《そび》える左右の棟《むね》に余された細い帯だけが東から西へかけて長く渡《わた》っている。その帯の色は朝から鼠色《ねずみいろ》であるが、次第々に鳶色《とびいろ》に変じて来た。建物は固《もと》より灰色である。それが暖かい日の光に倦《う》み果てた様に、遠慮《えんりょ》なく両側を塞《ふさ》いでいる。広い土地を狭苦《せまくる》しい谷底の日影《ひかげ》にして、高い太陽が届く事の出来ない様に、二階の上に三階を重ねて、三階の上に四階を積んでしまった。小さい人はその底の一部分を、黒くなって、寒そうに往来する。自分はその黒く動くもののうちで、尤《もっと》も緩漫《かんまん》なる一分子である。谷へ挟《はさ》まって、出端《では》を失った風が、この底を掬《すく》う様にして通り抜ける。黒いものは網《あみ》の目を洩《も》れた雑魚《ざこ》の如く四方にぱっと散って行く。鈍《のろ》い自分も遂《つい》にこの風に吹き散らされて、家のなかへ逃《に》げ込んだ。

長い廻廊《かいろう》をぐるぐる廻《まわ》って、二つ三つ階子段《はしごだん》を上《のぼ》ると、弾力《ばね》仕《じ》掛《かけ》の大きな戸がある。身躯《からだ》の重みをちょっと寄せ掛けるや否や、音もなく、自然《じねん》と身は大きなガレリー*の中に滑《すべ》り込んだ。眼の下は眩《まばゆ》い程明かである。後《うしろ》を振り返ると、戸は何時の間にか締《しま》って、居る所は春の様に暖かい。自分はしばらくの間、瞳《ひとみ》を慣らす為《ため》に、眼をぱちぱちさせた。そうして、左右を見た。左右には人が沢山《たくさん》いる。けれども、みんな静かに落ち附いている。そうして顔の筋肉が残らず緩《ゆる》んで見える。沢山の人がこう肩を並べているのに、いくら沢山いても、一向苦にならない。悉《ことごと》く互《たが》いと互いを和《やわら》げている。自分は上を見た。上は大穹窿《おおまるがた》の天井《てんじょう》で極彩色《ごくさいしき》の濃《こ》く眼に応《こた》える中に、鮮《あざや》かな金箔《きんぱく》が、胸を躍《おど》らす程に、燦《さん》として輝《かがや》いた。自分は前を見た。前は手欄《てすり》で尽きている。手欄の外には何《な》にもない。大きな穴である。自分は手欄の傍《そば》まで近寄って、短い首を伸《の》ばして穴の中を覗《のぞ》いた。すると遥《はるか》の下は、絵にかいた様な小さな人で埋《うま》っていた。その数の多い割に鮮《あざやか》に見えた事。人の海とはこの事である。白、黒、黄、青、紫、赤、あらゆる明かな色が、大海原に起る波紋《はもん》の如く、簇然《そうぜん》として、遠くの底に、五色《しき》の鱗《うろこ》を并《なら》べた程、小さくかつ奇麗《きれい》に、蠢《うごめ》いていた。

その時この蠢くものが、ぱっと消えて、大きな天井から、遥かの谷底まで一度に暗くなった。今まで何千となく居ならんでいたものは闇《やみ》の中に葬《ほうむ》られたぎり、誰《たれ》あって声を立てるものがない。あたかもこの大きな闇に、一人残らずその存在を打ち消されて、影も形もなくなったかの如くに寂《しん》としている。と、思うと、遥かの底の、正面の一部分が四角に切り抜かれて、闇の中から浮き出した様に、ぼうっと何時の間にやら薄明《うすあか》るくなって来た。始めは、ただ闇の段取が違うだけの事と思っていると、それが次第々々に暗がりを離れてくる。慥《たし》かに柔《やわら》かな光を受けておるなと意識出来る位になった時、自分は霧《きり》の様な光線の奥に、不透明《ふとうめい》な色を見出《みいだ》す事が出来た。その色は黄と紫と藍《あい》であった。やがて、そのうちの黄と紫が動き出した。自分は両眼の視神経を疲《つか》れるまで緊張《きんちょう》して、この動くものを瞬きもせず凝視《みつめ》ていた。靄《もや》は眼の底から忽《たちま》ち晴れ渡った。遠くの向うに、明かな日光の暖かに照り輝く海を控《ひか》えて、黄な上衣《うわぎ》を着た美しい男と、紫の袖《そで》を長く牽《ひ》いた美しい女が、青草の上に、判然《はっきり》あらわれて来た。女が橄欖《かんらん》の樹の下に据えてある大理石の長椅子《ながいす》に腰を掛けた時に、男は椅子の横手に立って、上から女を見下《みおろ》した。その時南から吹く温かい風に誘《さそ》われて、閑和《のどか》な楽《がく》の音《ね》が、細く長く、遠くの波の上を渡って来た。

穴の上も、穴の下も、一度にざわつき出した。彼等は闇の中に消えたのではなかった。闇の中で暖かな希臘《ギリシャ》を夢みていたのである。

印　象

表へ出ると、広い通りが真直《まっすぐ》に家の前を貫《つらぬ》いている。試みにその中央に立って見廻してみたら、眼に入《い》る家は悉《ことごと》く四階で、又悉く同じ色であった。隣《となり》も向うも区別のつきかねる位似寄った構造なので、今自分が出て来たのは果してどの家であるか、二三間《げん》行過ぎて、後戻《あともど》りをすると、もう分らない。不思議な町である。

昨夕《ゆうべ》は汽車の音に包《くる》まって寝《ね》た。十時過ぎには、馬の蹄《ひづめ》と鈴《すず》の響《ひびき》に送られて、暗いなかを夢の様に馳《か》けた。その時美しい燈《ともしび》の影《かげ》が、点々として何百となく眸《ひとみ》の上を往来《おうらい》した。その外には何も見なかった。見るのは今が始めてである。

二三度この不思議な町を立ちながら、見上《みあげ》、見下《みおろ》した後《のち》、遂《つい》に左へ向いて、一町程《ほど》来ると、四ツ角へ出た。能《よ》く覚えをして置いて、右へ曲ったら、今度は前よりも広い往来へ出た。その往来の中を馬車が幾輛《いくりよう》となく通る。何《いず》れも屋根に人を載《の》せている。その馬車の色が赤であったり黄であったり、青や茶や紺《こん》であったり、仕切りなしに自分の横を追い越《こ》して向うへ行く。遠くの方を透《す》かして見ると、何処《どこ》まで五色《しき》が続いているのか分らない。振り返れば、五色の雲の様に動いて来る。何処《どこ》から何処へ人を載せて行くものかしらんと立ち止まって考えていると、後《うしろ》から脊《せ》の高い人が追い被《かぶ》さる様に、肩《かた》のあたりを押《お》した。避《さ》けようとする右にも脊の高い人がいた。左りにもいた。肩を押した後の人は、その又後の人から肩を押されている。そうしてみんな黙《だま》っている。そうして自然のうちに前へ動いて行く。

自分はこの時始めて、人の海に溺《おぼ》れた事を自覚した。この海は何処まで広がっているか分らない。然し広い割には極《きわ》めて静かな海である。ただ出る事が出来ない。右を向いても痞《つか》えている。左を見ても塞《ふさ》がっている。後《うしろ》を振り返っても一杯である。それで静かに前の方へ動いて行く。只一筋の運命より外に、自分を支配するものがないかの如《ごと》く、幾万の黒い頭が申し合せた様に歩調を揃《そろ》えて一歩ずつ前へ進んで行く。自分は歩きながら、今出て来た家の事を想《おも》い浮《うか》べた。一様の四階建の、一様の色の、不思議な町は、何でも遠くにあるらしい。何処をどう曲って、何処をどう歩いたら帰れるか、殆《ほとん》ど覚束《おぼつか》ない気がする。よし帰れても、自分の家は見出《みいだ》せそうもない。その家は昨夕《ゆうべ》暗い中に暗く立っていた。

自分は心細く考えながら、脊の高い群集に押されて、仕方なしに大通を二つ三つ曲がった。曲るたんびに、昨夕の暗い家とは反対の方角に遠ざかって行く様な心持がした。そうして眼の疲《つか》れる程人間の沢山いるなかに、云うべからざる孤独《こどく》を感じた。すると、だらだら坂へ出た。此処《ここ》は大きな道路が五つ六つ落ち合う広場の様に思われた。今まで一筋に動いて来た波は、坂の下で、色々な方角から寄せるのと集まって、静かに廻転し始めた。

坂の下には、大きな石刻《いしぼり》の獅子《しし》がある。全身灰色をしておった。尾の細い割に、鬣《たてがみ》に渦《うず》を捲《ま》いた深い頭は四斗樽《しとだる》程もあった。前足を揃えて、波を打つ群集の中に眠《ねむ》っていた。獅子は二ついた。下は舗石《しきいし》で敷き詰めてある。その真中に太い銅の柱があった。自分は、静かに動く人の海の間に立って、眼を挙げて、柱の上を見た。柱は眼の届く限り高く真直に立っている。その上には大きな空が一面に見えた。高い柱はこの空を真中で突き抜いている様に聳《そび》えていた。この柱の先には何があるか分らなかった。自分は又人の波に押されて広場から、右の方の通りを何所《いずく》ともなく下《さが》って行った。しばらくして、振返ったら、竿《さお》の様な細い柱の上に、小さい人間*がたった一人立っていた。

人間

御作《おさく》さんは起きるが早いか、まだ髪結《かみゆい》は来ないか、髪結は来ないかと騒《さわ》いでいる。髪結は昨夕《ゆうべ》慥《たし》かに頼《たの》んで置いた。外《ほか》さまで御座いませんから、都合をして、是非九時までには上りますとの返事を聞いて、漸《ようや》く安心して寝《ね》た位である。柱時計を見ると、もう九時には五分しかない。どうしたんだろうと、如何《いか》にも焦《じ》れったそうなので、見《み》兼《か》ねた下女は、一寸《ちょっと》見て参りましょうと出て行った。御作さんは及《およ》び腰《ごし》になって、障子の前に取り出した鏡台を、立《たち》ながら覗《のぞ》き込《こ》んで見た。そうして、わざと唇《くちびる》を開けて、上下《うえした》とも奇麗に揃《そろ》った白い歯を残らず露《あら》わした。すると時計が柱の上でボンボンと九時を打ち出した。御作さんは、すぐ立ち上って、間《あい》の襖《ふすま》を開けて、どうしたんですよ、貴方《あなた》もう九時過ぎですよ。起きて下さらなくっちゃ、晩《おそ》くなるじゃありませんかと云った。御作さんの旦那《だんな》は九時を聞いて、今床《とこ》の上に起き直った所である。御作さんの顔を見るや否《いな》や、あいよと云いながら、気軽に立ち上がった。

御作さんは、すぐ台所の方へ取って返して、楊枝《ようじ》と歯磨《はみがき》と石鹼《しゃぼん》と手拭《てぬぐい》を一と纏《まと》めにして、さあ、早く行って入らっしゃい、と旦那に渡《わた》した。帰りに一寸髯《ひげ》を剃《す》って来るよと、銘仙《めいせん》のどてらの下へ浴衣《ゆかた》を重ねた旦那は、沓脱《くつぬぎ》へ下りた。じゃ、一寸《ちよいと》御待ちなさいと、御作さんは又奥《おく》へ駆《か》け込んだ。その間に旦那は楊枝を使い出した。御作さんは用簞笥《ようだんす》の抽出《ひきだし》から小さい熨斗袋《のしぶくろ》を出して、中へ銀貨を入れて、持って出た。旦那は口が利《き》けないものだから、黙《だま》って、袋を受取って格子《こうし》を跨《また》いだ。御作さんは旦那の肩《かた》の後へ、手拭の余りがぶら下がっているのを、少しの間眺《なが》めていたが、やがて、又奥へ引込んで、一寸鏡台の前へ坐って、再び我が姿を映して見た。それから簞笥の抽出を半分開けて、少し首を傾《かたむ》けた。やがて、中から何か二三点取り出して、それを畳《たたみ》の上へ置いて考えた。が、折角取り出したものを、一つだけ残して、あとは丁寧にしまってしまった。それから又二番目の抽出を開けた。そうして又考えた。御作さんは、考えたり、出したり、しまったりするので約三十分程費やした。その間《あいだ》も始終心配そうに柱時計を眺めていた。漸く衣裳《いしょう》を揃えて、大きな鬱金木綿《うこんもめん》の風呂敷にくるんで、座敷の隅《すみ》に押し遣《や》ると、髪結が驚《おどろ》いた様な大きな声を出して勝手口から這入《はい》って来た。どうも遅《おそ》くなって済みません、と息を喘《はず》ませて言訳を云っている。御作さんは、本当に、御忙《おいそ》がしい所を御気の毒さまでしたねえと、長い煙管《きせる》を出して髪結に煙草《たばこ》を呑《の》ました。

梳手《すきて》が来ないので、髪を結うのに大分暇《ひま》が取れた。旦那は湯に入って、髭《ひげ》を剃《す》って、やがて帰って来た。その間に、御作さんは、髪結に今日は美《み》いちゃんを誘《さそ》って、旦那に有楽座へ連れて行って貰《もら》うんだと話した。髪結はおやおや私も御伴をしたいもんだなどと、大分冗談《じょうだん》交りの御世辞を使った末、どうぞ御緩《ごゆっく》りと帰って行った。

旦那は鬱金木綿の風呂敷を、ちょっと剝《は》ぐって見て、これを着て行くのかい、これよりか、この間の方がお前には似合うよと云った。でも、あれは、もう暮に、美いちゃんの所へ着て行ったんですものと御作さんが答えた。そうか、じゃこれが好いだろう。己《おれ》は彼方《あっち》の綿入羽織を着て行こうか、少し寒い様だねと、旦那が又云い出すと、御廃《およ》しなさいよ、見っともない、一つものばかり着てと、御作さんは絣《かすり》の綿入羽織を出さなかった。

やがて、御化粧《おけしょう》が出来上って、流行の鶉縮緬《うずらちりめん》の道行《みちゆき》を着て、毛皮の襟巻《えりまき》をして、御作さんは旦那と一所に表へ出た。歩きながら旦那にぶら下がる様にして話をする。四つ角まで出ると交番の所に人が大勢立っていた。御作さんは旦那の廻套《まわし》の羽根を捕《つら》まえて、伸び上がりながら、群集《ぐんじゅ》の中を覗き込んだ。

真中《まんなか》に印袢天《しるしばんてん》を着た男が、立つとも坐るとも片附かずに、のらくらしている。今までも泥《どろ》の中へ何度も倒れたとみえて、たださえ色の変った袢天《はんてん》がびたびたに濡《ぬ》れて寒く光っている。巡査《じゅんさ》が御前は何だと云うと、呂律《ろれつ》の回らない舌で、お、おれは人間だと威張《いば》っている。そのたんびに、みんなが、どっと笑う。御作さんも旦那の顔を見て笑った。すると酔《よ》っ払《ぱら》いは承知しない。怖《こわ》い眼をして、あたりを見廻しながら、な、なにが可笑《おか》しい。己《おれ》が人間なのが、何処が可笑しい。こう見《め》えたって、と云って、だらりと首を垂れてしまうかと思うと、突然《いきなり》思い出した様に、人間だいと大きな声を出す。

ところへ又印袢天を着た脊の高い黒い顔をした男が荷車を引いて何処からか、遣《や》って来た。人を押し分けて巡査に何か小さな声で云っていたが、やがて、酔っ払いの方を向いて、さあ、野郎連れて行って遣るから、この上へ乗れと云った。酔払いは嬉《うれ》しそうな顔をして、難有《ありが》てえと云いながら荷車の上に、どさりと仰向《あおむ》けに寝た。明かるい空を見て、しょぼしょぼした眼を、二三度ぱちつかせたが、篦棒《べらぼう》め、こう見《め》えたって人間でえと云った。うん人間だ、人間だから大人《おとな》しくしているんだよと、脊の高い男は藁《わら》の縄《なわ》で酔払いを荷車の上へ緊《しっ》かり縛《しば》り附けた。そうして屠《ほふ》られた豚の様に、がらがらと大通りを引いて行った。御作さんはやっぱり廻套《まわし》の羽根を捕《つら》まえたまま、注《し》目飾《めかざ》＊りの間を、向うへ押されて行く荷車の影を見送った。そうして、これから美いちゃんの所へ行って、美いちゃんに話す種が一つ殖《ふ》えたのを喜んだ。

山鳥

五六人寄って、火鉢《ひばち》を囲みながら話をしていると、突然《とつぜん》一人の青年が来た。名も聞かず、会った事もない、全く未知の男である。紹介状《しょうかいじょう》も携《たずさ》えずに、取次を通じて、面会を求めるので、座敷へ招じたら、青年は大勢いる所へ、一羽の山鳥を提《さ》げて這入《はい》って来た。初対面の挨拶《あいさつ》が済むと、その山鳥を座の真中に出して、国から届きましたからといって、それを当座の贈物《おくりもの》にした。

その日は寒い日であった。すぐ、みんなで山鳥の羹《あつもの》を拵《こしら》えて食った。山鳥を料る時、青年は袴《はかま》ながら、台所へ立って、自分で毛を引いて、肉を割《さ》いて、骨をことことと敲《たた》いてくれた。青年は小作りの面長《おもなが》な質《たち》で、蒼白《あおじろ》い額の下に、度の高そうな眼鏡を光らしていた。尤《もつと》も著《いちじ》るしく見えたのは、彼の近眼よりも、彼の薄黒い口髭《くちひげ》よりも、彼の穿《は》いていた袴《はかま》であった。それは小倉織《こくらおり》で、普通《ふつう》の学生には見出《みいだ》し得《う》べからざる程《ほど》に、太い縞柄《しまがら》の派出なものであった。彼はこの袴の上に両手を載《の》せて、自分は南部《なんぶ》のものだと云った。

青年は一週間程経《た》って又来た。今度は自分の作った原稿《げんこう》を携えていた。余り佳《よ》く出来ていなかったから、遠慮《えんりよ》なくその旨《むね》を話すと、書き直してみましょうと云って持って帰った。帰ってから一週間の後《のち》、又原稿を懐《ふところ》にして来た。斯様《かよう》にして彼は来る度《たび》ごとに、書いたものを何か置いて行かない事はなかった。中には三冊続きの大作さえあった。然しそれは尤も不出来なものであった。自分は彼の手に成ったもののうちで、尤も傑《すぐ》れたと思われるのを、一二度雑誌へ周旋した事がある。けれども、それは、ただ編輯者《へんしゆうしや》の御情けで誌上にあらわれただけで、一銭の稿料にもならなかったらしい。自分が彼の生活難を耳にしたのはこの時である。彼はこれから文を売って口を糊《のり》する積《つもり》だと云っていた。

或時《あるとき》妙《みよう》なものを持って来てくれた。菊の花を乾して、薄《うす》い海苔《のり》の様に一枚々々に堅《かた》めたものである。精進《しようじん》の畳鰯《たたみいわし》だと云って、居合せた甲子《こうし》*が、早速浸《ひた》しものに湯がいて、箸《はし》を下《くだ》しながら、酒を飲んだ。それから、鈴蘭《すずらん》の造花を一枝持って来てくれた事もある。妹が拵《こし》らえたんだと云って、指の股《また》で、枝の心になっている針金をぐるぐる廻転さしていた。妹と一所に家を持っている事はこの時始めて知った。兄妹して薪屋《まきや》の二階を一間借りて、妹は毎日刺繡《ぬいとり》の稽古《けいこ》に通っているのだそうである。その次来た時には御納戸《おなんど》*の結び目に、白い蝶《ちょう》を刺繡《ぬいと》った襟飾《えりかざ》りを、新聞紙にくるんだまま、もし御掛けなさるなら上げましょうと云って置いて行った。それを安野が私に下さいと云って取って帰った。

　そのほか彼は時々来た。来る度に自分の国の景色《けいしょく》やら、習慣やら、伝説やら、古めかしい祭礼の模様やら、色々の事を話した。彼の父は漢学者であると云う事も話した。篆刻《てんこく》が旨《うま》いという事も話した。御祖母《おばあ》さんはさる大名の御屋敷に奉公《ほうこう》していた。申《さる》の年の生れだったそうだ。大変殿様の御気に入りで、猿に縁《ちな》んだものを時々下さった。その中に崋山《かざん》の画《か》いた手長猿の幅《ふく》がある。今度持って来て御覧に入れましょうと云った。青年はそれぎり来なくなった。

　すると春が過ぎて、夏になって、この青年の事も何時《いつ》か忘れる様になった或日、——その日は日に遠い座敷の真中に、単衣《ひとえ》を唯《ただ》一枚つけて、じっと書見をしていてさえ堪《た》えがたい程に暑かった。——彼は突然遣《や》って来た。

相変らず例の派出な袴を穿いて、蒼白《あおしろ》い額に煮染《にじ》んだ汗をこくめいに手拭《てぬぐい》で拭《ふ》いている。少し瘠《や》せたようだ。甚《はなは》だ申し兼ねたが金を弐拾円《にじゆう》貸して下さいという。実は友人が急病に罹《かか》ったから、早速病院へ入れたのだが、差し当り困るのは金で、色々奔走《ほんそう》もしてみたが、ちょっと出来ない。已《やむ》を得ず上がった。と説明した。

自分は書見をやめて、青年の顔をじっと見た。彼は例の如《ごと》く両手を膝《ひざ》の上に正しく置いたまま、どうぞと低い声で云った。あなたの友人の家《うち》はそれ程貧しいのかと聞き返したら、いやそうではない、ただ遠方で急の間に合わないから御願《おねがい》をする、二週間経てば、国から届く筈《はず》だからその時はすぐと御返しするという答である。自分は金の調達《ちょうだつ》を引き受けた。その時彼は風呂敷包の中から一幅《いっぷく》の懸物《かけもの》を取り出して、これが先《せん》達《だっ》て御話をした崋山の軸《じく》ですと云って、紙表装の半切《はんせつ》ものを展《の》べて見せた。旨《うま》いのか不味《まず》いのか判然《はっきり》とは解らなかった。印譜《いんぷ》をしらべてみると、渡辺崋山にも横山華山にも似寄った落款《らっかん》がない。青年はこれを置いて行きますと云うから、それには及《およ》ばないと辞退したが、聞かずに預けて行った。翌日又金を取りに来た。自分は欺《だま》されたのかも知れないと思った。約束の二週間が来ても影《かげ》も形も見せなかった。自分は欺されたのかも知れないと思った。猿の軸は壁へ懸けたまま秋になった。

袷《あわせ》を着て気の緊《し》まる時分に、長塚が例の如く金を借してくれと云って来た。自分はそう度々借すのが厭《いや》であった。不図《ふと》例の青年の事を思い出して、こう云う金があるが、もし、それを君が取りに行く気なら取りに行け、取れたら貸してやろうと云うと、長塚は頭を掻《か》いて、少し逡巡《しゅんじゅん》していたが、やがて思い切ったとみえて、行きましょうと答えた。それから、先達《せんだつ》ての金をこの者に渡《わた》してくれろという手紙を書いて、それに猿の懸物を添《そ》えて、長塚に持たせてやった。

長塚はあくる日又車でやって来た。来るや否《いな》や懐から手紙を出したから、受け取って見ると昨日《きのう》自分の書いたものである。まだ封《ふう》が切らずにある。行かなかったのかと聞くと、長塚は額に八の字を寄せて、行ったんですけれども、到底《とても》駄目です、惨澹《さんたん》たるものです、汚《きた》ない所でしてね、妻君が刺繡《ぬい》をしていましてね、本人が病気でしてね、――金の事なんぞ云い出せる訳のものじゃないんだから、決して御心配には及びませんと安心させて、掛物だけ帰して来ましたと云う。自分はへええ、そうかと少し驚《おど》ろいた。

翌《あく》る日《ひ》、青年から、どうも嘘言《うそ》を吐《つ》いて済まなかった、軸は慥《たし》かに受取ったと云う端書《はがき》が来た。自分はその端書を他の信書と一所に重ねて、乱箱《みだればこ》の中に入れた。そうして、又青年の事を忘れる様になった。

そのうち冬が来た。例の如く忙《せわ》しい正月を迎えた。客の来ない隙間《すきま》を見て、仕事をしていると、下女が油紙に包んだ小包を持って来た。どさりと音のする丸いものである。差出人の名前は、忘れていた、いつぞやの青年である。油紙を解いて新聞紙を剥《は》ぐと、中から一羽の山鳥が出た。手紙が付いている。その後《のち》色々の事情があって、今国へ帰っている。御恩借の金子《きんす》は三月頃《ごろ》上京の節是非御返しをする積りだとある。手紙は山鳥の血で堅まって容易に剥《はが》れなかった。

その日は又木曜で、若い人の集まる晩であった。自分は又五六人と共に、大きな食卓を囲んで、山鳥の羹《あつもの》を食った。そうして、派出な小倉の袴を着けた蒼白い青年の成功を祈った。五六人の帰ったあとで、自分はこの青年に礼状を書いた。そのなかに先年の金子の件御介意《ごかいい》に及ばずと云う一句を添えた。

モナリサ

井深《いぶか》は日曜になると、襟巻《えりまき》に懐手《ふところで》で、其所等《そこいら》の古道具屋を覗《のぞ》き込《こ》んで歩るく。そのうちで尤《もっと》も汚《きた》ならしい、前代の廃物《はいぶつ》ばかり並んでいそうな見世《みせ》を選《よ》っては、あれの、これのと捻《ひね》くり廻す。固《もと》より茶人でないから、好いの悪いのが解《わか》る次第ではないが、安くて面白そうなものを、ちょいちょい買って帰るうちには、一年に一度位掘《ほ》り出し物に、あたるだろうとひそかに考えている。

井深は一箇月程《ほど》前に十五銭で鉄瓶《てつびん》の蓋《ふた》だけを買って文鎮《ぶんちん》にした。この間の日曜には二十五銭で鉄の鍔《つば》を買って、これまた文鎮にした。今日はもう少し大きい物を目懸《めが》けている。懸物でも額でもすぐ人の眼に附く様な、書斎《しよさい》の装飾《そうしよく》が一つ欲しいと思って、見廻していると、色摺《いろずり》の西洋の女の画《え》が、埃《ほこり》だらけになって、横に立て懸けてあった。溝《みぞ》の磨《す》れた井戸車の上に、何とも知れぬ花瓶《かびん》が載《の》っていて、その中から黄色い尺八の歌口《うたぐち》がこの画の邪魔《じやま》をしている。

西洋の画はこの古道具屋に似合わない。ただその色具合が、とくに現代を超越《ちようえつ》して、上昔《そのかみ》の空気の中に黒く埋《うま》っている。如何《いか》にもこの古道具屋にあって然《しか》るべき調子である。井深はきっと安いものだと鑑定《かんてい》した。聞いてみると一円と云うのに、少し首を捻《ひね》ったが、硝子《ガラス》も割れていないし、額縁《がくぶち》も慥《たしか》だから、爺《じい》さんに談判して、八十銭までに負けさせた。

井深がこの半身の画像を抱《いだ》いて、家《うち》へ帰ったのは、寒い日の暮方であった。薄暗《うすぐら》い部屋へ入って、早速額を裸《はだか》にして、壁《かべ》へ立て懸けて、じっとその前へ坐り込んでいると、洋燈《ランプ》を持って細君が遣《や》って来た。井深は細君に灯《ひ》を画の傍《そば》へ翳《かざ》さして、もう一遍《いっぺん》とっくりと八十銭の額を眺《なが》めた。総体に渋《しぶ》く黒ずんでいる中に、顔だけが黄ばんで見える。これも時代の所為だろう。井深は坐ったまま細君を顧みて、どうだと聞いた。細君は洋燈を翳した片手を少し上に上げて、しばらく物も言わずに黄ばんだ女の顔を眺めていたが、やがて、気味の悪い顔です事ねえと云った。井深は只笑って、八十銭だよと答えたきりである。

飯を食ってから、踏台をして欄間に釘を打って、買って来た額を頭の上へ掛けた。その時細君は、この女は何をするか分らない人相だ。見ていると変な心持になるから、掛けるのは廃すが好いと云って頻に止めたけれども、井深はなあに御前の神経だと云って聞かなかった。

細君は茶の間へ下る。井深は机に向って調べものを始めた。十分ばかりすると、不《ふ》図《と》首を上げて、額の中が見たくなった。筆を休めて、眼を転ずると、黄色い女が、額の中で薄笑いをしている。井深はじっとその口元を見詰《みつ》めた。全く画工《えかき》の光線の附け方である。薄い唇《くちびる》が両方の端《はじ》で少し反り返って、その反り返った所に一寸凹《ちよつとくぼみ》を見せている。結んだ口をこれから開けようとする様にも取れる。又は開いた口をわざと、閉じた様にも取れる。但《ただ》し何故《なぜ》だか分らない。井深は変な心持がしたが、又机に向った。

調べものとは云い条、半分は写しものである。大して注意を払《はら》う必要もないので、少し経《た》ったら、又首を挙げて画の方を見た。やはり口元に何か曰《いわ》くがある。けれども非常に落ち附いている。切れ長の一重瞼《ひとえまぶち》の中から静かな眸《ひとみ》が座敷の下に落ちた。井深は又机の方に向き直った。

その晩井深は何遍となくこの画を見た。そうして、何処《どこ》となく細君の評が当っている様な気がし出した。けれども明る日になったら、そうでもない様な顔をして役所へ出勤した。四時頃家へ帰って見ると、昨夕《ゆうべ》の額は仰向《あおむ》けに机の上に乗せてある。午《ひる》少し過に、欄間の上から突然《とつぜん》落ちたのだという。道理で硝子《ガラス》がめちゃめちゃに破《こわ》れている。井深は額の裏を返して見た。昨夕紐《ひも》を通した環《かん》が、どうした具合か抜《ぬ》けている。井深はその序《ついで》に額の裏を開けて見た。すると画と脊《せ》中《なか》合せに、四つ折の西洋紙が出た。開けて見ると、印気《いんき》で妙《みよう》な事が書いてある。

「モナリサの唇には女性《にょしょう》の謎《なぞ》がある。原始以降この謎を描《えが》き得たものはダヴィンチだけである。この謎を解き得たものは一人もない。」

翌日《あくるひ》井深は役所へ行って、モナリサとは何だと云って、皆《みんな》に聞いた。然し誰《たれ》も分らなかった。じゃダヴィンチとは何だと尋ねたが、やっぱり誰も分らなかった。井深は細君の勧《すすめ》に任せてこの縁喜《えんぎ》の悪い画を、五銭で屑屋《くずや》に売り払った。

火事

息が切れたから、立ち留まって仰向《あおむ》くと、火の粉《こ》がもう頭の上を通る。霜《しも》を置く空の澄《す》み切って深い中に、数を尽《つく》して飛んで来ては卒然と消えてしまう。かと思うと、すぐあとから鮮《あざやか》なやつが、一面に吹《ふ》かれながら、追掛《おっか》けながら、ちらちらしながら、熾《さかん》にあらわれる。そうして不意に消えて行く。その飛んでくる方角を見ると、大きな噴水《ふんすい》を集めた様に、根が一本になって、隙間《すきま》なく寒い空を染めている。二三間《げん》先に大きな寺がある。長い石段の途中《とちゅう》に太い樅《もみ》が静かな枝を夜《よ》に張って、土手から高く聳《そび》えている。火はその後《うしろ》から起る。黒い幹と動かぬ枝を殊更《ことさら》に残して、余る所は真赤である。火元はこの高い土手の上に違《ちがい》ない。もう一町程《ほど》行って左へ坂を上《あが》れば、現場へ出られる。

又急ぎ足に歩き出した。後《うしろ》から来るものは皆追越《みなおいこ》して行く。中には擦《す》れ違に大きな声を掛けるものがある。暗い路《みち》は自《おの》ずと神経的に活《い》きて来た。坂の下まで歩いて、愈上《いよいよのぼ》ろうとすると、胸を突《つ》く程急である。その急な傾斜《けいしゃ》を、人の頭が一杯に埋《うず》めて、上から下まで犇《ひしめ》いている。焰《ほのお》は坂の真上から容赦《ようしゃ》なく舞《ま》い上《あが》る。この人の渦《うず》に捲《ま》かれて、坂の上まで押《お》し上げられたら、踵《くびす》を回《めぐ》らすうちに焦《こ》げてしまいそうである。

もう半町程行くと、同じく左へ折れる大きな坂がある。上るなら此方《こちら》が楽で安全であると思い直して、出合頭《であいがしら》の人を煩《わずら》わしく避《よ》けて、漸《ようや》く曲り角まで出ると、向うから劇《はげ》しく号鈴《ベル》を鳴らして蒸汽喞筒《じょうきポンプ》が来た。退《の》かぬものは悉《ことごと》く敷《し》き殺すぞと云わぬばかりに人込《ひとごみ》の中を全速力で駆《か》り立てながら、高い蹄《ひづめ》の音と共に、馬の鼻面《はなづら》を坂の方へ一捻《ひとひねり》に向直《むけなお》した。馬は泡《あわ》を吹いた口を咽喉《のど》に摺《す》り附けて、尖《とが》った耳を前に立てたが、いきなり前足を揃《そろ》えてもろに飛び出した。その時栗毛《くりげ》の胴が、袢天《はんてん》を着た男の提燈《ちょうちん》を掠《かす》めて、天鵞絨《びろうど》の如《ごと》く光った。紅色《べにいろ》に塗《ぬ》った太い車の輪が自分の足に触《ふ》れたかと思う程際《きわ》どく回った。と思うと、喞筒《ポンプ》は一直線に坂を馳《か》け上がった。

坂の中途《ちゅうと》へ来たら、前は正面にあった焰《ほのお》が今度は筋違《すじかい》に後《うしろ》の方に見え出した。坂の上から又左へ取って返さなければならない。横丁を見附けていると、細い路次の様なのが一つあった。人に押されて入り込むと真暗である。ただ一寸《すん》のセキもない程詰んでいる。そうして互《たがい》に懸命《けんめい》な声を揚げる。火は明かに向うに燃えている。

十分の後漸く路次を抜けて通りへ出た。その通りもまた組屋敷*位な幅《はば》で、既《すで》に人で一杯になっている。路次を出るや否《いな》や、先《さっ》き地《じ》を蹴《け》って、馳け上がった蒸汽喞筒《じょうきポンプ》が眼の前にじっとしていた。喞筒《ポンプ》は漸く此処《ここ》まで馬を動かしたが、二三間先きの曲り角に妨げられて、どうする事も出来ずに、焔を見物している。焔は鼻の先から燃え上がる。傍《そば》に押し詰められているものは口々に何処《どこ》だ、何処だと号《さけ》ぶ。聞かれるものは、其《そ》処《こ》だ其処だと云う。けれども両方共に焔の起る所までは行かれない。焔は勢いを得て、静かな空を煽《あお》る様に、凄《すさま》じく上《のぼ》る。……

翌日午過散歩の序《ついで》に、火元を見届ようと思う好奇心から、例の坂を上《のぼ》って、昨夕《ゆうべ》の路次を抜けて、蒸汽喞筒の留まっていた組屋敷へ出て、二三間先の曲角をまがって、ぶらぶら歩いてみたが、冬籠《ふゆごも》りと見える家が軒《のき》を並べてひそりと静まっているばかりである。焼け跡《あと》は何処にも見当らない。火の揚がったのはこの辺だと思われる所は、奇麗《きれい》な杉垣《すぎがき》ばかり続いて、そのうちの一軒からは微《かす》かに琴の音《ね》が洩《も》れた。

霧《きり》

昨宵《ゆうべ》は夜中枕《よじゅうまくら》の上で、ばちばち云う響《ひびき》を聞いた。これは近所にクラパム・ジャンクションと云う大停車場《おおステーション》のある御蔭《おかげ》である。このジャンクションには一日のうちに、汽車が千いくつか集まってくる。それを細かに割附けてみると、一分に一と列車位ずつ出入《でいり》をする訳になる。その各列車が霧《きり》の深い時には、何かの仕掛《しかけ》で、停車場間際《ステーションまぎわ》へ来ると、爆竹《ばくちく》の様な音を立てて相図をする。信号の燈光は青でも赤でも全く役に立たない程《ほど》暗くなるからである。

寝台《ねだい》を這《は》い下りて、北窓の日蔽《ブラインド》を捲《ま》き上げて外面《そと》を見卸《みおろ》すと、外面《そと》は一面に茫《ぼう》としている。下は芝生《しばふ》の底から、三方煉瓦《れんが》の塀《へい》に囲われた一間余《よ》の高さに至るまで、何も見えない。ただ空《むな》しいものが一杯詰《つま》っている。そうして、それが寂《しん》として凍《こお》っている。隣《となり》の庭もその通りである。この庭には奇麗《きれい》なローン*があって、春先の暖かい時分になると、白い髯《ひげ》を生《はや》した御爺《おじい》さんが日向《ひなた》ぼっこをしに出て来る。その時この御爺さんは、何時《いつ》でも右の手に鸚鵡《おうむ》を留まらしている。そうして自分の目を鸚鵡の嘴《くちばし》で突つかれそうに近く、鳥の傍《そば》へ持って行く。鸚鵡は羽搏《はばた》きをして、しきりに鳴き立てる。御爺さんの出ないときは、娘《むすめ》が長い裾《すそ》を引いて、断え間なく芝刈器械をローンの上に転がしている。この記憶《きおく》に富んだ庭も、今は全く霧に埋《うま》って、荒果《あれは》てた自分の下宿のそれと、何の境もなくのべつに続いている。

裏通りを隔《へだ》てて向う側に高いゴシック式の教会の塔《とう》がある。その塔の灰色に空を刺《さ》す天辺《てっぺん》で何時でも鐘《かね》が鳴る。日曜は殊《こと》に甚《はなは》だしい。今日は鋭《するど》く尖《とが》った頂きは無論の事、切石を不揃《ふぞろい》に畳《たた》み上げた胴中さえ所在《ありか》がまるで分らない。それかと思う所が、心持黒いようでもあるが、鐘の音《ね》はまるで響かない。鐘の形の見えない濃《こ》い影《かげ》の奥《おく》に深く鎖《とざ》された。

表へ出ると二間ばかり先は見える。その二間を行き尽《つく》すと又二間ばかり先が見えて来る。世の中が二間四方に縮まったかと思うと、歩けば歩るく程新しい二間四方が露《あら》われる。その代り今通って来た過去の世界は通るに任せて消えて行く。

四つ角でバスを待ち合せていると、鼠色の空気が切り抜かれて急に眼の前へ馬の首が出た。それだのにバスの屋根*に居る人は、まだ霧を出切らずにいる。此方《こっち》から霧を冒《おか》して、飛乗って下を見ると、馬の首はもう薄ぼんやりしている。バスが行き逢《あ》うときは、行き逢った時だけ奇麗だなと思う。思う間もなく色のあるものは、濁《にご》った空《くう》の中に消えてしまう。漠々《ばくばく》として無色の裡《うち》に包まれて行った。ウェストミンスター橋を通るとき、白いものが一二度眼を掠《かす》めて翻《ひる》がえった。眸《ひとみ》を凝《こ》らして、その行方《ゆくえ》を見詰めていると、封《ふう》じ込められた大気の裡に、鷗《かもめ》が夢の様に微《かす》かに飛んでいた。その時頭の上でビッグベン*が厳《おごそか》に十時を打ち出した。仰《あお》ぐと空の中でただ音《おん》だけがする。

ヴィクトリヤで用を足して、テート画館の傍《はた》を河沿にバタシーまで来ると、今まで鼠色に見えた世界が、突然と四方からばったり暮れた。泥炭《ビート》を溶《と》いて濃く、身の周囲《まわり》に流した様に、黒い色に染《そめ》られた重たい霧が、目と口と鼻とに逼《せま》って来た。外套《がいとう》は抑《おさ》えられたかと思う程湿《しめ》っている。軽い葛湯《くずゆ》を呼吸するばかりに気息《いき》が詰る。足元は無論穴蔵《あなぐら》の底を踏《ふ》むと同然である。

自分はこの重苦しい茶褐色《ちゃかっしょく》の中に、しばらく茫然と佇立《たたず》んだ。自分の傍《そば》を人が大勢通る様な心持がする。けれども肩《かた》が触れ合わない限りは果して、人が通っているのかどうだか疑わしい。その時この濛々《もうもう》たる大海の一点が、豆位の大きさにどんよりと黄色く流れた。自分はそれを目標《めあて》に、四歩ばかりを動かした。するとある店先の窓硝子《まどガラス》の前へ顔が出た。店の中では瓦斯《ガス》を点《つ》けている。中は比較《ひかく》的明かである。人は常の如く振舞《ふるま》っている。自分はやっと安心した。

バタシーを通り越して、手探りをしないばかりに向うの岡へ足を向けたが、岡の上は仕舞屋《しもたや》*ばかりである。同じ様な横町が幾筋も並行して、青天の下《もと》でも紛《まぎ》れ易《やす》い。自分は向って左の二つ目を曲った様な気がした。それから二町程真直《まっすぐ》に歩いた様な心持がした。それから先はまるで分らなくなった。暗い中にたった一人立って首を傾けていた。右の方から靴《くつ》の音が近寄って来た。と思うと、それが四五間手前まで来て留まった。それから段々遠退《とおの》いて行く。仕舞には、全く聞えなくなった。あとは寂《しん》としている。自分は又暗い中にたった一人立って考えた。どうしたら下宿へ帰れるかしらん。

懸《かけ》物《もの》

大刀《だいとう》老人は亡妻の三回忌《き》までにはきっと一基の石碑《せきひ》を立ててやろうと決心した。けれども伜《せがれ》の痩腕《やせうで》を便《たより》に、漸《ようや》く今日《こんにち》を過すより外には、一銭の貯蓄《ちよちく》も出来かねて、又春になった。あれの命日も三月八日だがなと、訴《うった》えるような顔をして、伜に云うと、はあ、そうでしたっけと答えたぎりである。大刀老人は、とうとう先祖伝来の大切な一《いっ》幅《ぷく》を売払《うりはら》って、金の工面をしようと極《き》めた。伜に、どうだろうと相談すると、伜は恨《うら》めしい程無雑作にそれが可《い》いでしょうと賛成してくれた。伜は内務省の社寺局へ出て四十円の月給を貰《もら》っている。女房《にょうぼう》に二人の子供がある上に、大刀老人に孝養を尽《つく》すのだから骨が折れる。老人がいなければ大切な懸物《かけもの》も、とうに融通《ゆうずう》の利《き》くものに変形した筈《はず》である。

この懸物は方一尺程《ほど》の絹地で、時代の為《ため》に煤竹《すすだけ》の様な色をしている。暗い座敷へ懸けると、暗澹《あんたん》として何が画《か》いてあるか分らない。老人はこれを王若水《おうじゃくすい》*の画いた葵《あおい》だと称している。そうして、月に一二度位ずつ袋戸棚《ふくろとだな》から出して、桐《きり》の箱の塵《ちり》を払って、中のものを丁寧《ていねい》に取り出して、直《じか》に三尺の壁《かべ》へ懸けては、眺《なが》めている。成程眺めていると、煤けたうちに、古血《ふるち》の様な大きな模様がある。緑青《ろくしょう》の剝《は》げた迹《あと》かと怪《あや》しまれる所も微《かす》かに残っている。老人はこの模糊《もこ》たる唐画の古蹟《こせき》に対《むか》って、生き過ぎたと思う位に住み古した世の中を忘れてしまう。ある時は懸物をじっと見詰めながら、煙草《たばこ》を吹《ふ》かす。又は御茶を飲む。でなければ只《ただ》見詰《みつ》めている。御爺《おじい》さん、これ、なあにと小供が来て指を触《つ》けようとすると、始めて月日に気が附いた様に、老人は、触っては不可《いけ》ないよと云いながら、静かに立って、懸物を巻きにかかる。すると、小供が御爺さん鉄砲玉《てつぽうだま》はと聞く。うん鉄砲玉を買って来るから、悪戯《いたずら》をしては不可ないよと云いながら、そろそろと懸物を巻いて、桐の箱へ入れて、袋戸棚へしまって、そうして其処等《そこいら》を散歩しに出る。帰りには町内の飴屋《あめや》へ寄って、薄荷入《はつかいり》の鉄砲玉を二袋買って来て、そら鉄砲玉と云って、小供にやる。伜が晩婚《ばんこん》なので小供は六つと四つである。

伜と相談をした翌日、老人は桐の箱を風呂敷に包んで朝早くから出た。そうして四時頃になって、又桐の箱を持って帰って来た。小供が上り口まで出て、御爺さん鉄砲玉はと聞くと、老人は何《なん》にも云わずに、座敷へ来て、箱の中から懸物を出して、壁へ懸けて、ぼんやり眺め出した。四五軒の道具屋を持って廻ったら、落款《らつかん》がないとか、画が剝げているとか云って、老人の予期した程の尊敬を、懸物に払うものがなかったのだそうである。

　伜は道具屋は廃《よ》しになさいと云った。老人も道具屋は不可《いか》んと云った。二週間程してから、老人は又桐の箱を抱《かか》えて出た。そうして伜の課長さんの友達の所へ、紹介《しょうかい》を得て見せに行った。その時も鉄砲玉を買って来なかった。伜が帰るや否《いな》や、あんな眼の明かない男に*どうして譲《ゆず》れるものか、あすこに有るものは、みんな贋物《にせもの》だ、とさも伜の不徳義の様に云った。伜は苦笑していた。

　二月の初旬《しょじゅん》に偶然旨《ぐうぜんうま》い伝手《つて》が出来て、老人はこの幅《ふく》をさる好事家《こうずか》に売った。老人は直《ただち》に谷中《やなか》へ行って、亡妻の為《ため》に立派な石碑を誂《あつら》えた。そうしてその余りを郵便貯金にした。それから五日程立って、常の如《ごと》く散歩に出たが、いつもよりは二時間程後《おく》れて帰って来た。その時両手に大きな鉄砲玉の袋を二つ抱えていた。売り払った懸物が気にかかるから、もう一遍見せて貰《もらい》に行ったら、四畳半《じょうはん》の茶座敷にひっそりと懸かっていて、その前には透《とお》き徹る様な臘梅《ろうばい》が活《い》けてあったのだそうだ。老人は其処《そこ》で御茶の御馳走《ごちそう》になったのだという。おれが持っているよりも安心かも知れないと老人は伜に云った。伜はそうかも知れませんと答えた。小供は三日間鉄砲玉ばかり食っていた。

紀元節

南向きの部屋であった。明かるい方を脊中《せなか》にした三十人ばかりの小供が黒い頭を揃《そろ》えて、塗板《ぬりばん》を眺《なが》めていると、廊下《ろうか》から先生が這入《はい》って来た。先生は脊の低い、眼の大きい、瘠《や》せた男で、顎《あご》から頬《ほお》へ掛《か》けて、鬚《ひげ》が爺汚《じじむさ》く生えかかっていた。そうしてそのざらざらした顎の触《さわ》る着物の襟《えり》が薄黒《うすぐろ》く垢附《あかづ》いて見えた。この着物と、この鬚の不精に延びるのと、それから、嘗《かつ》て小言《こごと》を云った事がないのとで、先生はみなから馬鹿にされていた。

先生はやがて、白墨《はくぼく》を取て、黒板に記元節と大きく書いた。小供はみんな黒い頭を机の上に押《お》し附けるようにして、作文を書き出した。先生は低い脊《せい》を伸ばして、一同を見廻していたが、やがて廊下伝いに部屋を出て行った。

すると、後から三番目の机の中程にいた小供が、席を立って先生の洋卓《テーブル》の傍《そば》へ来て、先生の使った白墨を取って、塗板に書いてある記元節の記の字へ棒を引いて、その傍《わき》へ新しく紀と肉太に書いた。外の小供は笑いもせずに驚《おどろ》いて見ていた。さきの小供が席へ帰ってしばらく立つと、先生も部屋へ帰って来た。そうして塗板に気が附いた。「誰か記を紀と直した様だが、記と書いても好《い》いんですよ」と云って又一同を見廻した。一同は黙《だま》っていた。

記を紀と直したものは自分である。明治四十二年の今日でも、それを思い出すと下等な心持がしてならない。そうして、あれが爺むさい福田先生でなくって、みんなの怖《こわ》がっていた校長先生であればよかったと思わない事はない。

儲《もうけ》口《ぐち》

「彼方《あっち》は栗《くり》の出る所でしてね。まあ相場がざっと両に四升《しょう》位のもんでしょうかね。*それを此方《こっち》へ持って来ると、升に一円五十銭もするんですよ。それでね、私が丁度向うに居た時分でしたが、浜から千八百俵ばかり注文がありました。旨《うま》く行くと一升二円以上に付くんですから、早速遣《や》りましたよ。千八百俵拵《こしら》えて、私が自分で栗と一所に浜まで持って行くと、――なに相手は支那人で、本国へ送り出すんでさあ。すると、支那人が出て来て、宜《よろ》しいと云うから、もう済んだのかと思うと、蔵《くら》の前へ高さ一間もあろうと云う大きな樽《たる》を持ち出して、水をその中へどんどん汲《く》み込《こ》ませるんです。——いえ何の為《ため》だか私にも一向分らなかったんで。何しろ大きな樽ですからね、水を張るんだって容易なこっちゃ有りません。かれこれ半日懸《かか》っちまいました。それから何をするかと思って見ていると、例の栗をね、俵をほどいて、どんどん樽の中へ放り込むんですよ。——私も実に驚《おどろ》いたが、支那人てえ奴《やつ》は本当に食えないもんだと後《あと》になって、漸《ようや》く気が付いたんです。栗を水の中に打《ぶ》ち込むとね、慥《たしか》な奴は尋常《じんじょう》に沈《しず》みますが、虫の食った奴だけはみんな浮《う》いちまうんです。それを支那人の野郎ざるでしゃくってね、ペケだって、俵の目方から引いてしまうんだから堪《たま》りません。私は傍《そば》で見ていてはらはらしました。何しろ七分通り虫が入《い》ってたんだから弱りました。大変な損でさあ。——虫の食ったんですか。忌々《いまいま》しいから、みんな打遣《うっちゃ》って来ました。支那人の事ですから、やっぱり知らん顔をして、俵にして、大方本国へ送ったでげしょう。

「それから薩摩《さつま》芋《いも》を買い込んだこともありまさあ。一俵四円で、二千俵の契約《けいやく》でね。ところが注文の来たのが月半《つきなかば》、十四日でして二十五日までにと云うんだから、どう骨を折ったって二千俵と云う数が寄りっこありませんや。到底《とうてい》駄目《だめ》だからって、一応断りました。実を云うと残念でしたがな。すると商館の番頭がいうには、否《いや》契約書には二十五日とあるけれども、決してその通りには厳行しないからと、再三勧《すす》めるもんだから、ついその気になりましてね。――いえ芋は支那へ行くんじゃありません。亜米利加《アメリカ》でした。やッぱり亜米利加にも薩摩芋を食う奴があると見えるんですよ。妙《みょう》な事があるもんで、――で、早速買収に掛りました。埼玉から川越《かわごえ》の方をな。だが口でこそ二千俵ですが、いざ買い占めるとなると中々大したもんですからな。でも漸くの事で、とうとう二十八日過ぎに約束通りの俵を持って、行きますと、――実に狡猾《こうかつ》な奴が居るもんで、約定書《やくじょうがき》のうちに、もし甚《はなは》だしい日限の違約《いやく》があるときは、八千円の損害賠償《ばいしょう》を出すと云う項目《こうもく》があるんですよ。ところが彼はその条款《じょうかん》を応用しちまって、どうしても代金を渡《わた》さないんです。尤《もっと》も手附は四千円取って置きましたがね。そうこうしている内に、先方《むこう》では芋を船へ積み込んじまったから、どうする事も出来ない訳になりました。あんまり業腹だから、千円の保証金を納めましてね、現物取押《とりおさえ》を申請《しんせい》して、とうとう芋を取り押えてやりました。ところが上には上があるもんで、先方《むこう》は八千円の保証金を納めて、構わず船を出しちまったんです。で愈《いよいよ》裁判になったには為《な》ったんですが、何しろ約定書《やくじょうしょ》が入れてあるもんだから、仕様がない。私は裁判官の前で泣きましたね。芋はただ取られる、裁判には負ける、こんな馬鹿な事はない、少しは、まあ私の身になって考えてみて下さいって。裁判官も腹のなかでは、大分私の方に同情した様子でしたが、法律の力じゃ、どうする事も出来ないもんですからな。とうとう負けました」

行　列

不図《ふと》机から眼を上げて、入口の方を見ると、書斎《しょさい》の戸が何時《いつ》の間にか、半分明《あ》いて、広い廊下《ろうか》が二尺ばかり見える。廊下の尽《つ》きる所は唐《から》めいた手摺《てすり》に遮《さえぎ》られて、上には硝子戸《ガラスど》が立て切ってある。青い空から、まともに落ちて来る日が、軒端《のきば》を斜《はす》に、硝子を通して、縁側《えんがわ》の手前だけを明るく色づけて、書斎の戸口までぱっと暖かに射《さ》した。しばらく日の照る所を見詰《みつ》めていると、眼の底に陽炎《かげろう》が湧《わ》いた様に、春の思いが饒《ゆた》かになる。

その時この二尺あまりの隙間《すきま》に、空《くう》を踏《ふ》んで、手摺の高さ程のものがあらわれた。赤に白く唐草《からくさ》を浮《う》き織りにした絹紐《リボン》を輪に結んで、額から髪《かみ》の上へすぽりと嵌《は》めた間に、海棠《かいどう》と思われる花を青い葉ごと、ぐるりと挿《さ》した。黒髪の地に薄紅《うすくれない》の蕾《つぼみ》が大きな雫《しずく》の如《ごと》くはっきり見えた。割合に詰《つま》った顎《あご》の真下から、一襞《ひとひだ》になって、ただ一枚の紫が縁までふわふわと動いている。袖《そで》も手も足も見えない。影《かげ》は廊下に落ちた日を、するりと抜《ぬ》ける様に通った。後《あと》から、――

今度は少し低い。真紅《しんく》の厚い織物を脳天から肩先《かたさき》まで被《かぶ》って、余る脊中《せなか》に筋違《すじかい》の笹《ささ》の葉の模様を脊負《しょ》っている。胴中《どうなか》にただ一葉《ひとは》、消炭色《けしずみいろ》の中に取り残された緑が見える。それ程笹の模様は大きかった。廊下に置く足よりも大きかった。その足が赤くちらちらと三足《みあし》程動いたら、低いものは、戸口の幅《はば》を、音なく行き過ぎた。

第三の頭巾は白と藍《あい》の弁慶《べんけい》の格子《こうし》である。眉庇《まびさし》の下にあらわれた横顔は丸く膨《ふく》らんでいる。その片頬《かたほお》の真中が林檎《りんご》の熟した程に濃《こ》い。尻《しり》だけ見える茶褐色《ちゃかっしょく》の眉毛《まみえ》の下が急に落ち込んで、思わざる辺《あたり》から丸い鼻が膨れた頬を少し乗り越して、先だけ顔の外へ出た。顔から下は一面に黄色い縞《しま》で包まれている。長い袖を三寸余も縁に牽《ひ》いた。これは頭より高い胡麻竹《ごまだけ》の杖《つえ》を突《つ》いて来た。杖の先には光を帯びた鳥の羽《は》をふさふさと着けて、照る日に輝《かがや》かした。縁に牽く黄色い縞の、袖らしい裏が、銀の様に光ったと思ったらこれも行き過ぎた。

するとすぐ後《あと》から真白《まっしろ》な顔があらわれた。額から始まって、平たい頬を塗《ぬ》って、顎《あご》から耳の附根まで遡《さかの》ぼって、壁《かべ》の様に静かである。中に眸《ひとみ》だけが活《い》きていた。唇《くちびる》は紅の色を重ねて、青く光線を反射した。胸のあたりは鳩の色の様に見えて、下は裾《すそ》まではばっと視線を乱している中に、小さなヴァイオリンを抱《かか》えて、長い弓を厳《おごそ》かに担《かつ》いでいる。二足《ふたあし》で通り過ぎる後《うしろ》には、脊中へ黒い繻子《しゅす》の四角な片《きれ》を中《あ》てて、その真中にある金糸の刺繍《ぬい》が、一度に日に浮いた。最後に出たものは、全く小《ち》さい。手摺の下から転げ落ちそうである。けれども大きな顔をしている。その中《うち》でも頭は殊に大きい。それへ五色《ごしき》の冠《かんむり》を戴《いただ》いてあらわれた。冠の中央にあるぽっちが高く聳《そび》えている様に思われる。身には井の字の模様のある筒《つつ》袖《そで》に、藤鼠《ふじねずみ》の天鵞絨《びろうど》の房《ふさ》の下ったものを、脊《せ》から腰《こし》の下まで三角に垂れて、赤い足袋《たび》を踏んでいた。手に持った朝鮮の団扇《うちわ》が身体《からだ》の半分程ある。団扇には赤と青と黄で巴《ともえ》を漆《うるし》で描《か》いた。

行列は静かに自分の前を過ぎた。開け放しになった戸が、空《むな》しい日の光を、書斎の入口に送って、縁側に幅四尺の寂《さび》しさを感じた時、向うの隅《すみ》で急にヴァイオリンを擦《こす》る音がした。ついで、小《ち》さい咽喉《のど》が寄り合って、どっと笑う声がした。

宅《うち》の小供は毎日母の羽織や風呂敷を出して、こんな遊戯《いたずら》をしている。

昔

ピトロクリの谷は秋の真下にある。十月の日が、眼に入《い》る野と林を暖かい色に染めた中に、人は寝《ね》たり起きたりしている。十月の日は静かな谷の空気を空の半途《はんと》で包《くる》んで、じかには地にも落ちて来ぬ。と云って、山向《やまむこう》へ逃《に》げても行かぬ。風のない村の上に、いつでも落附いて、凝《じっ》と動かずに靄《かす》んでいる。その間に野と林の色が次第に変って来る。酸《す》いものがいつの間にか甘《あま》くなる様に、谷全体に時代が附く。ピトロクリの谷は、この時百年の昔し、二百年の昔にかえって、安々と寂《さ》びてしまう。人は世に熟《う》れた顔を揃《そろ》えて、山の脊《せ》を渡《わた》る雲を見る。その雲は或時《あるとき》は白くなり、或時は灰色になる。折々は薄《うす》い底から山の地を透《す》かせて見せる。いつ見ても古い雲の心地がする。

自分の家はこの雲とこの谷を眺《なが》めるに都合好く、小さな丘の上に立っている。南から一面に家の壁《かべ》へ日があたる。幾年《いくねん》十月の日が射《さ》したものか、何処《どこ》も彼処《かしこ》も鼠色に枯《か》れている西の端《はし》に、一本の薔薇《ばら》が這《は》いかかって、冷たい壁と、暖かい日の間に挟《はさ》まった花をいくつか着けた。大きな瓣《べん》は卵色に豊かな波を打って、蕚《がく》から翻《ひるが》える様に口を開けたまま、ひそりと所々に静まり返っている。香《におい》は薄い日光に吸われて、二間《けん》の空気の裡《うち》に消えて行く。自分はその二間の中に立って、上を見た。薔薇は高く這い上《のぼ》って行く。鼠色の壁は薔薇の蔓《つる》の届かぬ限りを尽《つく》して真直に聳《そび》えている。屋根が尽きた所にはまだ塔《とう》がある。日はその又上の靄《もや》の奥《おく》から落ちて来る。

足元は丘がピトロクリの谷へ落ち込《こ》んで、眼の届く遥《はるか》の下が、平たく色で埋《うず》まっている。その向う側の山へ上る所は層々と樺《かば》の黄葉《きば》が段々に重なり合って、濃淡《のうたん》の坂が幾階となく出来ている。明かで寂《さ》びた調子が谷一面に反射して来る真中を、黒い筋が横に蜿《うね》って動いている。泥炭《でいたん》を含《ふく》んだ渓水《たにみず》は、染粉を溶《と》いた様に古びた色になる。この山奥に来て始めて、こんな流《ながれ》を見た。

後《うしろ》から主人が来た。主人の髯《ひげ》は十月の日に照らされて七分がた白くなりかけた。形装《なり》も尋常《じんじょう》ではない。腰《こし》に*キルトというものを着けている。俥《くるま》の膝掛《ひざかけ》の様に粗《あら》い縞《しま》の織物である。それを行燈袴《あんどんばかま》に、膝頭まで裁《た》って、竪《たて》に襞《ひだ》を置いたから、膝脛《ふくらはぎ》は太い毛糸の靴足袋《くつたび》で隠《かく》すばかりである。歩くたびにキルトの襞が揺《ゆ》れて、膝と股《もも》の間がちらちら出る。肉の色に耻《はじ》を置かぬ昔の袴である。

主人は毛皮で作った、小さい木魚程の蟇口《がまぐち》を前にぶら下げている。夜煖炉《だんろ》の傍《そば》へ椅《い》子《す》を寄せて、音のする赤い石炭を眺めながら、この木魚の中から、パイプを出す、煙草《たばこ》を出す。そうしてぷかりぷかりと夜長を吹かす。木魚の名をスポーランと云う。

主人と一所に崖《がけ》を下りて、小暗《おぐら》い路に這入った。スコッチ・ファーと云う常磐木《ときわぎ》の葉が、刻み昆布《こんぶ》に雲が這いかかって、払《はら》っても落ちない様に見える。その黒い幹をちょろちょろと栗鼠《りす》が長く太った尾を揺《ふ》って、駆け上《のぼ》った。と思うと古く厚みのついた苔《こけ》の上を又一匹、眸《ひとみ》から疾《と》く駆け抜けたものがある。苔は膨《ふく》れたまま動かない。栗鼠の尾は蒼黒《あおぐろ》い地を払子《ほっす》の如《ごと》くに擦《す》って暗がりに入った。

主人は横を振り向いて、ピトロクリの明るい谷を指さした。黒い河は依然《いぜん》としてその真中を流れている。あの河を一里半北へ溯《さかのぼ》るとキリクランキーの峡間《はざま》*があると云った。

高地人《ハイランダース》と低地人《ローランダース》とキリクランキーの峡間で戦った時、屍《かばね》が岩の間に挟って、岩を打つ水を塞《せ》いた。高地人《ハイランダース》と低地人《ローランダース》の血を飲んだ河の流れは色を変えて三日の間ピトロクリの谷を通った。

自分は明日早朝キリクランキーの古戦場を訪《と》おうと決心した。崖《がけ》から出たら足の下に美しい薔薇《ばら》の花瓣《はなびら》が二三片散っていた。

声

豊三郎《とよさぶろう》がこの下宿へ越《こ》して来てから三日になる。始めの日は、薄暗《うすぐら》い夕暮の中に、一生懸命《いっしょうけんめい》に荷物の片附やら、書物の整理やらで、忙《いそが》しい影《かげ》の如《ごと》く動いていた。それから町の湯に入って、帰るや否《いな》や寝《ね》てしまった。明る日は、学校から戻《もど》ると、机の前へ坐って、しばらく書見をしてみたが、急に居所が変った所為《せい》か、全く気が乗らない。窓の外でしきりに鋸《のこぎり》の音がする。

豊三郎は坐ったまま手を延して障子を明けた。すると、つい鼻の先で植木屋がせっせと梧桐《あおぎり》の枝を卸《おろ》している。かなり大きく延びた奴《やつ》を、惜気《おしげ》もなく股《また》の根から、ごしごし引いては、下へ落して行く内に、切口の白い所が目立つ位 夥《おびただ》しくなった。同時に空《むな》しい空が遠くから窓にあつまる様に広く見え出した。豊三郎は机に頬杖《ほおづえ》を突《つ》いて、何気なく、梧桐《ごとう》の上を高く離《はな》れた秋晴《あきばれ》を眺《なが》めていた。

豊三郎が眼を梧桐《あおぎり》から空へ移した時は、急に大きな心持がした。その大きな心持が、しばらくして落附いて来るうちに、懐《なつ》かしい故郷《ふるさと》の記憶《きおく》が、点を打った様に、その一角にあらわれた。点は遥《はる》かの向《むこう》にあるけれども、机の上に乗せた程明らかに見えた。

山の裾《すそ》に大きな藁葺《わらぶき》があって、村から二町程《ほど》上ると、路《みち》は自分の門の前で尽《つ》きている。門を這入《はい》る馬がある。鞍《くら》の横に一叢《ひとむら》の菊を結附《ゆわいつ》けて、鈴《すず》を鳴らして、白壁《しらかべ》の中へ隠《かく》れてしまった。日は高く屋《や》の棟《むね》を照している。後の山を、こんもり隠す松の幹が悉《ことごと》く光って見える。茸《たけ》の時節である。豊三郎は机の上で今採ったばかりの茸の香《か》を嗅《か》いだ。そうして、豊、豊という母の声を聞いた。その声が非常に遠くにある。それで手に取る様に明らかに聞える。——母は五年前に死んでしまった。

豊三郎は不図《ふと》驚《おどろ》いて、わが眼を動かした。すると先刻《さっき》見た梧桐《ごとう》の先が又眸《ひとみ》に映った。延びようとする枝が、一所《ひとところ》で伐《き》り詰《つ》められているので、股の根は、瘤《こぶ》で埋《うず》まって、見《み》悪《にく》い程窮屈《きゅうくつ》に力が入《い》っている。豊三郎は又急に、机の前に押し附けられた様な気がした。梧桐を隔《へだ》てて、垣根《かきね》の外を見《み》下《おろ》すと、汚《きた》ない長屋が三四軒ある。綿の出た蒲団《ふとん》が遠慮《えんりょ》なく秋の日に照り附けられている。傍《そば》に五十余りの婆《ばあ》さんが立って、梧桐の先を見ていた。

所々縞《しま》の消えかかった着物の上に、細帯を一筋巻いたなりで、乏《とも》しい髪《かみ》を、大きな櫛《くし》のまわりに巻きつけて、茫然《ぼんやり》と、枝を透《す》かした梧桐の頂辺《てっぺん》を見たまま立っている。豊三郎は婆さんの顔を見た。その顔は蒼《あお》くむくんでいる。婆さんは腫《は》れぼったい瞼《まぶち》の奥《おく》から細い眼を出して、眩《まぶ》しそうに豊三郎を見上げた。豊三郎は急に自分の眼を机の上に落した。

三日目に豊三郎は花屋へ行って菊を買って来た。国の庭に咲く様なのをと思って、探してみたが見当らないので、已《やむ》を得ず花屋のあてがったのを、そのまま三本程藁《わら》で括《くく》って貰《もら》って、徳利《とくり》の様な花瓶《かびん》へ活《い》けた。行李《こうり》の底から、帆《ほ》足万里《あしばんり》*の書いた小さい軸《じく》を出して、壁へ掛けた。これは先年帰省した時、装飾《そうしょく》用の為にわざわざ持って来たものである。それから豊三郎は座布団の上へ坐って、しばらく軸と花を眺めていた。その時窓の前の長屋の方で、豊々と云う声がした。その声が調子と云い、音色《ねいろ》といい、優《やさ》しい故郷《ふるさと》の母に少しも違《ちが》わない。豊三郎は忽《たちま》ち窓の障子をがらりと開けた。すると昨日《きのう》見た蒼ぶくれの婆さんが、落ちかかる秋の日を額に受けて、十二三になる鼻垂小僧を手招きしていた。がらりと云う音がすると同時に、婆さんは例のむくんだ眼を翻《ひるが》えして下から豊三郎を見上げた。

金

劇烈な三面記事を、写真版にして引き伸ばした様な小説を、のべつに五六冊読んだら、全く厭《いや》になった。飯《めし》を食っていても、生活難が飯と一所に胃の腑《ふ》まで押《お》し寄せて来そうでならない。腹が張れば、腹が切歯《せっぱ》詰《つま》って、如何《いか》にも苦しい。そこで帽子《ぼうし》を被《かぶ》って空谷子《くうこくし》の所へ行った。この空谷子と云うのは、こういう時に、話しをするのに都合よく出来上った、哲学者《てつがくしゃ》見た様な占者《うらないしゃ》見た様な、妙《みょう》な男である。無辺際の空間には、地球より大きな火事が所々にあって、その火事の報知が吾々《われわれ》の眼に伝わるには、百年も掛るんだからなあと云って、神田の火事を馬鹿にした男である。尤《もつと》も神田の火事で空谷子の家が焼けなかったのは慥《たし》かな事実である。

空谷子は小さな角火鉢《かくひばち》に倚《もた》れて、真鍮《しんちゆう》の火箸《ひばし》で灰の上へ、しきりに何か書いていた。どうだね、相変らず考え込《こ》んでるじゃないかと云うと、さも面倒《めんどう》くさそうな顔附をして、うん今金の事を少し考えている所だと答えた。折角空谷子の所へ来て、又金の話なぞを聞かされては堪《たま》らないから、黙《だま》ってしまった。すると空谷子が、さも大発見でもしたように、こう云った。

「金は魔物《まもの》だね」

空谷子の警句としては甚《はなは》だ陳腐《ちんぷ》だと思ったから、そうさね、と云ったぎり相手にならずにいた。空谷子は火鉢の灰の中に大きな丸を描《か》いて、君ここに金があるとするぜ、と丸の真中《まんなか》を突《つ》ッついた。

「これが何にでも変化する。衣服《きもの》にもなれば、食物《くいもの》にもなる。電車にもなれば宿屋にもなる」

「下らんな。知れ切ってるじゃないか」

「否《いや》、知れ切っていない。この丸がね」と又大きな丸を描いた。

「この丸が善人にもなれば悪人にもなる。極楽《ごくらく》へも行く、地獄《じごく》へも行く。あまり融通《ゆうずう》が利《き》き過ぎるよ。まだ文明が進まないから困る。もう少し人類が発達すると、金の融通に制限を附ける様になるのは分り切っているんだがな」

「どうして」

「どうしても好いが、——例えば金を五色《ごしき》に分けて、赤い金、青い金、白い金などとしても好かろう」

「そうして、どうするんだ」

「どうするって。赤い金は赤い区域内だけで通用する様にする。白い金は白い区域内だけで使う事にする。もし領分外へ出ると、瓦《かわら》の破片《かけら》同様まるで幅《はば》が利かない様にして、融通の制限を附けるのさ」

もし空谷子が初対面の人で、初対面の最先《さいさき》からこんな話をしかけたら、自分は空谷子を以《もっ》て、或《あるい》は脳の組織に異状のある論客《ろんかく》と認めたかも知れない。然し空谷子は地球より大きな火事を想像する男だから、安心してその訳を聞いてみた。空谷子の答はこうであった。

「金はある部分から見ると、労力の記号だろう。ところがその労力が決して同種類のものじゃないから、同じ金で代表さして、彼是《ひし》*相通ずると、大変な間違になる。例えば僕がここで一万噸《とん》の石炭を掘《ほ》ったとするぜ。その労力は器械的の労力に過ぎないんだから、これを金に代えたにしたところが、その金は同種類の器械的の労力と交換する資格があるだけじゃないか。然《しか》るに一度《ひとたび》この器械的の労力が金に変形するや否や、急に大自在の神通力を得て、道徳的の労力とどんどん引き換えになる。そうして、勝手次第に精神界が攪乱《かくらん》されてしまう。不都合極まる魔物じゃないか。だから色分にして、少しその分を知らしめなくっちゃ不可んよ」

自分は色分説に賛成した。それから暫《しばら》くして、空谷子に尋ねてみた。

「器械的の労力で道徳的の労力を買収するのも悪かろうが、買収される方も好《よ》かあないんだろう」

「そうさな。今の様な善知善能の金を見ると、神も人間に降参するんだから仕方がないかな。現代の神は野蛮《やばん》だからな」

自分は空谷子と、こんな金にならない話をして帰った。

心

二階の手摺《てすり》に湯上りの手拭《てぬぐい》を懸《か》けて、日の目の多い春の町を見下すと、頭巾を被《かむ》って、白い髭《ひげ》を疎《まば》らに生やした下駄《げた》の歯入《はいれ》が垣《かき》の外を通る。古い鼓《つづみ》を天秤棒《てんびんぼう》に括《くく》り附けて、竹のへらでかんかんと敲《たた》くのだが、その音は頭の中で不図《ふと》思い出した記憶《きおく》の様に、鋭《するど》いくせに、何所《どこ》か気が抜《ぬ》けている。爺《じい》さんが筋向《すじむこう》の医者の門の傍《わき》へ来て、例の冴《さ》え損《そこ》なった春の鼓をかんと打つと、頭の上に真白に咲いた梅の中から、一羽の小鳥が飛び出した。歯入は気が附かずに、青い竹垣をなぞえに*向の方へ廻り込んで見えなくなった。鳥は一搏《ひとはばたき》に手摺の下まで飛んで来た。しばらくは柘榴《ざくろ》の細枝に留っていたが、落ち附かぬと見えて、二三度身振を易《か》える拍子《ひょうし》に、不図欄干に倚《よ》り掛っている自分の方を見上げるや否《いな》や、ぱっと立った。枝の上が煙《けむ》る如《ごと》くに動いたと思ったら、小鳥はもう奇麗な足で手摺の桟《さん》を踏まえている。

まだ見た事のない鳥だから、名前を知ろう筈《はず》はないが、その色合が著《いちじ》るしく自分の心を動かした。鶯《うぐいす》に似て少し渋味《しぶみ》の勝った翼《つばさ》に、胸は燻《くす》んだ、煉瓦《れんが》の色に似て、吹けば飛びそうに、ふわついている。その辺《あたり》には柔《やわら》かな波を時々打たして、凝《じっ》と大人《おとな》しくしている。怖《おど》すのは罪だと思って、自分もしばらく、手摺に倚ったまま、指一本も動かさずに辛抱《しんぼう》していたが、存外鳥の方は平気なようなので、やがて思い切って、そっと身を後《うしろ》へ引いた。同時に鳥はひらりと手摺の上に飛び上がって、すぐと眼の前に来た。自分と鳥の間は僅《わず》か一尺程に過ぎない。自分は半《なか》ば無意識に右手《めて》を美しい鳥の方に出した。鳥は柔かな翼と、華奢《きやしや》な足と、漣《さざなみ》の打つ胸の凡《すべ》てを挙げて、その運命を自分に託《たく》するものの如く、向うからわが手の中に、安らかに飛び移った。自分はその時丸味のある頭を上から眺《なが》めて、この鳥は……と思った。然しこの鳥は……の後《あと》はどうしても思い出せなかった。ただ心の底の方にその後が潜《ひそ》んでいて、総体を薄《うす》く暈《ぼか》す様に見えた。この心の底一面に煮染《にじ》んだものを、ある不可思議の力で、一所《ひとところ》に集めて判《はっ》然《きり》と熟視したら、その形は、――やっぱりこの時、この場に、自分の手のうちにある鳥と同じ色の同じ物であったろうと思う。自分は直《ただち》に籠《かご》の中に鳥を入れて、春の日影《ひかげ》の傾《かたむ》くまで眺めていた。そうしてこの鳥はどんな心持で自分を見ているだろうかと考えた。

やがて散歩に出た。欣々然《きんきんぜん》として、あてもないのに、町の数をいくつも通り越して、賑《にぎや》かな往来《おうらい》を行ける所まで行ったら、往来は右へ折れたり左へ曲ったりして、知らない人の後《あと》から、知らない人がいくらでも出て来る。いくら歩いても賑《にぎや》かで、陽気で、楽々しているから、自分は何処《どこ》の点で世界と接触《せっしょく》して、その接触するところに一種の窮屈《きゅうくつ》を感ずるのか、殆《ほとん》ど想像も及ばない。知らない人に幾《いく》千人となく出逢《であ》うのは嬉《うれ》しいが、ただ嬉しいだけで、その嬉しい人の眼附も鼻附も頓《とん》と頭に映らなかった。すると何処《どこ》かで、宝鈴《ほうれい》が落ちて廂瓦《ひさしがわら》に当る様な音がしたので、はっと思って向うを見ると、五六間先の小路《こうじ》の入口に一人の女が立っていた。何を着ていたか、どんな髷《まげ》に結っていたか、殆んど分らなかった。ただ眼に映ったのはその顔である。その顔は、眼と云い、口と云い、鼻と云って、離《はな》れ離れに叙述《じょじゅつ》する事のむずかしい――否、眼と口と鼻と眉と額と一所になって、たった一つ自分の為《ため》に作り上げられた顔である。百年の昔から此処《ここ》に立って、眼も鼻も口もひとしく自分を待っていた顔である。百年の後《のち》まで自分を従えて何処までも行く顔である。黙《だま》って物を云う顔である。女は黙って後《うしろ》を向いた。追附いてみると、小路と思ったのは露次で、不断の自分なら躊躇《ちゅうちょ》する位に細くて薄暗い。けれども女は黙ってその中へ這入って行く。黙っている。けれども自分に後《あと》を跟《つ》けて来いと云う。自分は身を穿《すぼ》める様にして、露次の中に這入った。

黒い暖簾《のれん》がふわふわしている。白い字が染抜いてある。その次には頭を掠《かす》める位に軒燈が出ていた。真中に三階松が書いて下に本《もと》とあった。その次には硝子《ガラス》の箱に軽焼《かるやき》の霰《あられ》が詰っていた。その次には軒《のき》の下に、更紗《さらさ》の小片《こぎれ》を五つ六つ四角な枠《わく》の中に並べたのが懸けてあった。それから香水の瓶《びん》が見えた。すると露次は真黒な土蔵の壁で行き留った。女は二尺程前に居た。と思うと、急に自分の方を振り返った。そうして急に右へ曲った。その時自分の頭は突然先刻《さっき》の鳥の心持に変化した。そうして女に尾《つ》いて、すぐ右へ曲った。右へ曲ると、前よりも長い露次が、細く薄暗く、ずっと続いている。自分は女の黙って思惟《しい》するままに、この細く薄暗く、しかもずっと続いている露次の中を鳥の様にどこまでも跟いて行った。

変化

二人は二畳敷《じょうじき》の二階に机を並べていた。その畳《たたみ》の色の赤黒く光った様子が有々《ありあり》と、二十余年後の今日《こんにち》までも、眼の底に残っている。部屋は北向で、高さ二尺に足らぬ小窓を前に、二人が肩《かた》と肩を喰っ附ける程窮屈《ほどきゅうくつ》な姿勢で下調《したしらべ》をした。部屋の内が薄暗《うすぐら》くなると、寒いのを思い切って、窓障子を明け放ったものである。その時窓の真下の家《うち》の、竹格子《たけごうし》の奥《おく》に若い娘《むすめ》がぼんやり立っている事があった。静かな夕暮などはその娘の顔も姿も際立《きわだ》って美しく見えた。折々はああ美しいなと思って、しばらく見下していた事もあった。けれども中村*には何《なん》にも言わなかった。中村も何にも言わなかった。

女の顔は今は全く忘れてしまった。ただ大工か何かの娘らしかったという感じだけが残っている。無論長屋住居《ずまい》の貧しい暮しをしていたものの子である。我等二人の寝《ね》起《おき》する所も、屋根に一枚の瓦《かわら》さえ見る事の出来ない古長屋の一部であった。下には学《がく》僕《ぼく》*と幹事を混ぜて十人ばかり寄宿していた。そうして吹《ふ》き曝《さら》しの食堂で、下駄《げた》を穿《は》いたまま、飯を食った。食料は一箇月に二円であったが、その代り甚《はなは》だ不味《まず》いものであった。それでも、隔日《かくじつ》に牛肉の汁《しる》を一度ずつ食わした。勿論《もちろん》肉の膏《あぶら》が少し浮《う》いて、肉の香《か》が箸《はし》に絡《から》まって来る位な所であった。それで塾生は幹事が狡猾《こうかつ》で、旨《うま》いものを食わせなくって不可《いか》んと頻《しきり》に不平をこぼしていた。

中村と自分はこの私塾の教師であった。二人とも月給を五円ずつ貰《もら》って、日に二時間ほど教えていた。自分は英語で地理書や幾何《きか》学を教えた。幾何の説明をやる時に、どうしても一所になるべき線が、一所にならないで困った事がある。ところが込《こ》み入った図を、太い線で書いているうちに、その線が二つ、黒板の上で重なり合って一所になってくれたのは嬉《うれ》しかった。

二人は朝起きると、両国橋を渡《わた》って、一つ橋の予備門*に通学した。その時分予備門の月謝は二十五銭であった。二人は二人の月給を机の上にごちゃごちゃに攪《か》き交ぜて、その内から二十五銭の月謝と、二円の食料と、それから湯銭若干《そくばく》を引いて、あまる金を懐《ふところ》に入れて、蕎麦《そば》や汁粉や寿司を食い廻って歩いた。共同財産が尽《つ》きると二人とも全く出なくなった。

予備門へ行く途中《とちゅう》両国橋の上で、貴様の読んでいる西洋の小説のなかには美人が出て来るかと中村が聞いた事がある。自分はうん出て来ると答えた。然《しか》しその小説は何の小説で、どんな美人が出て来たのか、今では一向覚えない。中村はその時から小説などを読まない男であった。

中村が端艇《ボート》競争のチャンピヨンになって勝った時、学校から若干《そくばく》の金をくれて、その金で書籍《しょせき》を買って、その書籍へある教授が、これこれの記念に贈《おく》ると云う文句を書き添《そ》えた事がある。中村はその時おれは書物なんか入らないから、何でも貴様の好なものを買ってやると云った。そうしてアーノルド*の論文と沙翁《さおう》のハムレットを買ってくれた。その本は未《いま》だに持っている。自分はその時始めてハムレットと云うものを読んでみた。些《ちっ》とも分らなかった。

学校を出ると中村はすぐ台湾《たいわん》に行った。それぎりまるで逢《あ》わなかったのが、偶然《ぐうぜん》倫敦《ロンドン》の真中で又ぴたりと出喰わした。丁度七年程前である。その時中村は昔の通りの顔をしていた。そうして金を沢山《たくさん》持っていた。自分は中村と一所に方々遊んで歩いた。中村も以前と異《かわ》って、貴様の読んでいる西洋の小説には美人が出て来るかなどとは聞かなかった。却《かえっ》て向うから西洋の美人の話を色々した。

日本へ帰ってから又逢わなくなった。すると今年の一月の末、突然使《とつぜんつかい》をよこして、話がしたいから築地の新喜楽《しんきらく》まで来いと云って来た。正午《ひる》までにという注文だのに、時計はもう十一時過である。そうしてその日に限って北風が非常に強く吹いていた。外へ出ると、帽子《ぼうし》も車も吹き飛ばされそうな勢いである。自分はその日の午後に是非片附けなくてはならない用事を控《ひか》えていた。妻《さい》に電話を懸けさせて、明日じゃ都合が悪いかと聞かせると、明日《あす》になると出立の準備や何かで、此方《こっち》も忙《いそが》しいから……と云う所で、電話が切れてしまった。いくら、どうしても懸らない。大方風の所為《せい》でしょうと、妻が寒い顔をして帰って来た。それでとうとう逢わずにしまった。

昔の中村は満鉄の総裁になった。昔の自分は小説家になった。満鉄の総裁とはどんな事をするものかまるで知らない。中村も自分の小説を未《いま》だ曾《かつ》て一頁《ページ》も読んだ事はなかろう。

クレイグ先生

クレイグ先生は燕《つばめ》の様に四階《よんかい》の上に巣をくっている。舗石《しきいし》の端《はし》に立って見上げたって、窓さえ見えない。下から段々と昇《のぼ》って行くと、股《もも》の所が少し痛くなる時分に、漸《ようや》く先生の門前に出る。門と申しても、扉《とびら》や屋根のある次第ではない。幅《はば》三尺足らずの黒い戸に真鍮《しんちゅう》の敲子《ノッカー》がぶら下がっているだけである。しばらく門前で休息して、この敲子《ノッカー》の下端《かたん》をこつこつと戸板へぶつけると、内から開けてくれる。開けてくれるものは、何時《いつ》でも女である。近眼《ちかめ》の所為《せい》か眼鏡《めがね》を掛《か》けて、絶えず驚《おどろ》いている。年は五十位だから、随分《ずいぶん》久しい間世の中を見て暮した筈《はず》だが、やっぱりまだ驚いている。戸を敲くのが気の毒な位大きな眼をして入らっしゃいと云う。

這入《はい》ると女はすぐ消えてしまう。そうして取附《とっつき》の客間——始めは客間とも思わなかった。別段装飾《そうしょく》も何もない。窓が二つあって、書物が沢山《たくさん》並んでいるだけである。クレイグ先生は大抵其処《たいていそこ》に陣取《じんど》っている。自分の這入って来るのを見ると、やあと云って手を出す。握手《あくしゅ》をしろという相図だから、手を握る事は握るが、向《むこう》ではかつて握り返した事がない。此方《こっち》もあまり握り心地が好い訳でもないから、一層廃《いっそよ》したら可《よ》かろうと思うのに、やっぱりやあと云って毛だらけな皺《しわ》だらけな、そうして例によって消極的な手を出す。習慣は不思議なものである。

この手の所有者は自分の質問を受けてくれる先生である。始めて逢《あ》った時報酬《ほうしゅう》はと聞いたら、そうさな、と一寸《ちょっと》窓の外を見て、一回七志《シルリング》じゃどうだろう。多過ぎればもっと負けても好いと云われた。それで自分は一回七志《シルリング》の割で月末に全額を払《はら》う事にしていたが、時によると不意に先生から催促《さいそく》を受ける事があった。君、少し金が入《い》るから払って行ってくれんかなどと云われる。自分は洋袴《ズボン》の隠《かく》しから金貨を出して、むき出しにへえと云って渡《わた》すと、先生はやあ済まんと受取りながら、例の消極的な手を拡《ひろ》げて、一寸掌《てのひら》の上で眺《なが》めたまま、やがてこれを洋袴《ズボン》の隠しへ収められる。困る事には先生決して釣《つり》を渡さない。余分を来月へ繰《く》り越《こ》そうとすると、次の週に又、ちょっと書物を買いたいからなどと催促される事がある。

先生は愛蘭土《アイヤランド》の人で言葉が頗《すこぶ》る分らない。少し焦《せ》き込んで来ると、東京者が薩摩人《さつまじん》と喧嘩《けんか》をした時位にむずかしくなる。それで大変疎忽《そそつか》しい非常な焦き込み屋なんだから、自分は事が面倒《めんどう》になると、運を天に任せて先生の顔だけ見ていた。

その顔が又決して尋常《じんじょう》じゃない。西洋人だから鼻は高いけれども、段があって、肉が厚過ぎる。其処《そこ》は自分に善く似ているのだが、こんな鼻は一見した所がすっきりした好い感じは起らないものである。その代り其処いら中むしゃくしゃしていて、何となく野趣《やしゅ》がある。髯《ひげ》などはまことに御気の毒な位黒白乱生《こくびゃく》していた。いつかベーカーストリートで先生に出合った時には、鞭《むち》を忘れた御者《カブマン》かと思った。

先生の白襯衣《しろシャツ》や白襟《しろえり》を着《つ》けたのは未《いま》だ曾《かつ》て見た事がない。いつでも縞《しま》のフラネルをきて、むくむくした上靴《うわぐつ》を足に穿《は》いて、その足を煖炉《ストーブ》の中へ突《つ》き込《こ》む位に出して、そうして時々短い膝《ひざ》を敲《たた》いて――その時始めて気が附いたのだが、先生は消極的の手に金の指輪を嵌《は》めていた。――時には敲く代りに股を擦《こす》って、教えてくれる。尤《もっと》も何を教えてくれるのか分らない。聞いていると、先生の好きな所へ連れて行って、決して帰してくれない。そうしてその好きな所が、時候の変り目や、天気都合で色々に変化する。時によると昨日と今日で両極へ引越しをする事さえある。わるく云えば、まあ出鱈目《でたらめ》で、よく評すると文学上の座談をしてくれるのだが、今になって考えてみると、一回七志《シルリング》位で纏《まとま》った規則正しい講義などの出来る訳のものではないのだから、これは先生の方が尤もなので、それを不平に考えた自分は馬鹿なのである。尤も先生の頭も、その髯の代表する如《ごと》く、少しは乱雑に傾《かたむ》いていた様でもあるから、寧《むし》ろ報酬の値上をして、えらい講義をして貰《もら》わない方が可《よ》かったかも知れない。

先生の得意なのは詩であった。詩を読むときには顔から肩の辺が陽炎《かげろう》の様に振動《しんどう》する。――嘘《うそ》じゃない。全く振動した。その代り自分に読んでくれるのではなくって、自分が一人で読んで楽んでいる事に帰着してしまうからつまりは此方《こっち》の損になる。いつかスウィンバーンのロザモンド＊とか云うものを持って行ったら、先生一寸見せたまえと云って、二三行朗読したが、忽《たちま》ち書物を膝の上に伏《ふ》せて、鼻眼鏡をわざわざはずして、ああ駄目々々スウィンバーンも、こんな詩を書く様に老い込んだかなあと云って嘆息《たんそく》された。自分がスウィンバーンの傑作《けっさく》アタランタを読んでみようと思い出したのはこの時である。

先生は自分を小供の様に考えていた。君こう云う事を知ってるか、ああ云う事が分ってるかなどと愚《ぐ》にも附かない事を度々《たびたび》質問された。かと思うと、突然《とつぜん》えらい問題を提出して急に同輩扱《どうはいあつかい》に飛び移る事がある。いつか自分の前でワトソン*の詩を読んで、これはシェレー*に似た所があると云う人と、全く違《ちが》っていると云う人とあるが、君はどう思うと聞かれた。どう思うたって、自分には西洋の詩が、先《ま》ず眼に訴《うった》えて、しかる後耳を通過しなければまるで分らないのである。そこで好い加減な挨拶《あいさつ》をした。シェレーに似ている方だったか、似ていない方だったか、今では忘れてしまった。が可《お》笑《か》しい事に、先生はその時例の膝を叩いて僕もそう思うと云われたので、大いに恐《きょう》縮《しゅく》した。

ある時窓から首を出して、遥《はる》かの下界を忙しそうに通る人を見下しながら、君あんなに人間が通るが、あの内で詩の分るものは百人に一人もいない、可愛相《かわいそう》なものだ。一体英吉利人《イギリスじん》は詩を解する事の出来ない国民でね。其処《そこ》へ行くと愛蘭土人《アイヤランドじん》はえらいものだ。はるかに高尚《こうしょう》だ。――実際詩を味《あじわ》う事の出来る君だの僕だのは幸福と云わなければならない。と云われた。自分を詩の分る方の仲間へ入れてくれたのは甚だ難有《ありがた》いが、その割合には取扱が頗《すこぶ》る冷淡《れいたん》である。自分はこの先生に於《おい》て未だ情合《じょうあい》というものを認めた事がない。全く器械的に喋舌《しゃべ》ってる御爺《おじい》さんとしか思われなかった。

けれどもこんな事があった。自分の居る下宿が甚だ厭《いや》になったから、この先生の所へでも置いて貰おうかしらと思って、ある日例の稽古《けいこ》を済ましたあと、頼《たの》んでみると、先生忽ち膝を敲いて、成程《なるほど》、僕のうちの部屋を見せるから、来給《きたま》えと云って、食堂から、下女部屋から、勝手から、一応すっかり引っ張り回して見せてくれた。固《もと》より四階裏の一隅《ひとすみ》だから広い筈はない。二三分かかると、見る所はなくなってしまった。先生は其処で、元の席へ帰って、君こういう家《うち》なんだから、何処へも置いて上げる訳には行かないよと断るかと思うと、忽ちワルト・ホイットマン*の話を始めた。昔ホイットマンが来て自分の家へ少時逗留《しばらくとうりゅう》していた事がある——非常に早口だから、よく分らなかったが、どうもホイットマンの方が来たらしい——で、始めあの人の詩を読んだ時はまるで物にならない様な心持がしたが、何遍も読み過しているうちに段々面白くなって、仕舞には非常に愛読する様になった。だから……

書生に置いて貰う件は、まるで何処かへ飛んで行ってしまった。自分はただ成行《なりゆき》に任せてへえへえと云って聞いていた。何でもその時はシエレーが誰《だれ》とかと喧嘩《けんか》をしたとか云う事を話して、喧嘩はよくない、僕は両方共好きなんだから、僕の好きな二人が喧嘩をするのは甚だよくないと故障を申し立てておられた。いくら故障を申し立てても、もう何十年か前に喧嘩をしてしまったのだから仕方がない。そうしてそれが見当らないと、大いに焦《せ》き込んで、台所に居る婆《ばあ》さんを、ぼやでも起った様に、仰山《ぎょうさん》な声をして呼び立てる。すると例の婆さんが、これも仰山な顔をして客間へあらわれて来る。先生は疎忽《そそっ》かしいから、自分の本などをよく置き違える。

「お、おれの『ウォーズウォース』*は何処へ遣《や》った」

婆さんは依然《いぜん》として驚いた眼を皿の様にして一応書棚《しょだな》を見廻しているが、いくら驚いても甚だ慥《たし》かなもので、すぐに、「ウォーズウォース」を見附け出す。そうして、「ヒヤ、サー」と云って、聊《いささ》かたしなめる様に先生の前に突き附ける。先生はそれを引ったくる様に受け取って、二本の指で汚《きた》ない表紙をぴしゃぴしゃ敲きながら、君、ウォーズウォースが……と遣り出す。婆さんは、益《ますます》驚いた眼をして台所へ退《さが》って行く。先生は二分も三分も「ウォーズウォース」を敲いている。そうして折角捜して貰った「ウォーズウォース」を遂に開けずにしまう。

先生は時々手紙を寄こす。その字が決して読めない。尤も二三行だから、何遍でも繰返《くりかえ》して見る時間はあるが、どうしたって判定は出来ない。先生から手紙がくれば差支《さしつかえ》があって稽古が出来ないと云うことと断定して始めから読む手数を省く様にした。たまに驚いた婆さんが代筆をする事がある。その時は甚だよく分る。先生は便利な書記を抱《かか》えたものである。先生は、自分に、どうも字が下手で困ると嘆息していられた。そうして君の方が余程上手だと云われた。

　こう云う字で原稿を書いたら、どんなものが出来るか心配でならない。先生はアーデン・シェクスピヤ*の出版者である。よくあの字が活版に変形する資格があると思う。先生は、それでも平気に序文をかいたり、ノートを附けたりして済している。のみならず、この序文を見ろと云ってハムレットへ附けた緒言《しょげん》を読まされた事がある。その次行って面白かったと云うと、君日本へ帰ったら是非この本を紹介してくれと依頼《いらい》された。アーデン・シェクスピヤのハムレットは自分が帰朝後大学で講義をする時に非常な利益を受けた書物である。あのハムレットのノート程周到《しゅうとう》にして要領を得たものは恐《おそ》らくあるまいと思う。然しその時はさほどにも感じなかった。然し先生のシェクスピヤ研究にはその前から驚かされていた。

　客間を鍵《かぎ》の手に曲ると六畳程な小さな書斎《しょさい》がある。先生が高く巣をくっているのは、実を云うと、この四階の角で、その角の又角に先生に取っては大切な宝物《ほうもつ》がある。——長さ一尺五寸幅一尺程な青表紙の手帳を約十冊ばかり併《なら》べて、先生はまがな隙《すき》がな、紙片《かみぎれ》に書いた文句をこの青表紙の中へ書き込んでは、吝坊《けちんぼう》が穴の開いた銭《ぜに》を蓄《ため》る様に、ぽつりぽつりと殖《ふ》やして行くのを一生の楽みにしている。この青表紙が沙《さ》翁字《おうじ》典《てん》の原稿であると云う事は、ここへ来出して暫《しばら》く立つとすぐに知った。先生はこの字典を大成する為《ため》に、ウェールスのさる大学の文学の椅子《いす》を抛《なげう》って、毎日ブリチッシ・ミュージアム*へ通う暇《ひま》をこしらえたのだそうである。大学の椅子さえ抛つ位だから、七志《シルリング》の御弟子《おでし》を疎末《そまつ》にするのは無理もない。先生の頭のなかにはこの字典が終日終夜槃桓磅礴《ばんかんほうはく》しているのみである。

　先生、シュミッド*の沙翁字彙《じい》がある上にまだそんなものを作るんですかと聞いた事がある。すると先生はさも軽蔑《けいべつ》を禁じ得ざる様な様子でこれを見給えと云いながら、自己所有のシュミッドを出して見せた。見ると、さすがのシュミッドが前後二巻一頁《ページ》として完膚《かんぷ》なきまで真黒になっている。自分はへえと云ったなり驚いてシュミッドを眺めていた。先生は頗《すこぶ》る得意である。君、もしシュミッドと同程度のものを拵《こしら》える位なら僕は何もこんなに骨を折りはしないさと云って、又二本の指を揃《そろ》えて真黒なシュミッドをぴしゃぴしゃ敲き始めた。

「全体何時頃《いつごろ》から、こんな事を御始めになったんですか」

　先生は立って向うの書棚へ行って、しきりに何か捜し出したが、又例の通り焦《じ》れったそうな声でジェーン、ジェーン、おれのダウデン*はどうしたと、婆さんが出て来ないうちから、ダウデンの在所《ありか》を尋《たず》ねている。婆さんは又驚いて出て来る。そうして又例の如くヒヤ、サーと窘《たしな》めて帰って行くと、先生は婆さんの一拶《いっさつ》には丸で頓着《とんじゃく》なく、餓《ひも》じそうに本を開けて、うん此処《ここ》にある。ダウデンがちゃんと僕の名を此処へ挙げてくれている。特別に沙翁を研究するクレイグ氏と書いてくれている。この本が千八百七十……年の出版で僕の研究はそれよりずっと前なんだから……自分は全く先生の辛《しん》抱《ぼう》に恐れ入った。序《つい》でに、じゃ何時出来上るんですかと尋ねてみた。何時だか分るものか、死ぬまで遣るだけの事さと先生はダウデンを元の所へ入れた。

自分はその後《ご》暫くして先生の所へ行かなくなった。行かなくなる少し前に、先生は日本の大学に西洋人の教授は要《い》らんかね。僕も若いと行くがなと云って、何となく無常を感じた様な顔をしていられた。先生の顔にセンチメントの出たのはこの時だけである。自分はまだ若いじゃありませんかといって慰《なぐさ》めたら、いやいや何時どんな事があるかも知れない。もう五十六だからと云って、妙《みょう》に沈《しず》んでしまった。

日本へ帰って二年程したら、新着の文芸雑誌にクレイグ氏が死んだと云う記事が出た。沙翁の専門学者であると云うことが、二三行書き加えてあっただけである。自分はその時雑誌を下へ置いて、あの字引はついに完成されずに、反故《ほご》になってしまったのかと考えた。

思い出す事など

一

漸《ようや》くの事で又《また》病院まで帰って来た。思い出すと此処《ここ》で暑い朝夕を送ったのももう三カ月の昔になる。その頃《ころ》は二階の廂《ひさし》から六尺に余る程《ほど》の長い葭簀《よしず》を日除《ひよけ》に差し出して、熱《ほて》りの強い縁側《えんがわ》を幾分《いくぶん》か暗くしてあった。その縁側に是公《ぜこう》から貰《もら》った楓《かえで》の盆栽《ぼんさい》と、時々人の見舞《みまい》に持って来てくれる草花などを置いて、退屈《たいくつ》も凌《しの》ぎ暑さも紛らしていた。向《むこう》に見える高い宿屋の物干《ものほし》に真裸《まっぱだか》の男が二人出て、日盛《ひざかり》を事ともせず、欄干《らんかん》の上を危なく渡《わた》ったり、又は細長い横木の上にわざと仰向《あおむけ》に寝《ね》たりして、巫山戯《ふざけ》廻る様子を見て自分も何時《いつ》か一度はもう一遍《いっぺん》あんな逞《たくま》しい体格になってみたいと羨《うらや》んだ事もあった。今は凡《すべ》てが過去に化してしまった。再び眼の前に現れぬと云う不慥《ふたしか》な点に於《おい》て、夢と同じくはかない過去である。

病院を出る時の余《よ》は医師の勧《すす》めに従って転地する覚悟《かくご》はあった。けれども、転地先で再度の病《やまい》に罹《かか》って、寐《ね》たまま東京へ戻《もど》って来ようとは思わなかった。東京へ戻ってもすぐ自分の家の門は潜《くぐ》らずに釣台《つりだい》に乗ったまま、又当時の病院に落ち付く運命になろうとは猶更《なおさら》思い掛《か》けなかった。

帰る日は立つ修善寺《しゅぜんじ》も雨、着く東京も雨であった。扶《たす》けられて汽車を下りるときわざわざ出迎《でむか》えてくれた人の顔は半分も眼に入《い》らなかった。目礼をする事の出来たのはその中《うち》の二三に過ぎなかった。思う程の会釈《えしゃく》もならないうちに余は早く釣台の上に横《よこた》えられていた。黄昏《たそがれ》の雨を防ぐ為《ため》に釣台には桐油《とうゆ》を掛けた。余は坑《あな》の底に寐かされた様な心持で、時々暗い中で眼を開《あ》いた。鼻には桐油の臭《におい》がした。耳には桐油を撲《う》つ雨の音と、釣台に付添《つきそ》うて来るらしい人の声が微《かす》かながらとぎれとぎれに聞えた。けれども眼には何物も映らなかった。汽車の中で森成《もりなり》さんが枕元《まくらもと》の信玄袋《しんげんぶくろ》の口に挿《さ》し込んでくれた大きな野菊の枝は、降りる混雑の際に折れてしまったろう。

釣台に野菊も見えぬ桐油哉《かな》
これはその時の光景を後《あと》から十七字にちぢめたものである。余はこの釣台に乗ったまま病院の二階へ舁《か》き上げられて、三カ月前《ぜん》に親しんだ白いベッドの上に、安らかに瘠《や》せた手足を延べた。雨の音の多い静かな夜であった。余の病室のある棟には患者が三四名しか居ないので、人声も自然絶え勝《がち》に、秋は修善寺よりも却《かえっ》てひっそりしていた。

この静かな宵《よい》を心地よく白い毛布の中に二時間程送った時、余は看護婦から二通の電報を受取った。一通を開けて見ると「無事御帰京を祝す」と書いてあった。そうしてその差出人は満洲に居る中村是公《なかむらぜこう》であった。他の一通を開けて見ると、やはり無事御帰京を祝すと云う文句で、前のと一字の相違《そうい》もなかった。余は平凡《へいぼん》ながらこの暗合を面白く眺《なが》めつつ、誰《だれ》が打ってくれたのだろうと考えて差出人の名前を見た。ところがステトとあるばかりで一向に要領を得なかった。ただ掛けた局が名古屋とあるので漸く判断が付いた。ステトと云うのは、鈴木禎次《すずきていじ》と鈴木時子《ときこ》の頭文字《かしらもじ》を組み合わしたもので、妻《さい》の妹《いもと》とその夫の事であった。余は二ツの電報を折り重ねて、明朝《あす》又来《き》るべき妻の顔を見たら、先《ま》ずこの話をしようかと思い定めた。

病室は畳《たたみ》も青かった。襖《ふすま》も張り易《か》えてあった。壁《かべ》も新《あら》たに塗《ぬ》ったばかりであった。万《よろず》居心よく整っていた。杉本《すぎもと》副院長が再度修善寺へ診察《しんさつ》に来た時、畳替《たたみがえ》をして待っていますと妻に云い置かれた言葉をすぐに思い出した程奇麗《きれい》である。その約束の日から指を折って勘定《かんじょう》してみると、既《すで》に十六七日目になる。青い畳も大分久しく人を待ったらしい。

思ひけり既に幾夜の蟋蟀《きりぎりす》

その夜から余は当分又この病院を第二の家とする事にした。

二

病院に帰り着いた十一日の晩、回診の後藤さんにこの頃院長の御病気はどうですかと聞いたら、ええ一仕切は大分好《い》い方でしたが、近来又少し寒くなったものですから……と云う答だったので、余《よ》はどうぞ御逢《おあ》いの節は宜《よろ》しくと挨拶《あいさつ》した。その晩はそれぎり何の気も付かずに寐《ね》てしまった。すると明日《あくるひ》の朝妻《さい》が来て枕元に坐るや否《いな》や、実は貴方《あなた》に隠《かく》しておりましたが長与《ながよ》さんは先月五日に亡《な》くなられました。葬式《そうしき》には東《ひがし》さんに代理を頼《たの》みました。悪くなったのは八月末丁度貴方の危篤《きとく》だった時分ですと云う。余はこの時始めて附添のものが、院長の訃《ふ》をことさらに秘して、余に告げなかった事と、又その告げなかった意味とを悟《さと》った。そうして生き残る自分やら、死んだ院長やらをとかくに比較《ひかく》して、少時《しばらく》は茫然《ぼうぜん》としたまま黙《だま》っていた。

院長は今年の春から具合が悪かったので、この前《ぜん》入院した時にも六週間の間ついぞ顔を見合せた事がなかった。余の病気の由《よし》を聞いて、それは残念だ、自分が健康でさえあれば治療《ちりよう》に尽力《じんりよく》して上げるのにと云う言伝《ことづて》があった。その後《ご》も副院長を通じて、よろしくと云う言伝が時々あった。

修善寺で病気がぶり返して、社から見舞のため森成さんを特別に頼んでくれた時、着いた森成さんが、病院の都合上とても長くはと云っているその晩に、院長はわざわざ直接森成さんに電報を打って、出来るだけ余の便宜《べんぎ》を計らってくれた。その文句は寐ている余の目には無論触《ふ》れなかった。けれども枕元にいる雪鳥君《せつちようくん》*から聞いたその文句の音《おん》だけは、未《いま》だに好意の記憶《きおく》として余の耳に残っている。それは当分その地に留《とど》まり、充分《じゆうぶん》看護に心を尽《つく》すべしとか云う、森成さんに取っては随分厳《ずいぶんおごそ》かに聞える命令的なものであった。

院長の容態が悪くなったのは余の危篤に陥《おちい》ったのと略《ほぼ》同時だそうである。余が鮮血《せんけつ》を多量に吐いて傍人《ぼうじん》から到底《とうてい》回復の見込《みこみ》がない様に思われた二三日後《あと》、森成さんが病院の用事だからと云って、一寸《ちよつと》東京へ帰ったのは、生前に一度院長に会うためで、それから十日程経《た》って、又病院の用事が出来て二度東京へ戻ったのは院長の葬式に列する為であったそうである。

当初から余に好意を表して、間接に治療上の心配をしてくれた院長はかくの如《ごと》く次第に死に近づきつつある間に、余は不思議にも命の幅《はば》の縮まって殆《ほと》んど絹糸の如く細くなった上を、漸《ようや》く無難に通り越《こ》した。院長の死が一基の墓標で永く確められたとき、辛抱《しんぼう》強く骨の上に絡《から》み付いていてくれた余の命の根は、辛《かろ》うじて冷たい骨の周囲に、血の通う新しい細胞を営み初めた。院長の墓の前に供えられる花が、幾度《いくたび》か枯《か》れ、幾度か代って、萩《はぎ》、桔梗《ききょう》、女郎花《おみなえし》から白菊と黄菊に秋を進んで来た一カ月余の後《のち》、余は又その一カ月余の間に盛返し得る程の血潮を皮下に盛得て、再び院長の建てたこの胃腸病院に帰って来た。そうしてその間《あいだ》いまだ曾《かつ》て院長の死んだと云う事を知らなかった。帰る明る朝妻《さい》が来て実はこれこれでと話をするまで、院長は余の病気の経過を東京にいて承知しているものと信じていた。そうして回復の上病院を出たら礼にでも行こうと思っていた。もし病院で会えたら篤《あつ》く謝意でも述べようと思っていた。

　逝《ゆ》く人に留《とど》まる人に来《きた》る雁《かり》

　考えると余が無事に東京まで帰れたのは天幸である。こうなるのが当り前の様に思うのは、未《いま》だに生きているからの悪《わる》度胸に過ぎない。生き延びた自分だけを頭に置かずに、命の綱《つな》を踏《ふ》み外《はず》した人の有様も思い浮《うか》べて、幸福な自分と照し合せて見ないと、わが難有《ありがた》さも分らない、人の気の毒さも分らない。

　ただ一羽来る夜ありけり月の雁《かり》

三

ジェームス教授*の訃《ふ》に接したのは長与院長の死を耳にした明日《あくるひ》の朝である。新着の外国雑誌を手にして、五六頁《ページ》繰って行くうちに、不図《ふと》教授の名前が眼に留ったので、又新らしい著書でも公《おおや》けにしたのかしらんと思いながら読んでみると、意外にもそれが永眠《えいみん》の報道であった。その雑誌は九月初めのもので、項中《こうちゅう》にはさる日曜日に六十九歳《さい》を以《もっ》て逝かるとあるから、指を折って勘定してみると、丁度院長の容体が次第に悪い方へ傾《かたむ》いて、傍《はた》のものが昼夜眉《まゆ》を顰《ひそ》めている頃である。又余が多量の血を一度に失って、死生の境《さかい》に彷徨《ほうこう》していた頃である。思うに教授の呼息《いき》を引き取ったのは、恐らく余の命が、瘠《や》せこけた手頸《てくび》に、有るとも無いとも片付かない脈《みゃく》を打たして、看護の人をはらはらさせていた日であろう。

教授の最後の著書「多元的宇宙」を読み出したのは今年の夏の事である。修善寺へ立つとき、向《むこう》へ持って行って読み残した分を片付けようと思って、それを五六巻の書物とともに鞄《かばん》の中に入れた。ところが着いた明日《あくるひ》から心持が悪くて、出歩く事もならない始末になった。けれども宿の二階に寐転《ねころ》びながら、一日二日は少しずつでも前の続きを読む事が出来た。無論病勢の募《つの》るに伴《つ》れて読書は全く廃《よ》さなければならなくなったので、教授の死ぬ日まで教授の書を再び手に取る機会はなかった。

病牀《びょうしょう》にありながら、三《み》たび教授の多元的宇宙を取り上げたのは、教授が死んでから幾日目《いくかめ》になるだろう。今から顧《かえり》みると当時の余は恐《おそ》ろしく衰弱《すいじゃく》していた。仰向《あおむけ》に寐て、両方の肘《ひじ》を蒲団《ふとん》に支えて、あの位の本を持ち応《こた》えているのに随分と骨が折れた。五分と経たないうちに、貧血《ひんけつ》の結果手が麻痺《しび》れるので、持ち直してみたり、甲《こう》を撫《な》でてみたりした。けれども頭は比較的疲《ひかくつか》れていなかったと見えて、書いてある事は苦もなく会得《えとく》が出来た。頭だけはもう使えるなと云う自信の出たのは大吐血《だいとけつ》以後この時が始てであった。嬉《うれ》しいので、妻《さい》を呼んで、身体《からだ》の割に頭は丈夫《じょうぶ》なものだねと云って訳を話すと、妻が一体貴方の頭は丈夫過ぎます。あの危篤《あぶな》かった二三日の間などは取り扱《あつか》い悪《にく》くて大変弱らせられましたと答えた。

多元的宇宙は約半分程残っていたのを、三日ばかりで面白く読み了《おわ》った。ことに文学者たる自分の立場から見て、教授が何事によらず具体的の事実を土台として、類推《アナロジー》で哲学《てつがく》の領分に切り込んで行く所を面白く読み了った。余はあながちに弁証法《ダイアレクチック》を嫌《きら》うものではない。又妄《みだ》りに理知主義《インテレクチユアリズム》を厭《いと》いもしない。ただ自分の平生文学上に抱《いだ》いている意見と、教授の哲学に就《つ》いて主張する所の考《かんがえ》とが、親しい気脈《きみやく》を通じて彼此《ひし》相倚《あいよ》る様な心持がしたのを愉快《ゆかい》に思ったのである。ことに教授が仏蘭西《フランス》の学者ベルグソン*の説を紹介《しょうかい》する辺りを、坂に車を転がす様な勢《いきおい》で馳《か》け抜《ぬ》けたのは、まだ血液の充分に通いもせぬ余の頭に取って、どの位嬉しかったか分らない。余が教授の文章にいたく推服したのはこの時である。

今でも覚えている。一間置いて隣《となり》にいる東君をわざわざ枕元へ呼んで、ジェームスは実に能文家だと教える様に云って聞かした。その時東君は別にこれという明瞭《めいりょう》な答をしなかったので、余は、君、西洋人の書物を読んで、この人のは流暢《りゅうちょう》だとか、あの人のは細緻《さいち》だとか、凡《すべ》て特色のある所がその書き振《ぶ》りで、読みながら解《わか》るかいと失敬な事を問い糺《ただ》した。

教授の兄弟にあたるヘンリー*は、有名な小説家で、非常に難渋《なんじゅう》な文章を書く男である。ヘンリーは哲学の様な小説を書き、ウィリアムは小説の様な哲学を書く、と世間で云われている位ヘンリーは読みづらく、又その位教授は読み易《やす》くて明快なのである。——病中の日記を検《しら》べてみると九月二十三日の部に、「午前ジェームスを読み了る。好《よ》い本を読んだと思う」と覚束《おぼつか》ない文字《もんじ》で認《したた》めてある。名前や標題に欺《だま》されて下らない本を読んだ時程残念な事はない。この日記は正《まさ》にこの裏を云ったものである。

余の病気に就て治療上色々好意を表《ひょう》してくれた長与病院長は、余の知らない間《ま》にいつか死んでいた。余の病中に、空漠《くうばく》なる余の頭に陸離《りくり》の光彩《こうさい》を抛《な》げ込んでくれたジェームス教授も余の知らない間にいつか死んでいた。二人に謝すべき余はただ一人生き残っている。

菊の雨われに閑《かん》ある病哉《かな》
菊の色縁《えん》に未《いまだ》し此晨《このあした》

（ジェームス教授の哲学思想が、文学の方面より見て、どう面白いかここに詳説する余地がないのは余の遺憾《いかん》とする所である。又教授の深く推賞したベルグソンの著書のうち第一巻は昨今漸《よう》く英訳になってゾンネンシャインから出版された。その標題は Time and Free Will（時と自由意思）と名づけてある。著者の立場は無論故教授と同じく反理知派である。）

四

病の重かった時は、固《もと》よりその日その日に生きていた。そうしてその日その日に変って行った。自分にもわが心の水の様に流れ去る様《さま》がよく分った。自白すれば雲と同じくかつ去りかつ来《きた》るわが脳裡《のうり》の現象は、極《きわ》めて平凡《へいぼん》なものであった。それも自覚していた。生涯《しょうがい》に一度か二度の大患《たいかん》に相応する程の深さも厚さもない経験を、恥《はじ》とも思わず無邪気《むじやき》に重ねつつ移って行くうちに、それでも他日の参考に日毎《ひごと》の心を日毎に書いて置く事が出来たならと思い出した。その時の余は無論手が利《き》かなかった。しかも日は容易に暮れ容易に明けた。そうして余の頭を掠《かす》めて去る心の波紋《はもん》は、随《したが》って起るかと思えば随って消えてしまった。余《よ》は薄《うす》ぼけて微《かす》かに遠きに行くわが記憶《きおく》の影《かげ》を眺《なが》めては、寐《ね》ながらそれを呼び返したいような心持がした。ミュンステルベルグ*と云う学者の家に賊《ぞく》が入った引合《ひきあい》で、他日彼が法庭へ呼び出されたとき、彼の陳述《ちんじゆつ》は殆んど事実に相違《そうい》する事ばかりであったと云う話がある。正確を旨《むね》とする几帳面《きちようめん》な学者の記憶でも、記憶はこれ程に不慥《ふたしか》なものである。「思い出す事など」の中に思い出す事が、日を経《ふ》れば経るに従って色彩を失うのは勿論《もちろん》である。

わが手の利かぬ先にわが失えるものは既《すで》に多い。わが手筆《ふで》を持つの力を得てより逸《いっ》するものまた少からずと云っても嘘《うそ》にはならない。わが病気の経過と、病気の経過に伴《つ》れて起る内面の生活とを、不秩序《ふちつじよ》ながら断片的にも叙《じよ》して置きたいと思い立ったのはこれが為《ため》である。友人のうちには、もうそれ程好くなったかと喜んでくれたものもある。或《あるい》は又あんな軽挙《かるはずみ》をして遣《や》り損なわなければ可《い》いがと心配してくれたものもある。

その中で一番苦い顔をしたのは池辺《いけべ》三山《さんざん》君*であった。余が原稿《げんこう》を書いたと聞くや否《いな》や、忽《たちま》ち余計な事だと叱《しか》り付けた。しかもその声は尤《もっと》も無愛想な声であった。医者の許可を得たのだから、普通《ふつう》の人の退屈凌《しの》ぎ位な所と見たらよかろうと余は弁解した。医者の許可もさる事だが、友人の許可を得なければ不可《いか》んと云うのが三山君の挨拶《あいさつ》であった。それから二三日して三山君が宮本博士に会ってこの話をすると、博士は、成程退屈をすると胃に酸が湧《わ》く恐れがあるから却《かえ》って悪いだろうと調停してくれたので、余は漸く助かった。

その時余は三山君に、

遺却新詩無処尋。嗒然隔牖対遥林。斜陽満径照僧遠。黄葉一村蔵寺深。
懸偈壁間焚仏意。見雲天上抱琴心。人間至楽江湖老。犬吠鶏鳴共好音。

と云う詩を遺《おく》った。巧拙《こうせつ》は論外として、病院に居る余が窓から寺を望む訳もなし、又室内に琴《こと》を置く必要もないから、この詩は全くの実況《じっきょう》に反しているには違《ちがい》ないが、ただ当時の余の心持を咏《えい》じたものとしては頗《すこぶ》る恰好《かっこう》である。宮本博士が退屈をすると酸がたまると云った如《ごと》く、忙殺されて酸が出過ぎる事も、余は親しく経験している。詮《せん》ずる所、人間は閑適の境界《きょうがい》に立たなくては不幸だと思うので、その閑適を少時《しばらく》なりとも貪《むさぼ》り得る今の身の嬉しさが、この五十六字に形を変じたのである。

尤も趣《おもむき》から云えばまことに旧《ふる》い趣である。何の奇もなく、何の新もないと云っても可《よ》い。実際ゴルキーでも、アンドレーフでも、イブセンでもショウでもない。その代りこの趣は彼等作家の未だ嘗《かつ》て知らざる興味に属している。又彼等の決して与《あず》からざる境地に存している。現今の吾等《われら》が苦しい実生活に取り巻かれる如く、現今の吾等が苦しい文学に取り付かれるのも、已《やむ》を得ざる悲しき事実ではあるが、所謂《いわゆる》「現代的気風」に煽《あお》られて、三百六十五日の間、傍目《わきめ》も振らず、しかく人世を観じたら、人世は定めし窮屈《きゆうくつ》でかつ殺風景なものだろう。たまにはこんな古風の趣が却って一段の新意を吾等の内面生活上に放射するかも知れない。余は病に因《よ》ってこの陳腐《ちんぷ》な幸福と爛熟《らんじゆく》な寛裕《くつろぎ》を得て、初めて洋行から帰って平凡な米の飯に向った時の様な心持がした。

「思い出す事など」は忘れるから思い出すのである。漸く生き残って東京に帰った余は、病に因って纔《わず》かに享《う》け得たこの長閑《のどか》な心持を早くも失わんとしつつある。まだ床《とこ》を離《はな》れる程に足腰《あしこし》が利かないうちに、三山君に遺《おく》った詩が、既にこの太平の趣をうたうべき最後の作ではなかろうかと、自分ながら掛念《けねん》*している位である。「思い出す事など」は平凡で低調な個人の病中に於《お》ける述懐《じゆつかい》と叙事に過ぎないが、その中《うち》にはこの陳腐ながら払底《ふつてい》な趣が、珍《めず》らしく大分這入《はい》って来る積《つもり》であるから、余は早く思い出して、早く書いて、そうして今の新らしい人々と今の苦しい人々と共に、この古い香《かおり》を懐《なつ》かしみたいと思う。

五

修善寺に居る間は仰向《あおむけ》に寐たままよく俳句を作っては、それを日記の中に記《つ》け込んだ。時々は面倒な平仄《ひょうそく》を合して漢詩さえ作って見た。そうしてその漢詩も一つ残らず未定稿として日記の中に書き付けた。

余《よ》は年来俳句に疎《うと》くなりまさった者である。漢詩に至っては、殆《ほと》んど当初からの門外漢と云っても可《い》い。詩にせよ句にせよ、病中に出来上ったものが、病中の本人にはどれ程得意であっても、それが専門家の眼に整って（ことに現代的に整って）映るとは無論思わない。

けれども余が病中に作り得た俳句と漢詩の価値は、余自身から云うと、全くその出来不出来に関係しないのである。平生は如何《いか》に心持の好くない時でも、苟《いやし》くも塵事《じんじ》に堪《た》え得るだけの健康を有《も》っていると自信する以上、又有っていると人から認められる以上、われは常住日夜共に生存競争裏《り》に立つ悪戦の人である。仏語《ぶつご》で形容すれば絶えず火宅の苦を受けて、夢の中でさえ焦々《いらいら》している。時には人から勧《すす》められる事もあり、偶《たま》には自《みずか》ら進む事もあって、不図《ふと》十七字を並《なら》べて見たり又は起承転結の四句位組み合せないとも限らないけれども何時《いつ》もどこかに間隙《すき》がある様な心持がして、隈《くま》も残さず心を引き包《くる》んで、詩と句の中に放り込《こ》む事が出来ない。それは歓楽《かんらく》を嫉《ねた》む実生活の鬼《おに》の影が風流に纏《まつわ》る為かも知れず、又は句に熱し詩に狂《きょう》するのあまり、却て句と詩に翻弄《ほんろう》されて、いらいらすまじき風流にいらいらする結果かも知れないが、それではいくら佳句《かく》と好詩が出来たにしても、贏《か》ち得る当人の愉快はただ二三同好の評判だけで、その評判を差し引くと、後《あと》に残るものは多量の不安と苦痛に過ぎない事に帰着してしまう。

ところが病気をすると大分趣が違って来る。病気の時には自分が一歩現実の世を離れた気になる。他《ひと》も自分を一歩社会から遠ざかった様に大目に見てくれる。此方《こちら》には一人前働かなくても済むという安心が出来、向うにも一人前として取り扱《あつか》うのが気の毒だという遠慮《えんりょ》がある。そうして健康の時にはとても望めない長閑《のど》かな春がその間から湧いて出る。この安らかな心が即《すなわ》ちわが句、わが詩である。従って、出来栄《できばえ》の如何《いかん》は先《ま》ず措《お》いて、出来たものを太平の記念と見る当人にはそれがどの位貴《とうと》いか分らない。病中に得た句と詩は、退屈を紛《まぎ》らすため、閑に強《し》いられた仕事ではない。実生活の圧《あつ》迫《ぱく》を逃《のが》れたわが心が、本来の自由に跳《は》ね返って、むっちりとした余裕《よゆう》を得た時、油然《ゆうぜん》と漲《みな》ぎり浮かんだ天来の彩紋*である。吾ともなく興の起るのが既に嬉《うれ》しい、その興を捉《とら》えて横に咬《か》み竪《たて》に砕《くだ》いて、これを句なり詩なりに仕立上る順序過程が又嬉しい。漸《ようや》く成った暁《あかつき》には、形のない趣を判然《はっきり》と眼の前に創造した様な心持がして更《さら》に嬉しい。果してわが趣とわが形に真の価値があるかないかは顧《かえり》みる遑《いとま》さえない。

病中は知ると知らざるとを通じて四方の同情者から懇切《こんせつ》な見舞《みまい》を受けた。衰弱《すいじゃく》の今の身ではその一々に一々の好意に背《そむ》かない程に詳《くわ》しい礼状を出して、自分がつい死にもせず今日《こんにち》に至った経過を報ずる訳にも行かない。「思い出す事など」を牀上《しょうじょう》に書き始めたのは、これが為である。——各々《めいめい》に向けて云い送るべき筈《はず》の所を、略して文芸欄《らん》*の一隅《いちぐう》にのみ載《の》せて、余の如きもののために時と心を使われた難有《ありがた》い人々にわが近況を知らせる為である。

従って「思い出す事など」の中に詩や俳句を挟《はさ》むのは、単に詩人俳人としての余の立場を見て貰《もら》う積《つもり》ではない。実を云うとその善悪などは寧《むし》ろどうでも好いとまで思っている。ただ当時の余は此《かく》の如き情調に支配されて生きていたという消息が、一瞥《いちべつ》の迅《と》きうちに、読者の胸に伝われば満足なのである。

秋の江に打ち込む杭《くひ》の響《ひびき》かな

これは生き返ってから約十日ばかりして不図出来た句である。澄《す》み渡《わた》る秋の空、広き江、遠くよりする杭の響、この三つの事相に相応した様な情調が当時絶えずわが微《かす》かなる頭の中を徂徠《そらい》した事は未《いま》だに覚えている。

秋の空浅黄に澄めり杉に斧《をの》

これも同じ心の耽《ふけ》り*を他《ほか》の言葉で云い現したものである。

別るるや夢一筋の天の川

何という意味かその時も知らず、今でも分らないが、或は仄《ほのか》に東洋城《とうようじょう》*と別れる折の連想が夢の様な頭の中に這回《はいまわ》って、恍惚《こうこつ》と出来上ったものではないかと思う。当時の余は西洋の語に殆んど見当らぬ風流と云う趣をのみ愛していた。その風流のうちでもここに挙げた句に現れる様な一種の趣だけをとくに愛していた。

秋風や唐紅《からくれなゐ》の咽喉仏《のどぼとけ》

という句は寧ろ実況であるが、何だか殺気があって含蓄《がんちく》が足りなくて、口に浮かんだ時から既に変な心持がした。

風流人未死。病裡領清閑。日々山中事。朝々見碧山。

詩に圏点《けんてん》のないのは障子に紙が貼《は》ってない様な淋《さび》しい感じがするので、自分で丸を付けた。余の如き平仄《ひょうそく》もよく弁《わきま》えず、韻脚《いんきゃく》もうろ覚えにしか覚えていないものが何を苦しんで、支那人にだけしか利目《ききめ》のない工夫を敢《あえ》てしたかと云うと、実は自分にも分らない。けれども（平仄韻字はさて置いて）、詩の趣は王朝以後の伝習で久しく日本化されて今日に至ったものだから、吾々位の年輩《ねんぱい》の日本人の頭からは、容易にこれを奪《うば》い去る事が出来ない。余は平生事に追われて簡易な俳句すら作らない。詩となると億劫《おっくう》で猶《なお》手を下さない。ただ斯様《かよう》に現実界を遠くに見て、杳《はるか》な心に些《すこし》の蟠《わだかま》りのないときだけ、句も自然と湧《わ》き、詩も興に乗じて種々な形のもとに浮んでくる。そうして後《あと》から顧みると、それが自分の生涯《しょうがい》の中《うち》で一番幸福な時期なのである。風流を盛るべき器が、無作法な十七字と、佶屈《きっくつ》*な漢字以外に日本で発明されたらいざ知らず、さもなければ、余はかかる時、かかる場合に臨んで、何時《いつ》でもその無作法とその佶屈とを忍んで、風流を這裏《しゃり》に楽しんで悔《く》いざるものである。そうして日本に他の恰好な詩形のないのを憾《うら》みとは決して思わないものである。

六

始めて読書欲の萌《きざ》した頃《ころ》、東京の玄耳《げんじ》君*から小包で酔古《すいこ》堂剣掃《どうけんそう》*と列仙伝*を送ってくれた。この列仙伝は帙入《ちついり》の唐本《とうほん》で、少し手荒《てあら》に取扱うと紙がぴりぴり破れそうに見える程《ほど》の古い——古いと云うよりも寧ろ汚《きた》ない——本であった。余《よ》は寐《ね》ながらこの汚ない本を取り上げて、その中にある仙人の挿画《さしえ》を一々丁寧《ていねい》に見た。そうしてこれ等仙人の髯《ひげ》の模様だの、頭の恰好《かっこう》だのを互に比較《ひかく》して楽んだ。その時は画工《えかき》の筆癖《ふでくせ》から来る特色を忘れて、こう云う頭の平らな男でなければ仙人になる資格がないのだろうと思ったり、又こう云う疎《まばら》な髯を風《ふ》に吹かせなければ仙人の群に入《い》る事は覚束《おぼつか》ないのだろうと思ったりして、ひたすら彼等の容貌《ようぼう》に表われてくる共通な骨相を飽《あ》かず眺《なが》めた。本文も無論読んでみた。平生気の短かい時にはとても見出《みいだ》す事の出来ない悠長《ゆうちょう》な心を目出度《めでたく》意識しながら読んでみた。――余は今の青年のうちに列仙伝を一枚でも読む勇気と時間を有《も》っているものは一人もあるまいと思う。年を取った余も実を云うとこの時始めて列仙伝と云う書物を開けたのである。

けれども惜《おし》い事に本文は挿画《さしえ》程雅《が》に行かなかった。中には欲の塊《かたまり》が羽化《うか》した様な俗な仙人もあった。それでも読んで行くうちには多少気に入ったのも出来てきた。一番無雑作でかつ可笑《おか》しいと思ったのは、何ぞと云うと、手の垢《あか》や鼻糞《はなくそ》を丸めて丸薬を作って、それを人に遣《や》る道楽のある仙人であったが、今ではその名を忘れてしまった。これは然《しか》し挿画よりも本文よりも余の注意を惹《ひ》いたのは巻末にある附録であった。これは手軽にいうと長寿《ちょうじゅ》法とか養生訓とか称するものを諸方から取り集めて来て、一所《いっしょ》に並べたものの様に思われた。尤《もっと》も仙に化するための注意であるから、普通《ふつう》の深呼吸だの冷水浴だのとは違って、頗《すこぶ》る抽象《ちゅうしょう》的で、実際解《わか》るとも解らぬとも片の付かぬ文字であるが、病中の余にはそれが面白かったと見えて、その二三節をわざわざ日記の中に書き抜《ぬ》いている。日記を検《しら》べてみると「静これを性となせば心その中《うち》にあり、動これを心となせば性その中にあり、心生ずれば性滅し、心滅すれば性生ず」という様なむずかしい漢文が曲がりくねりに半頁《ページ》ばかりを埋《う》めている。

その時の余は印気《インキ》の切れた万年筆《まんねんふで》の端《はし》を撮《つま》んで、ペン先へ墨《すみ》の通う様に一二度揮《ふ》るのが頗る苦痛であった。実際健康な人が片手で樫《かし》の六尺棒を振《ふ》り廻すよりも辛《つら》い位であった。それ程衰弱の劇《はげ》しい時にですら、わざわざとこんな道経めいた文句を写す余裕が心にあったのは、今から考えても真《まこと》に愉快《ゆかい》である。子供の時聖堂の図書館へ通って、徂徠《そらい》の蘐園十筆《けんえんじっぴつ》*を無暗《むやみ》に写し取った昔を、生涯にただ一度繰《く》り返し得た様な心持が起って来る。昔の余の所作が単に写すという以外には全く無意味であった如《ごと》く、病後の余の所作もまた殆んど同様に無意味である。そうしてその無意味な所に、余は一種の価値を見出して喜んでいる。長生《ながいき》の工夫のための列仙伝が、長生もしかねまじきほど悠長な心の下《もと》に、病後の余からかく気楽に取扱われたのは、余に取って全くの偶《ぐう》然《ぜん》であり、又再び来《きた》るまじき奇縁《きえん》である。

仏蘭西《フランス》の老画家アルピニー*はもう九十二の高齢《こうれい》である。それでも人並の気力はあると見えて、この間のスチュージオ*には目醒《めざま》しい木炭画が十種程載っていた。国朝《こくちょう》六家詩鈔《りくかししよう》*の初《はじめ》にある沈徳潜《しんとくせん》の序には、乾隆丁亥夏五《けんりゆうていいがいか》長洲沈徳潜書す時に年九十有五。とわざわざ断ってある。長生の結構な事は云うまでもない。長生をしてこの二人の様に頭が慥《たし》かに使えるのは猶更《なおさら》目出たい。不惑《ふわく》の齢《よわい》を越《こ》すと間もなく死のうとして、纔《わず》かに助かった余は、これから何時《いつ》まで生きられるか固《もと》より分らない。思うに一日生きれば一日の結構で、二日生きれば二日の結構であろう。その上頭が使えたら猶難有《ありがた》いと云わなければなるまい。ハイズン*は世間から二返《へん》も死んだと評判された。一度は弔《ちよう》詩《し》まで作ってもらった。それにも拘《かか》わらず彼は依然《いぜん》として生きていた。余も当時はある新聞から死んだと書かれたそうである。それでも実は死なずにいた。そうして列仙伝を読んで子供の時の無邪気な努力を繰り返し得る程に生き延びた。それだけでも弱い余に取っては非常な幸福である。その頃ある知らない人から、先生死に給《たま》う事なかれ、先生死に給うことなかれと書いた見舞を受けた。余は列仙伝を読むべく生き延びた余を悦《よろこ》ぶと同時に、この同情ある青年の為《ため》に生き延びた余を悦んだ。

七

ウォード*の著《あら》わした社会学の標題には力学的《ダイナミツク》という形容詞をわざわざ冠《かん》してあるが、

これは普通の社会学でない、力学的《ダイナミツク》に論じたのだという事を特に断ったものと思われる。ところがこの本の嘗《かつ》て魯西亜《ロシア》語《ご》に翻訳《ほんやく》された時、魯国《ろこく》の当局者は直ちにその発売を禁止してしまった。著者は不審《ふしん》の念に打たれて、その理由を在魯《ざいろ》の友人に聞き合せた。すると友人から、自分にも能《よ》くは分らぬが、恐《おそ》らく標題に力学的《ダイナミツク》という字と社会学《ソシオロジー》という字があるので、当局者は一も二もなくダイナマイト及《およ》び社会主義に関係のある恐ろしい著述と速断して、この暴挙を敢てしたのだろうという返事が来たそうである。

魯国の当局者ではないが、余《よ》もこの力学的《ダイナミツク》という言葉には少からぬ注意を払《はら》った一人《にん》である。平生から一般の学者がこの一字に着眼しないで、あたかも動きの取れぬ死物の様に、研究の材料を取り扱いながら却《かえ》って平気でいるのを、常に飽き足らず眺めていたのみならず、自分と親密の関係を有する文芸上の議論が、ことにこの弊《へい》に陥《おちい》り易《やす》く、又陥りつつある様に見えるのを遺憾《いかん》と批判していたから、参考のため、一度は魯国当局者を恐れしめたというこの力学的社会学《ダイナミツクソシオロジー》なるものを一読したいと思っていた。実は自分の耻《はじ》を白状する様で甚《はなは》だ極《きま》りが悪いが、これは決して新しい本ではない。製本の体裁《ていさい》からしてが既《すで》にスペンサーの綜合哲学《そうごうてつがく》に類した古風なものである。けれどもまた恐ろしく分厚に書き上げた著作で、上下二巻を通じて千五百頁ほどある大冊子だから、四五日は愚《おろ》か一週間掛《かか》っても楽に読みこなす事は出来悪《にく》い。それで已《やむ》を得ず時機の来るまでと思って、本箱の中へしまって置いたのを、小説類に興味を失《しっ》したこの頃の読物としては適当だろうと不図《ふと》考え付いたので、それを宅《うち》から取り寄せてとうとう力学的《ダイナミック》に社会学《ソシオロジー》を病院で研究する事にした。

ところが読み出してみると、恐ろしく玄関《げんかん》の広い前置の長い本であった。そうして肝心《かんじん》の社会学《ソシオロジー》そのものになると頗《すこぶ》る不完全で、かつ折角の頼《たの》みと思っている所謂《いわゆる》力学的《ダイナミック》が甚だ心細くなる程に手荒に取扱われていた。今更ウォードの著述に批評を下すのは余の目的でない、ただ序《ついで》に云うだけではあるが、今に本当の力学的《ダイナミック》が出るだろう、今に高潮の力学的《ダイナミック》が出るだろうと、何処《どこ》までも著者を信用して、とうとう千五百頁の最後の一頁の最後の文字《もんじ》まで読み抜けて、そうして期待した程のものが何処からも出て来なかった時には、丁度ハレー彗星《すいせい》の尾で地球が包まれべき当日を、何の変化もなく無事に経過した程あっけない心持がした。

けれども道中は、道草を食うべく余儀《よぎ》なくされるだけそれだけ多趣多様で面白かった。その中《うち》で宇宙創造論《コスモジエニー》と云う厳《いか》めしい標題を掲《かか》げた所へ来た時、余は覚えず昔し学校で先生から教わった星雲説の記憶《きおく》を呼び起して微笑《びしょう》せざるを得なかった。そうして不図考えた。——

自分は今危険な病気からやっと回復しかけて、それを非常な仕合《しあわせ》の様に喜んでいる。そうして自分の癒《なお》りつつある間《あいだ》に、容赦《ようしゃ》なく死んで行く知名の人々や惜しい人々を今少し生かして置きたいとのみ冀《こいねが》っている。自分の介抱《かいほう》を受けた妻や医者や看護婦や若い人達を難有《ありがた》く思っている。世話をしてくれた朋友《ほうゆう》やら、見舞に来てくれた誰彼《たれかれ》やらには篤《あつ》い感謝の念を抱《いだ》いている。そうして此所《ここ》に人間らしいあるものが潜《ひそ》んでいると信じている。その証拠《しょうこ》には此処《ここ》に始めて生き甲斐《がい》のあると思われる程深い強い快よい感じが漲《みなぎ》っているからである。

然しこれは人間相互《そうご》の関係である。よし吾々《われわれ》を宇宙の本位と見ないまでも、現在の吾々以外に頭を出して、世界のぐるりを見回さない時の内輪の沙汰《さた》である。三世《さんぜ》にわたる生物全体の進化論と、(ことに)物理の原則に因《よ》って無慈悲《むじひ》に運行し情義なく発展する太陽系の歴史を基礎として、その間《あいだ》に微《かす》かな生を営む人間を考えてみると、吾等如きものの一喜一憂《いっきいちゆう》は無意味と云わん程に勢力のないという事実に気が付かずにはいられない。

限りなき星霜《せいそう》を経て固まり掛った地球の皮が熱を得て溶解《ようかい》し、尚膨脹《なおぼうちょう》して瓦斯《ガス》に変形すると同時に、他の天体もまたこれに等しき革命を受けて、今日まで分離《ぶんり》して運行した軌道《きどう》と軌道の間が隙間《すきま》なく充《み》たされた時、今の秩序《ちつじょ》ある太陽系は日月星辰《じつげつせいしん》の区別を失って、爛《らん》たる一大火雲の如くに盤旋《ばんせん》するだろう。更に想像を逆さまにして、この星雲が熱を失って収縮し、収縮すると共に回転し、回転しながらに外部の一片を振りちぎりつつ進行するさまを思うと、海陸空気歴然と整えるわが地球の昔は、凡《すべ》てこれ燄々《えんえん》たる一塊《かい》の瓦斯《ガス》に過ぎないという結論になる。面目《めんもく》の髣髴《ほうふつ》たる今日《こんにち》から溯《さかのぼ》って、科学の法則を、想像だも及ばざる昔に引張れば、一糸も乱れぬ普遍《ふへん》の理で、山は山となり、水は水となったものには違《ちがい》なかろうが、この山とこの水とこの空気と太陽の御《お》蔭《かげ》によって生息する吾等人間の運命は、吾等が生くべき条件の備わる間の一瞬時《いっしゅんじ》――永劫《えいごう》に展開すべき宇宙歴史の長きより見たる一瞬時――を貪《むさ》ぼるに過ぎないのだから、はかないと云わんよりも、ほんの偶然の命と評した方が当っているかも知れない。

平生の吾等はただ人を相手にのみ生きている。その生きる為の空気に就《つい》ては、あるのが当然だと思って未《いま》だ嘗《かつ》て心遣《こころづかい》さえした事がない。その心根を糺《ただ》すと、吾等が生れる以上、空気は無ければならない筈《はず》だ位に観じているらしい。けれども、この空気があればこそ人間が生れるのだから、実を云えば、人間のために出来た空気ではなくて、空気のために出来た人間なのである。今にもあれこの空気の成分に多少の変化が起るならば、――地球の歴史は既にこの変化を予想しつつある――活潑《かっぱつ》なる酸素が地上の固形物と抱合《ほうごう》して次第《しだい》に減却《げんきゃく》するならば、炭素が植物に吸収せられて黒い石炭層に運び去るるならば、月球の表面に瓦斯《ガス》の懸《かか》らぬ如くに、吾等の世界もまた冷却し尽すならば、吾等は悉《ことごと》く死んでしまわねばならない。今の余の様に生き延びた自分を祝い、遠く逝《ゆ》く他人を悲しみ、友を懐《なつか》しみ敵を悪《にく》んで、内輪だけの活計に甘《あま》んじて得意にその日を渡《わた》る訳には行くまい。

進んで無機有機を通じ、動植両界を貫《つらぬ》き、それ等を万里一条の鉄*の如くに隙間なく発展して来た進化の歴史と見做《みな》すとき、そうして吾等人類がこの大歴史中の単なる一頁を埋むべき材料に過ぎぬ事を自覚するとき、百尺竿頭《ひやくせきかんとう》*に上《のぼ》り詰《つ》めたと自任する人間の自惚《うぬぼれ》は又急に脱落《だつらく》しなければならない。支那人が世界の地図を開いて、自分の居る所だけが中華でないと云う事を発見した時よりも、無気味な黒船が来て日本だけが神国でないという事を覚《さと》った時よりも、更に溯っては天動説が打ち壊《こわ》されて、地球が宇宙の中心でなかった事を無理に合点《がてん》せしめられた時よりも、進化論を知り、星雲説を想像する現代の吾等は辛《から》きジスイリュージョンを甞《な》めている。

種類保存のためには個々の滅亡《めつぼう》を意とせぬのが進化論の原則である。学者の例証する所によると、一疋《ぴき》の大口魚《たら》が毎年生む子の数は百万疋とか聞く。牡蠣《かき》になるとそれが二百万の倍数に上るという。そのうちで生長するのは僅《わず》か数匹《すひき》に過ぎないのだから、自然は経済的に非常な濫費者《らんぴしや》であり、徳義上には恐るべく残酷《ざんこく》な父母である。人間の生死も人間を本位とする吾等から云えば大事件に相違《そうい》ないが、しばらく立場を易《か》えて、自己が自然になり済ました気分で観察したら、ただ至当の成行で、そこに喜びそこに悲しむ理窟《りくつ》は毫《ごう》も存在していないだろう。

こう考えた時、余は甚だ心細くなった。又甚だつまらなくなった。そこで殊更《ことさら》に気分を易えて、この間大磯《おおいそ》で亡《な》くなった大塚夫人*の事を思い出しながら、夫人のために手向《たむけ》の句を作った。

有る程の菊抛《な》げ入れよ棺《かん》の中《なか》

八

忘るべからざる八月二十四日の来《きた》る二週間程《ほど》前から余《よ》は既に病《や》んでいた。縁側を絶えず通る湯治客に、吾姿《わがすがた》を見せるのが苦になって、蒸《む》し暑い時ですら障子は常に閉《た》て切っていた。三度々々献立《こんだて》を持って誂《あつらえ》を聞きにくる婆《ばあ》さんに、二品《ふたしな》三品《みしな》口に合いそうなものを注文はしても、膳《ぜん》の上に揃《そろ》った皿を眺《なが》めると共に、何処《どこ》からともなく反感が起って、箸《はし》を執《と》る気にはまるでなれなかった。その内に嘔気《はきけ》が来た。始めは煎薬《せんやく》に似た黄黒い水をしたたかに吐《は》いた。吐いた後《あと》は多少気分が癒《なお》るので、聊《いささか》の物は咽喉《のど》を越した。然《しか》し越した嬉《うれ》しさがまだ消えないうちに、又その聊《いささか》の胃に滞《とどこ》うる重き苦しみに堪《た》え切れなくなって来た。そうして又吐いた。吐くものは大概《たいがい》水である。その色が段々変って、仕舞《しまい》には緑青《ろくしょう》の様な美くしい液体になった。しかも一粒《りゅう》の飯さえ敢《あえ》て胃に送り得ぬ恐怖《きょうふ》と用心の下《もと》に、卒然として容赦《ようしゃ》なく食道を逆さまに流れ出た。

青いものが又色を変えた。始めて熊の胆《い》を水に溶《と》き込《こ》んだ様に黒ずんだ濃《こ》い汁《しる》を、金盥《かなだらい》になみなみと反《もど》した時、医者は眉《まゆ》を寄せて、こういうものが出る様では、今のうち安静にして東京に帰った方が好かろうと注告*した。余は金盥の中を指《ゆびさ》して一体何が出るのかと質問した。医者は興のない顔付で、これは血だと答えた。けれども余の眼にはこの黒いものが血とは思えなかった。すると又吐いた。その時は熊の胆の色が少し紅《くれない》を含《ふく》んで、咽喉《のど》を出る時腥《なまぐさ》い臭《かおり》がぷんと鼻を衝《つ》いたので、余は胸を抑《おさ》えながら自分で血だ血だと云った。玄耳《げんじ》君が驚《おど》ろいて森成《もりなり》さんに坂元《さかもと》君を添《そ》えてわざわざ修善寺まで寄こしてくれたのは、この報知が長距離電話で胃腸病院へ伝って、其所《そこ》から又直《すぐ》に社へ通じたからである。別館から馳《か》けて来た東洋城《とうようじょう》が枕辺《まくらべ》に立って、今日東京から医者と社員が来る筈になったと知らしてくれた時は全く救われた様な気がした。

この時の余は殆《ほと》んど人間らしい複雑な命を有して生きてはいなかった。苦痛の外は何事をも容《い》れ得ぬ程に烈《はげ》しく活動する胸を懐《いだ》いて朝夕悩《なや》んでいたのである。四十年来の経験を刻んで猶《なお》余りあると見えた余の頭脳は、ただこの截然《せつぜん》たる一苦痛を秒毎《ごと》に深く印《いん》し来《く》るばかりを能事とする様に思われた。従って余の意識の内容はただ一色《ひといろ》の悶《もだえ》に塗抹《とまつ》されて、臍上方《さいじょうほう》三寸*の辺を日夜にうねうね行きつ戻《もど》りつするのみであった。余は明け暮れ自分の身体《からだ》の中《うち》で、この部分だけを早く切り取って犬に投げて遣《や》りたい気がした。それでなければこの恐《おそ》ろしい単調な意識を、一刻も早く何処《どこ》へか打ち遣ってしまいたい気がした。又出来るならば、このまま睡魔《すいま》に冒《おか》されて、前後も知らず一週間程寝込《ねこ》んで、しかる後鷹揚《のちおうよう》な心持をゆたかに抱《いだ》いて、爽《さわや》かな秋の日の光りに、両の眼を颯《さっ》と開けたかった。少くとも汽車に揺《ゆ》られもせず車に乗せられもせず、すうと東京へ帰って、胃腸病院の一室に這入って、其所《そこ》に仰向《あおむ》けに倒《たお》れていたかった。

森成さんが来てもこの苦しみは一寸除《ちょっとと》れなかった。胸の中を棒で攪《か》き混ぜられる様な、又胃の腑《ふ》が不規則な大波をその全面に向って層々と描《えが》き出す様な、異な心持に堪えかねて、床《とこ》の上に起き返りながら、吐いて見ましょうかと云って、腥《なまぐさ》いものを面《ま》のあたり咽喉の奥《おく》から金盥の中に傾《かたむ》けた事もあった。森成さんの御蔭でこの苦しみが大分退《ひ》いた時ですら、動くたびに腥い噫《おくび》は常に鼻を貫ぬいた。血は絶えず腸に向って流れていたのである。

この煩悶《はんもん》に比べると、忘るべからざる二十四日の出来事以後に生きた余は、如何《いか》に安住の地を得て静穏《せいおん》に生を営んだか分らない。その静穏の日が即《すなわ》ち余の一生涯《しょうがい》にあって最も恐るべき危険の日であったのだと云う事を後《あと》から知った時、余は下《しも》の様な詩を作った。

円覚曾参棒喝禅。瞎児何処触機縁。青山不拒庸人骨。回首九原月在天。

九

忘るべからざる二十四日の出来事を書こうと思って、原稿紙《げんこうし》に向いかけると、何だか急に気が進まなくなったので又記憶《きおく》を逆まに向け直して、後戻りをした。東京を立つときから余《よ》は劇《はげ》しく咽喉を痛めていた。一所に来るべき筈《はず》でつい乗り後《おく》れた東洋城の電報を汽車中で受け取って、その意の如《ごと》くに御殿場《ごてんば》で一時間程待ち合せていた間《ま》に、余は不用になった一枚の切符代を割り戻して貰《もら》うために、駅長室へ這入って行った。すると其所《そこ》に腰囲《ようい》何尺とでも形容すべきほど大きな西洋人が、椅子《いす》に腰《こし》を掛けて頻《しき》りに絵端書《えはがき》の表に何か認《したた》めていた。余は駅長に向って当用を弁ずる傍《かたわら》、思いがけない所に思いがけない人がいるものだという好奇心を禁じ得なかった。するとその大男が突然《とつぜん》立ち上がって、貴方《あなた》は英語を話すかと聞くから、嗄《か》れた声で纔《わずか》にイエスと答えた。男は次にこれから京都へ行くにはどの瀛車《きしゃ》へ乗ったら好いか教えてくれと云った。甚《はなは》だ簡単な用向であるから平生ならばどうとも挨拶《あいさつ》が出来るのだけれども、声量を全く失っていた当時の余には、それが非常の困難であった。固《もと》より云う事はあるのだから、何か云おうとするのだが、その云おうとする言葉が咽喉を通るとき千条《ちすじ》に擦《す》り切れでもする如くに、口へ出て来る時分には全く光沢《つや》を失って殆んど用をなさなかった。余は英語に通ずる駅員の助《たすけ》を藉《か》りて、漸《ようや》くのことこの大男を無事に京都へ送り届けた事とは思うが、その時の不愉快《ふゆかい》は未だに忘れない。

修善寺に着いてからも咽喉は一向好くならなかった。医者から薬を貰ったり、東洋城の拵《こしら》えてくれた手製の含漱《がんそう》を用いたりなどして、辛《から》く日常の用を弁ずるだけの言葉を使って済ましていた。その頃《ころ》修善寺には北白川の宮が御出《おいで》になっていた。東洋城は始終そちらの方の務《つとめ》に追われて、つい一丁程しか隔《へだた》っていない菊屋の別舘からも、容易に余の宿までは来る事が出来ない様子であった。凡《すべ》てを片付けてから、夜《よ》の十時過になって、始めて蚊幮《かや》の外まで来て、一言見舞を云うのが常であった。

そういう夜の事であったか、又は昼の話であったか今は忘れたが、ある時何時《いつ》もの様に顔を合わせると、東洋城が突然、殿下《でんか》からあなたに何か講話をして貰いたいという御注文があったと云い出した。この思い掛けない御所望《ごしょもう》を耳にした余は少からず驚いた。けれども自分でさえ聞かずに済めば、聞かずにいたい様な不愉快な声を出して、殿下に御話などをする勇気はとても出なかった。その上羽織も袴《はかま》も持ち合せなかった。そうして余の如き位階のないものが、妄《みだ》りに貴《たつと》い殿下の前に出て然《しか》るべきであるかないかそれが第一分らなかった。実際は東洋城も独断で先例のない事を敢てするのを憚《はばか》って、確《しか》とした御受はしなかったのだそうである。

余の苦痛が咽喉から胃に移る間もなく、東洋城は故郷《ふるさと》にある母の病を見舞うべく、さる人と入れ代って一先《ひとま》ず東京に帰った。殿下もそれから程なく御立になった。そうして忘るべからざる二十四日の来た頃、東洋城は余に関する何の消息も知らずに、又東海道を汽車で西へ下って行った。その時彼は四五分の停車時間を偸《ぬす》んで、三島から余にわざわざ一通の手紙を書いた。その手紙は途中で紛失してしまって、つい宿へ着かなかったけれども、東洋城が御暇乞《おいとまごい》に上がった時、余の病気の事を御忘れにならなかった殿下から、もし逢《あ》う機会があったなら、どうか大事にする様にという様な篤《あつ》い意味の御言葉を承《うけたまわ》ったため、それをわざわざ病中の余に知らせたのだそうである。咽喉の病も癒《い》え、胃の苦しみも去った今の余は、謹《つつし》んで殿下に御礼を申上げなければならない。又殿下の健康を祈らなければならない。

十

雨が頻《しき》りに降った。裏山の絶壁《ぜっぺき》を真逆《まさか》に下る筧《かけひ》の竹が、青く冷たく光って見えた幾《いく》日《にち》を、物憂《ものう》く室《へや》の中に呻吟《しんぎん》しつつ暮していた。人が寐静《ねしず》まると始めて夢を襲《おそ》う（欄干《らんかん》から六尺余りの所を流れる）水の音も、風と雨に打ち消されて全く聞えなくなった。そのうち水が出るとか出たとか云う声が何処《どこ》からともなく耳に響《ひび》いた。お仙と云う下女が来て、昨夕《ゆうべ》桂川《かつらがわ》の水が増したので門の前の小家《こいえ》では大方の荷を拵えて、預けに来たという話をした。序《ついで》に何処とかでは家がまるで流されてしまって、そうしてその家の宝物が何処とかから掘《ほ》り出されたと云う話もした。この下女は伊東の生れで、浜辺か畑中に立って人を呼ぶような大きな声を出す癖《くせ》のある頗《すこぶ》る殺風景な女であったが、雨に鎖《とざ》された山の中の宿屋で、こういう昔の物語めいた、嘘《うそ》か真《まこと》か分らないことを聞かされたときは、御伽噺《おとぎばなし》でも読んだ子供の時の様な気がして、何となく古めかしい香《におい》に包まれた。その上家が流されたのが何処で、宝物を掘出したのが何処か、まるで不明なのを一向構わずに、それが当然である如くに話して行く様子が、如何《いか》にも自分の今居る温泉《ゆ》の宿を、浮世から遠くへ離隔《りかく》して、どんな便りも噂《うわさ》の外には這入《はい》ってこられない山里に変化してしまった所に一種の面白味があった。

とかくするうちにこの楽い空想が、不便な事実となって現れ始めた。東京から来る郵便も新聞も悉《ことごと》く後《おく》れ出した。たまたま着くものは墨《すみ》が煮染《にじ》む程びしょびしょに濡《ぬ》れていた。湿った頁《ページ》を破けない様に開けて見て、始めて都には今洪水《こうずい》が出盛《でさか》っているという報道を、鮮《あざ》やかな活字の上にまのあたり見たのは、何日《いつか》の事であったか、今慥《たし》かには覚ていないけれども、不安な未来を眼先に控《ひかえ》て、その日その日の出来栄《できばえ》を案じながら病む身には、決して嬉《うれ》しい便りではなかった。夜中に胃の痛みで自然と眼が覚めて、身体《からだ》の置所がない程苦い時には、東京と自分とを繋《つな》ぐ交通の縁《えん》が当分切れたその頃《ころ》の状態を、多少心細いものに観じない訳に行かなかった。余の病気は帰るには余り劇し過《す》ぎた。そうして東京の方から余の居る所まで来るには、道路が余り打壊《うちこわ》れ過ぎた。のみならず東京その物が既《すで》に水に浸《つか》っていた。余は殆ど崖《がけ》と共に崩《くず》れる吾家の光景と、茅《ち》が崎《さき》で海に押《お》し流されつつある吾子供等を、夢に見ようとした。雨のしたたか降る前に余は妻《さい》に宛《あ》て手紙を出して置いた。それには好《い》い部屋がないから四五日したら帰ると書いた。又病気が再発して苦んでいると云う事はわざと知らせずに置いた。そうしてその手紙も着いたか着かないか分らない位に考えて寐ていた。

其処《そこ》へ電報が来た。それは恐るべき長い時間と労力を費して、やっとの事無事に宛名の人に通ずるや否《いな》や、その宛名の人をして封《ふう》を切らぬ先に少しはっと思わせた電報であった。然し中は、今度の水害で此方《こちら》は無事だが、其方《そちら》はどうかという、見舞と平信をかねたものに過なかった。出した局の名が本郷とあるのを見てこれは草平君《そうへいくん》を煩《わずら》わしたものと知った。

雨は益《ますます》降り続いた。余の病気は次第に悪い方へ傾《かたぶ》いて行った。その時、余は夜《よ》の十二時頃長距離《ちようきより》電話を掛けられて、硬《かた》い胸を抑えながら受信器を耳に着けた。茅ケ崎の子供も無事、東京の家も無事という事だけが微《かす》かに分った。然しその他は全く不得要領で、殆んど風と話をする如くに纏《まと》まらない雑音がぼうぼうと鼓膜《こまく》に響くのみであった。第一掛《か》けた当人がわが妻《さい》であるという事さえ覚《さと》らずに此方から貴方という敬語を何遍か繰返《くりかえ》した位漠然《ぼんやり》した電話であった。東京の音信《たより》が雨と風と洪水の中に、悩《なや》んでいる余の眼に始めて瞭然《りようぜん》と映ったのは、坐る暇《ひま》もない程忙《ほどいそが》しい思いをした妻が、当時の事情を有のままに認《したた》めた巨細《こさい》の手紙が漸く余の手に落ちた時の事であった。余はその手紙を見て自分の病を忘れる程驚《おどろ》いた。

病んで夢む天の川より出水《でみづ》かな

十一

妻《さい》の手紙は全部の引用を許さぬ程長いものであった。冒頭《ぼうとう》に東洋城から余《よ》の病気の報知を受けた由《よし》と、それが為《た》め少からず心を悩ましている旨《むね》を記《しる》して、看病に行きたいにも汽車が不通で仕方がないから、せめて電話だけでもと思って、その日の中には通じかねる所を、無理な至急報にして貰って、夜半に山田の奥さんの所から掛けたという説明が書いてあった。茅ケ崎にいる子供の安否に就《つい》ても一方《ひとかた》ならぬ心配をしたものらしかった。十間坂下《じっけんざかした》という所は水害の恐れがないけれども、もし万一の事があれば、郵便局から電報で宅まで知らせて貰う筈になっていると、余に安心させるため、わざわざ断ってあった。その外市中大抵《たいてい》の平地《ひらち》は水害を受て、現に江戸川通などは矢来《やらい》の交番の少し下まで浸《つか》った為め、舟に乗って往来《ゆきき》をしているという報知も書き込んであった。然しその頃は後《おく》れながらも新聞が着いたから、一般の模様は妻の便りがなくても略《ほぼ》分っていた。余の心を動かすべき現象は漠然《ばくぜん》たる大社会の雨や水やと戦う有様にあると云うよりも、寧《むし》ろ己《おのれ》だけに密接の関係ある個人の消息にあった。そうしてその個人の二人までに、この雨と水が命の間際《まぎわ》まで祟《たた》った顛末《てんまつ》を、余はこの書面の中《うち》に見出したのである。

一つは横浜に嫁《とつ》いだ妻の妹の運命に関した報知であった。手紙にはこう書いてある。

――

「……梅子事《こと》末の弟を伴《つ》れて塔《とう》の沢《さわ》の福住《ふくずみ》*へ参りおり候処《そうろうところ》、水害のため福住は浪《なみ》に押し流され、浴客六十名のうち十五名行方《ゆくえ》不明との事にて、生死の程も分らず、如何《いかん》とも致《いた》し方なく、横浜へは汽車不通にて参る事叶《かな》わず、電話は申込者多数にて一日を待たねば通じ不申《もうさず》……」

後《あと》には、色々込み入った工面をして電話を掛けた手続が書いてあって、その末に会社の小使とかが徒歩で箱根まで探しに行った揚句《あげく》、幽霊《ゆうれい》の様に哀《あわ》れな姿をした彼女《かのおんな》を伴れて戻《もど》った模様が述べてあった。余は其処《そこ》まで読んで来て、つい二三日前宿の下女から、ある所で水が出て家が流されて、その家の宝物が又ある所から掘り出されたという昔話の様な物語を聞きながら、その裏には自分と利害の糸を絡《から》み合せなければならない恐ろしい事実が潜《ひそ》んでいるとも気が付かずに、尾頭《おがしら》もない夢*とのみ打ち興じて済ましていた自分の無智に驚いた。又その無智を人間に強《し》いる運命の威力《いりょく》を恐れた。

もう一つ余の心を躍《おど》らしたのは、草平君に関する報知《しらせ》であった。妻が本郷の親類で用を足した帰りとかに、水見舞の積《つもり》で柳町の低い町から草平君の住んでいる通りまで来て、此処《ここ》らだがと思いながら、表から奥《おく》を覗《のぞ》いて見ると、かねて見覚のある家がくしゃりと潰《つぶ》れていたそうである。

「家《うち》の人達は無事ですか、何処へ行きましたかと聞いたら、薪屋《まきや》の御上《おかみ》さんが、昨晩の十二時頃に崖《がけ》が崩れましたが、幸いに何方《どなた》も御怪我《おけが》は御座いません。一先ず柳町のこういう所へ御引移りになりましたと、教えてくれましたから、柳町へ来てみると、まだ水の引き切らない床下《ゆかした》のぴたぴたに濡れた貸家に畳《たたみ》建具も何も入れずに、荷物だ荷物だけ運んでありました。実に何と云って好いか憐《あわ》れな姿でお種《たね》さんが、私《わたし》の顔を見ると駈《か》け出して来ました。……晩の御飯を拵《こしら》える事も出来ないだろうと思って、御寿司を誂《あつら》えて御夕飯の代りに上げました……」

草平君は平生《ふだん》から崖崩れを恐れて、出来るだけ表へ寄って寝《ね》るとか聞いていたが、家の潰れた時には、外のものがまるで無難《ぶなん》であったにも拘《かか》わらず、自分だけは少し顔へ怪我をしたそうである。その怪我の事も手紙の中《うち》に書いてあった。余はそれを読んで怪我だけでまず仕合せだと思った。

家を流し崖を崩す凄《すさ》まじい雨と水の中《なか》に都のものは幾万となく恐《おそ》るべき叫《さけ》び声を揚げた。同じ雨と同じ水の中《うち》に余と関係の深い二人は身を以て免《まぬか》れた。そうして余は毫《ごう》も二人の災難を知らずに、遠い温泉《でゆ》の村に雲と煙《けぶり》と、雨の糸を眺《なが》め暮していた。そうして二人の安全であるという報知《しらせ》が着いたときは、余の病が次第々々に危険の方へ進んで行った時であった。

風に聞け何《いづ》れか先に散る木の葉

十二

つづく雨の或宵《あるよい》に、すこし病の閑《ひま》を偸《ぬす》んで、下の風呂場《ふろば》へ降りてみると、半切《はんきれ》を三尺ばかりの長《ながさ》に切って、それを細長く竪《たて》に貼《は》り付けた壁《かべ》の色が、暗く映る灯《ひ》の陰《かげ》に、不図《ふと》余の視線を惹《ひ》いた。余は湯壺《ゆつぼ》の傍《わき》に立ちながら、身体《からだ》を濡《し》めす前に、まずこの異様の広告めいたものを読む気になった。真中《まんなか》に素人《しろうと》落語大会と書いて、その下に催主裸連《はだかれん》と記《しる》してある。場所は「山荘にて」と断って、催《もよお》しのあるべき日取をその傍《わき》に書き添《そ》えた。余はすぐ裸連の何人《なんぴと》なるかを覚《さと》り得た。裸連とは余の隣座敷《となりざしき》にいる泊《とま》り客の自撰《じせん》にかかる異名《いみょう》である。昨日《きのう》の午襖越《ひるふすまご》しに聞いていると、太郎冠者《たろうかじゃ》がどうのこうのと長い評議の末、そこん所でやるまいぞ、やるまいぞにしたら好いじゃねえかと云う様な相談があった。その趣向は寐《ね》ている余とは固《もと》より無関係だから、知ろう筈《はず》もなかったが、とにかくこの議決が山荘での催しに一異彩《いさい》を加えた事は慥《たし》かに違《ちがい》ないと思った。余は風呂場の貼紙に注意してある日付と、裸連の趣向を凝《こ》らしていた時刻を照らし合せつつ、この落語会なるものの、既に滞《とどこお》りなく済んだ昨日の午後を顧《かえり》みて、裸連——少くとも裸連の首脳を構成《かたちづく》る隣座敷の泊り客——の成功を祝せざるを得なかった。

この泊り客は五人連《づれ》で一間《ひとま》に這入っていた。その中《うち》の一番年嵩《としかさ》に見える三十代の男に、その妻君と娘を合せると既に三人になる。妻君は品のいい静かな女であった。子供は猶更大人《なおさらおとな》しかった。その代り夫は頗《すこぶ》る騒々《そうぞう》しかった。あとの二人はいずれも二十代の青年で、その一人は一行のうちで尤《もっと》もやかましく振舞《ふるま》っていた。

誰《たれ》でも中年以後になって、二十一二時代の自分を眼の前に憶《おも》い浮《うか》べてみると、色々回想の簇《むら》がる中に、気恥《きはず》かしくて冷汗《ひやあせ》の流れそうな一断面を見出《みいだ》すものである。余は隣の室《へや》に呻吟《しんぎん》しながら、この若い男の言葉使いや起居《たちい》を注意すべく余儀《よぎ》なくされた結果として、二十年の昔に経過した、自分の生涯《しょうがい》のうちで、甚《はなは》だ不面目と思わざるを得ない生意気さ加減を今更の様に恐れた。

この男は何の必要があってか知らないけれども、絶えず大道で講演でもする様に大きな声を出して得意であった。そうして下女が来ると、必ず通客《つうかく》めいた粋《いき》がりを連発した。それを隣坐敷《ざしき》で聞いていると、ウィットにもならなければヒューモーにもなっていないのだから、如何《いか》にも無理やりに、（しかも大《だい》得意に、）半可《はんか》*もしくは四半可《しはんか》を殺風景に怒鳴りつけているとしか思われなかった。ところが下女の方では、又それを聞くたびに不必要にふんだんな笑い方をした。本気とも御世辞とも片の付かない笑い方だけれども、声帯に異状のある様な恐ろしい笑い方をした。病気にのみ屈託《くったく》する余も、これには少からず悩まされた。

裸連の一部は下座敷にも居た。凡《すべ》てで九人いるので、自《みずか》ら九人組とも称《とな》えていた。その九人組が丸裸になって幅《はば》六尺の縁側へ出て踊《おどり》をおどって一晩跳《は》ね廻った。便所へ行く必要があって、障子の外へ出たら、九人組は躍り草臥《くたびれ》て、素裸のまま縁側に胡坐《あぐら》をかいていた。余は邪魔《じゃま》になる尻《しり》や脛《すね》の間を跨《また》いで用を足して来た。

長い雨が漸《ようや》く歇《や》んで、東京への汽車が略《ほぼ》通ずる様になった頃、裸連は九人とも申し合せた様に、どっと東京へ引き上げた。それと入れ代りに、森成さんと雪鳥君と妻《さい》とが前後して東京から来てくれた。そうして裸連のいた部屋を借り切った。その次の部屋もまた借り切った。仕舞には新築の二階座敷を四間とも吾有《わがゆう》とした。余は比較的閑《ひかくてきかん》寂《じゃく》な月日の下《もと》に、吸飲《すいのみ》から牛乳を飲んで生きていた。一度は匙《さじ》で突《つ》き砕《くだ》いた水瓜《すいか》の底から湧《わ》いて出る赤い汁《しる》を飲まして貰《もら》った。弘法様《こうぼうさま》*で花火の揚った宵は、縁近く寐床《ねどこ》を摺《ず》らして、横になったまま、初秋の天《そら》を夜半《やはん》近《ちか》くまで見守っていた。そうして忘るべからざる二十四日の来るのを無意識に待っていた。

萩《はぎ》に置く露《つゆ》の重きに病む身かな

十三

その日は東京から杉本さんが診察に来る手筈になっていた。雪鳥君が大仁《おおひと》まで迎《むかい》に出たのは何時頃《ごろ》か覚えていないが、山の中を照す日がまだ山の下に隠《かく》れない午過《ひるすぎ》であったと思う。その山の中を照す日を、床を離《はな》れる事の出来ない、又室《へや》を出る事の叶わない余《よ》は、朝から晩まで殆《ほと》んど仰《あお》ぎ見た試しがないのだから、こう云うのも実は廂《ひさし》の先に余る空の端《はし》だけを目当に想像した刻限である。——余は修善寺《しゅぜんじ》に二月《ふたつき》と五日ほど滞在しながら、何方《どちら》が東で、何方が西か、どれが伊東へ越す山で、どれが下田へ出る街道《かいどう》か、まるで知らずに帰ったのである。

杉本さんは予定の如《ごと》く宿へ着いた。余はその少し前に、妻《さい》の手から吸飲《すいのみ》を受け取って、細長い硝子《がらす》の口から生温《なまぬる》い牛乳を一合程飲んだ。血が出てから、安静状態と流動食事とは固く守らなければならない掟《おきて》の様になっていたからである。その上出来るだけ病人に営養を与《あた》えて、体力の回復の方から、潰瘍《かいよう》の出血を抑《おさ》え付けるという療治法を受けつつあった際だから、否応《いやおう》なしに飲んだ。実を云うとこの日は朝から食慾《しょくよく》が萌《きざ》さなかったので、吸飲の中に、動く事の出来ぬほど濁《にご》った白い色の漲《みな》ぎる様を見せられた時は、すぐと重苦しく舌の先に溜《たま》るしつ濃《こ》い乳の味を予想して、手に取らない前から既《すで》に反感を起した。強《し》いられた時、余は已《や》むなく細長く反《そ》り返った硝子の管を傾《かたむ》けて、湯とも水とも捌《さば》けない液《しる》を、舌の上に辷《すべ》らせようと試みた。それが流れて咽喉《のど》を下る後《あと》には、潔《いさぎ》よからぬ粘《ねば》り強い香《か》が妄《みだ》りに残った。半分は口直しの積りであとから氷《アイス》クリームを一杯取って貰った。ところが何時《いつ》もの爽《さわや》かさに引き更《か》えて、咽喉を越すとき一旦《いったん》溶けたものが、胃の中で再び固まった様に妙《みょう》に落ち付が悪かった。それから二時間ほどして余は杉本さんの診察を受けたのである。

　診察の結果として意外にもさほど悪くないと云う報告を得た時、平生森成さんから病気の質《たち》が面白くないと聞いていた雪鳥君は、喜びの余りすぐ社へ向けて好いという電報を打ってしまった。忘るべからざる八百グラムの吐《と》血《けつ》は、この吉報を逆襲《ぎゃくしゅう》すべく、診察後一時間後の暮方に、突如《とつじょ》として起ったのである。

　かく多量の血を一度に吐《は》いた余は、その暮方の光景から、日のない真夜中を通して、明る日の天明に至る有様を巨細《こさい》残らず記憶《きおく》している気でいた。程《ほど》経て妻《さい》の心覚《こころおぼえ》に付けた日記を読んでみて、その中に、ノウヒンケツ（狼狽《ろうばい》した妻は脳貧血をかくの如く書いている）を起し人事不省に陥《おちい》るとあるのに気が付いた時、余は妻を枕辺《まくらべ》に呼んで、当時の模様を委《くわ》しく聞く事が出来た。徹頭徹尾《てっとうてつび》明瞭《めいりょう》な意識を有して注射を受けたとのみ考えていた余は、実に三十分の長い間死んでいたのであった。

夕暮間近く、俄《にわ》かに胸苦しい或物のために襲《おそ》われた余は、悶《もだ》えたさの余りに、折角親切に床の傍《わき》に坐っていてくれた妻に、暑苦しくて不可《い》けないから、もう少し其方《そっち》へ退《ど》いてくれと邪慳《じゃけん》に命令した。それでも堪《た》えられなかったので、安静に身を横《よこ》たうべき医師からの注意に背《そむ》いて、仰向《あおむけ》の位地から右を下に寐返ろうと試みた。余の記憶に上《のぼ》らない人事不省の状態は、寐ながら向《むき》を換《か》えにかかったこの努力に伴《ともな》う脳貧血の結果だと云う。

余はその時さっと迸《ほとば》しる血潮を、驚《おど》ろいて余に寄り添おうとした妻の浴衣《ゆかた》に、べっとり吐き懸けたそうである。雪鳥君は声を顫《ふる》わしながら、奥さん確《しっ》かりしなくては不可ませんと云ったそうである。社へ電報を懸けるのに、手が戦《わなな》いて字が書けなかったそうである。医師は追っ懸け追っ懸け注射を試みたそうである。後《あと》から森成さんにその数を聞いたら、十六筒《とう》までは覚えていますと答えた。

淋漓絳血腹中文。嘔照黄昏漾綺紋。入夜空疑身是骨。臥牀如石夢寒雲。

十四

眼を開けて見ると、右向になったまま、瀬戸引《せとびき》の金盥《かなだらい》の中に、べっとり血を吐いていた。金盥が枕に近く押付《おしつ》けてあったので、血は鼻の先に鮮《あざや》かに見えた。その色は今日までの様に酸の作用を蒙《こうむ》った不明瞭なものではなかった。白い底に大きな動物の肝《きも》の如くどろりと固まっていた様に思う。その時枕元で含嗽《うがい》を上げましょうという森成さんの声が聞えた。

余《よ》は黙《だま》って含嗽《うがい》をした。そうして、つい今しがた傍《そば》にいる妻《さい》に、少し其方《そっち》へ退《ど》いてくれと云った程の煩悶《はんもん》が忽然何処《こつぜんどこ》かへ消えてなくなった事を自覚した。余は何より先にまあ可《よ》かったと思った。金盥に吐いたものが鮮血《せんけつ》であろうと何であろうと、そんな事は一向気に掛《か》からなかった。日頃からの苦痛の塊《かたまり》を一度にどさりと打ち遣《や》り切ったという落付をもって、枕元の人がざわざわする様子を殆んど余所事《よそごと》の様に見ていた。余は右の胸の上部に大きな針を刺《さ》されてそれから多量の食塩水を注射された。その時、食塩を注射される位だから、多少危険な容体に逼《せま》っているのだろうとは思ったが、それも殆んど心配にはならなかった。ただ管の先から水が洩《も》れて肩《かた》の方へ流れるのが厭《いや》であった。左右の腕《うで》にも注射を受けた様な気がした。然《しか》しそれは確然《はっきり》覚えていない。妻が杉本さんに、これでも元の様になるでしょうかと聞く声が耳に入った。さよう潰瘍ではこれまで随分《ずいぶん》多量の血を止めた事もありますが……と云う杉本さんの返事が聞えた。すると床の上に釣《つ》るした電気燈がぐらぐらと動いた。硝子《ガラス》の中に彎曲《わんきょく》した一本の光が、線香煙花《せんこうはなび》の様に疾《と》く閃《きら》めいた。余は生れてからこの時程強く又恐ろしく光力を感じた事がなかった。その咄嗟《とっさ》の刹那《せつな》にすら、稲妻《いなずま》を眸《ひとみ》に焼き付けるとはこれだと思った。時に突然電気燈が消えて気が遠くなった。

カンフル、カンフルと云う杉本さんの声が聞えた。杉本さんは余の右の手頸《てくび》をしかと握《にぎ》っていた。カンフルは非常に能《よ》く利《き》くね、注射し切らない内から、もう反響《はんきょう》があると杉本さんが又森成さんに云った。森成さんはええと答えたばかりで、別にはかばかしい返事はしなかった。それからすぐ電気燈に紙の蔽《おおい》をした。

傍《はた》が一しきり静かになった。余の左右の手頸は二人の医師に絶えず握られていた。その二人は眼を閉じている余を中に挟《はさ》んで下《しも》の様な話をした（その単語は悉《ことごと》く独逸語《ドイツご》であった）。

「弱い」

「ええ」

「駄目《だめ》だろう」

「ええ」

「子供に会わしたらどうだろう」

「そう」

今まで落付いていた余はこの時急に心細くなった。どう考えても余は死にたくなかったからである。又決して死ぬ必要のない程、楽な気持でいたからである。医師が余を昏睡《こんすい》の状態にあるものと思い誤って、忌憚《きたん》なき話を続けているうちに、未練な余は、瞑目不動《めいもくふどう》の姿勢にありながら、半《なかば》無気味な夢に襲われていた。そのうち自分の生死に関する斯様《かよう》に大胆《だいたん》な批評を、第三者として床の上にじっと聞かせられるのが苦痛になって来た。仕舞《しまい》には多少腹が立った。徳義上もう少しは遠慮《えんりょ》しても可《よ》さそうなものだと思った。遂《つい》に先がそう云う料簡《りょうけん》なら此方《こっち》にも考えがあるという気になった。——人間が今死のうとしつつある間際《まぎわ》にも、まだこれ程に機略を弄《ろう》し得るものかと、回復期に向った時、余はしばしば当夜の反抗心《はんこうしん》を思い出しては微笑《ほほえ》んでいる。——尤《もっと》も苦痛が全く取れて、安臥《あんが》の地位を平静に保っていた余には、充分《じゅうぶん》それだけの余裕《よゆう》があったのであろう。

余は今まで閉じていた眼を急に開けた。そうして出来るだけ大きな声と明瞭な調子で、私は子供などに会いたくはありませんと云った。杉本さんは何事をも意に介《かい》せぬ如く、そうですかと軽く答えたのみであった。やがて食い掛けた食事を済まして来るとか云って室《へや》を出て行った。それからは左右の手を左右に開いて、その一つずつを森成さんと雪鳥君に握られたまま、三人とも無言のうちに天明に達した。

冷やかな脈《みゃく》を護《まも》りぬ夜明方

十五

強《し》いて寐返《ねがえ》りを右に打とうとした余《よ》と、枕元の金盥に鮮血を認めた余とは、一分《ぶ》の隙《すき》もなく連続しているとのみ信じていた。その間には一本の髪毛《かみけ》を挟む余地のないまでに、自覚が働いて来たとのみ心得ていた。程経て妻《さい》から、そうじゃありません、あの時三十分ばかりは死んで入らしったのですと聞いた折は全く驚いた。子供のとき悪戯《いたずら》をして気絶をした事は二三度あるから、それから推測して、死とは大方こんなものだろう位にはかねて想像していたが、半時間の長き間、その経験を繰返《くりかえ》しながら、少しも気が付かずに一カ月あまりを当然の如くに過したかと思うと、甚《はなは》だ不思議な心持がする。実を云うとこの経験——第一経験と云い得るかが疑問である。普通《ふつう》の経験と経験の間に挟まって毫《ごう》もその連結を妨《さまた》げ得ないほど内容に乏《とぼ》しいこの――余は何と云ってそれを形容して可《い》いか遂に言葉に窮《きゅう》してしまう。余は眠《ねむり》から醒《さ》めたという自覚さえなかった。陰《かげ》から陽《ひ》に出たとも思わなかった。微《かす》かな羽音、遠きに去る物の響《ひびき》、逃《に》げて行く夢の匂《にお》い、古い記憶の影《かげ》、消える印象の名残《なごり》――凡《すべ》て人間の神秘を叙述《じょじゅつ》すべき表現を数え尽《つく》して漸《ようや》く髣髴《ほうふつ》すべき霊妙《れいみょう》な境界《きょうがい》を通過したとは無論考えなかった。ただ胸苦《むなぐる》しくなって枕の上の頭を右に傾むけようとした次の瞬間《しゅんかん》に、赤い血を金盥の底に認めただけである。その間に入《い》り込んだ三十分の死は、時間から云っても、空間から云っても経験の記憶として全く余に取って存在しなかったと一般である。妻の説明を聞いた時余は死とはそれ程はかないものかと思った。そうして余の頭の上にしかく卒然と閃《きら》めいた生死二面の対照の、如何《いか》にも急劇でかつ没交渉《ぼっこうしょう》なのに深く感じた。どう考えてもこの懸隔《かけへだ》った二つの現象に、同じ自分が支配されたとは納得出来なかった。よし同じ自分が咄嗟《とっさ》の際に二つの世界を横断したにせよ、その二つの世界が如何なる関係を有するがために、余をして忽《たちま》ち甲から乙に飛び移るの自由を得せしめたかと考えると、茫然《ぼうぜん》として自失せざるを得なかった。

　生死とは緩急《かんきゅう》、大小、寒暑と同じく、対照の連想からして、日常一束に使用される言葉である。よし輓近《ばんきん》の心理学者の唱うる如《ごと》く、この二つのものもまた普通の対照と同じく同類連想の部に属すべきものと判ずるにした所で、かく掌《てのひら》を翻《ひるが》えすと一般に、唐突《とうとつ》なる懸け離《はな》れた二象面《フェーゼス》が前後して我を擒《とりこ》にするならば、我はこの懸け離れた二象面《フェーゼス》を、どうして同性質のものとして、その関係を迹付《あとづ》ける事が出来よう。

人が余に一個の柿を与《あた》えて、今日は半分喰え、明日《あす》は残りの半分の半分を喰え、その翌日《あくるひ》は又その半分の半分を喰え、かくして毎日現に余れるものの半分ずつを喰えと云うならば、余は喰い出してから幾日目《いくかめ》かに、遂にこの命令に背《そむ》いて、残る全部を悉《ことごと》く喰い尽すか、又は半分に割る能力の極度に達した為《た》め、手を拱《こまぬ》いて空《むな》しく余れる柿の一片を見詰《みつ》めなければならない時機が来るだろう。もし想像の論理を許すならば、この条件の下《もと》に与えられたる一個の柿は、生涯《しょうがい》喰っても喰い切れる訳がない。希《ギ》臘《シャ》の昔ゼノが足の疾《と》きアキリスと歩みの鈍《のろ》い亀との間に成立する競争に辞《ことば》を託《たく》して、如何なるアキリスも決して亀に追い付く事は出来ないと説いたのは取《とり》も直さずこの消息である。わが生活の内容を構成《かたちづく》る個々の意識もまたかくの如くに、日毎《ごと》か月毎に、その半《なかば》ずつを失って、知らぬ間に何時《いつ》か死に近づくならば、いくら死に近付いても死ねないと云う非事実な論理に愚弄《ぐろう》されるかも知れないが、こう一足飛びに片方から片方に落ち込《こ》む様な思索《しさく》上の不調和を免《まぬ》かれて、生から死に行く径路を、何の不思議もなく最も自然に感じ得るだろう。俄然《がぜん》として死し、俄然として吾《われ》に還《かえ》るものは、否《いな》、吾に還ったのだと、人から云い聞かさるるものは、ただ寒くなるばかりである。

縹緲玄黄外。死生交謝時。寄託冥然去。我心何所之。帰来覓命根。

杳窅竟難知。孤愁空遶夢。宛動粛瑟悲。江山秋已老。粥薬髩将衰。

廓寥天尚在。高樹独余枝。晩懐如此澹。風露入詩遅。

十六

安らかな夜《よ》は次第に明けた。室《へや》を包む影法師が床《とこ》を離れて遠退《とおの》くに従って、余《よ》は又常の如く枕辺《まくらべ》に寄る人々の顔を見る事が出来た。その顔は常の顔であった。そうして余の心もまた常の心であった。病の何処《どこ》にあるかを知り得ぬ程《ほど》に落ち付いた身を床の上に横《よこた》えて、少しだに動く必要を有《も》たぬ余に、死の猶《なお》近く徘徊《はいかい》していようとは全く思い設けぬ所であった。眼を開けた時余は昨夕《ゆうべ》の騒《さわ》ぎを（たとい忘れないまでも）ただ過去の夢の如く遠くに眺《なが》めた。そうして死は明け渡《わた》る夜と共に立ち退《の》いたのだろう位の度胸でも据《すわ》ったものと見えて、何等の掛念《けねん》もない気分を、障子から射《さ》し込む朝日の光に、心地よく曝《さら》していた。実は無知な余を詐わり終せた死は、何時《いつ》の間にか余の血管に潜《もぐ》り込んで、乏《とも》しい血を追い廻しつつ流れていたのだそうである。「容体を聞くと、危険なれど極安静《ごく》にしていれば持ち直すかも知れぬという」とは、妻《さい》のこの日の朝の部に書き込んだ日記の一句である。余が夜明まで生きようとは、誰《だれ》も期待していなかったのだとは後《あと》から聞いて始めて知った。

余は今でも白い金盥《かなだらい》の底に吐《は》き出された血の色と恰好《かっこう》とを、ありありとわが眼の前に思い浮《うか》べる事が出来る。況《ま》してその当分は寒天の様に固まり掛けた腥《なまぐさ》いものが常に眼先に散ら付いていた。そうして吾が想像に映る血の分量と、それに起因した衰弱《すいじゃく》とを比較《ひかく》しては、どうしてあれだけの出血が、こう劇《はげ》しく身体《からだ》に応《こた》えるのだろうと何時でも不審に堪《た》えなかった。人間は脈の中の血を半分失うと死に、三分の一失うと昏睡《こんすい》するものだと聞いて、それに吾とも知らず妻《さい》の肩《かた》に吐き掛けた生血の容積《かさ》を想像の天秤《てんびん》に盛って、命の向う側に重りとして付け加えた時ですら、余はこれ程無理な工面をして生き延びたのだとは思えなかった。

杉本さんが東京へ帰るや否や、――杉本さんはその朝すぐ東京へ帰った。もっと居りたいが忙《いそ》がしいから失礼します、その代り手当は充分《じゅうぶん》する積《つもり》でありますと云って、新らしい襟《えり》と襟飾《えりかざり》を着け易《か》えて、余の枕辺に坐ったとき、余は昨夕夜半《ゆうべよなか》に、裄丈《ゆきたけ》の足りない宿の浴衣《ゆかた》を着たまま、そっと障子を開けながら、どうかと一言《ひとこと》森成さんに余の様子を聞いていた彼人《かのひと》の様子を思い出した。余の記憶《きおく》にはただそれだけしか留まらなかった杉本さんが、出掛《でがけ》に妻を顧《かえり》みて、もう一遍吐血《いっぺんとけつ》があれば、どうしても回復の見込はないものと御諦《おあき》らめなさらなければ不可《いけ》ませんと注意を与えたそうである。実は昨夕にもこの恐《おそ》るべき再度の吐血が来そうなので、態々《わざわざ》モルヒネまで注射してそれを防ぎ止めたのだとは、後《のち》になってその顚末《てんまつ》を審《つまび》らかにした余に取って、全く思い掛けない報知であった。あれ程胸の中《うち》は落ち付いていたものをと云いたい位に、余は平常《へいぜい》の心持で苦痛なくその夜を明したのである。——話がつい外《そ》れてしまった。

杉本さんは東京へ帰るや否や、自分で電話を看護婦会へ掛けて、看護婦を二人すぐ余の出先へ送る様に頼《たの》んでくれた。その時、早く行かんと間に合わないかも知れないからと電話口で急《せ》いたので、看護婦は汽車で走る途々《みちみち》も、もう不可ない頃《ころ》ではなかろうかと、絶えず余の生命に疑いを挟《さしは》さんでいた。折角行っても、行き着いて見たら、遅過《おそす》ぎて間に合わなかったと云う様な事があってはつまらないと語り合って来た。——これも回復期に向いた頃、病牀《びょうしょう》の徒然《つれづれ》に看護婦と世間話をした序《ついで》に、彼等の口からじかに聞いたたよりである。

かく凡ての人に十の九まで見放された真中《まなか》に、何事も知らぬ余は、曠野《こうや》に捨てられた赤子の如く、ぼかんとしていた。苦痛なき生《せい》は余に向って何等の煩悶《はんもん》をも与えなかった。余は寐ながらただ苦痛なく生きておるという一事実を認めるだけであった。そうしてこの事実が、はからざる病のために、周囲の人の丁重《ていちょう》な保護を受けて、健康な時に比べると、一歩浮世の風の当り悪い安全な地に移って来た様に感じた。実際余と余の妻とは、生存競争の辛《から》い空気が、直《じか》に通わない山の底に住んでいたのである。

露《つゆ》けさの里にて静なる病

十七

臆病者《おくびょうもの》の特権として、余《よ》はかねてより妖怪《ようかい》に逢《あ》う資格があると思っていた。余の血の中には先祖の迷信《めいしん》が今でも多量に流れている。文明の肉が社会の鋭《するど》き鞭《むち》の下《もと》に萎《い》縮《しゅく》するとき、余は常に幽霊を信じた。けれども虎列剌《これら》を畏《おそ》れて虎列剌に罹《かか》らぬ人の如く、神に祈って神に棄《す》てられた子の如く、余は今日《きょう》までこれと云う不思議な現象に遭《そう》遇《ぐう》する機会もなく過ぎた。それを残念と思う程《ほど》の好奇心もたまには起るが、平生はまず出逢わないのを当然と心得て済まして来た。

自白すれば、八九年前《ぜん》アンドリュ・ラング*の書いた「夢と幽霊」という書物を床の中に読んだ時は、鼻の先の燈火《ともしび》を一時に寒く眺めた。一年程前にも「霊妙《れいみょう》なる心力」と云う標題に引かされてフランマリオン*という人の書籍《しょせき》を、わざわざ外国から取り寄せた事があった。先頃は又オリヴァー・ロッジ*の「死後の生」を読んだ。死後の生！　名からしてが既《すで》に妙である。我々の個性が我々の死んだ後《のち》までも残る、活動する、機会があれば、地上の人と言葉を換《かわ》す。スピリチズム*の研究を以《もっ》て有名であったマイエル*は慥《たし》かにこう信じていたらしい。そのマイエルに自己の著述を捧《ささ》げたロッジも同じ考えの様に思われる。ついこの間出たポドモア*の遺著も恐らくは同系統のものだろう。

独乙《ドイツ》のフェヒナー*は十九世紀の中頃既に地球その物に意識の存すべき所以《ゆえん》を説いた。石と土と鉱《あらがね》に霊があると云うならば、有るとするを妨《さまた》げる自分ではない。然《しか》しせめてこの仮定から出立《しゅったつ》して、地球の意識とは如何《いか》なる性質のものであろう位の想像はあって然《しか》るべきだと思う。

吾々の意識には敷居の様な境界線があって、その線の下は暗く、その線の上は明かであるとは現代の心理学者が一般に認識《にんしき》する議論の様に見えるし、又わが経験に照しても至極《しごく》と思われるが、肉体と共に活動する心的現象に斯様《かよう》の作用があったにした所で、わが暗中の意識即《すなわ》ちこれ死後の意識とは受取れない。

大いなるものは小さいものを含《ふく》んで、その小さいものに気が付いているが、含まれたる小さいものは自分の存在を知るばかりで、己等《おのれら》の寄り集って拵《こし》らえている全部に対しては風馬牛《ふうばぎゆう》の如く無頓着《むとんじやく》であるとは、ゼームスが意識の内容を解き放したり、又結び合せたりして得た結論である。それと同じく、個人全体の意識もまたより大いなる意識の中に含まれながら、しかもその存在を自覚せずに、孤立《こりつ》する如くに考えているのだろうとは、彼がこの類推より下し来《きた》るスピリチズムに都合よき仮定である。仮定は人々の随意《ずいい》であり、又時にとって研究上必要の活力でもある。然しただ仮定だけでは、如何《いか》に臆病の結果幽霊を見ようとする、又迷信の極《きよく》不可思議を夢みんとする余も、信力を以て彼等の説を奉《ほう》ずる事が出来ない。

物理学者は分子の容積を計算して蚕の卵にも及《およ》ばぬ（長さ高さともに一ミリメター の）立方体に一千万を三乗した数が這入《はい》ると断言した。一千万を三乗した数とは一の下に零《れい》を二十一付けた莫大《ばくだい》のものである。想像を恣《ほしいま》まにするの権利を有する吾々もこの一の下に二十一の零を付けた数を思い浮べるのは容易でない。

形而下《けいじか》の物質界にあってすら、——相当の学者が綿密な手続を経て発表した数字上の結果すら、吾々はただ数理的の頭脳にのみ尤《もつと》もと首肯《うなず》くだけである。数量のあらましさえ応用の利《き》かぬ心の現象に関しては云うまでもない。よし物理学者の分子に対する如き明瞭《めいりよう》な知識が、吾人《ごじん》の内面生活を照らす機会が来たにした所で、余の心は遂《つい》に余の心である。自分に経験の出来ない限り、如何な綿密な学説でも吾を支配する能力は持ち得まい。

余は一度死んだ。そうして死んだ事実を、平生からの想像通りに経験した。果して時間と空間を超越《ちょうえつ》した。然しその超越した事が何の能力をも意味さなかった。余は余の個性を失った。余の意識を失った。ただ失った事だけが明白なばかりである。どうして幽霊となれよう。どうして自分より大きな意識と冥合《めいごう》出来よう。臆病にしてかつ迷信強き余は、ただこの不可思議を他人《ひと》に待つばかりである。

迎火《むかひび》を焚《た》いて誰《たれ》待つ絽《ろ》の羽織

十八

ただ驚《おど》ろかれたのは身体《からだ》の変化である。騒動《そうどう》のあった明《あく》る朝、何かの必要に促《うな》がされて、肋《あばら》の左右に横たえた手を、顔の所まで持って来ようとすると、急に持主でも変った様に、自分の腕ながらまるで動かなかった。人を煩らわす手数を厭《いと》って、無理に肘《ひじ》を杖《つえ》として、手頸《てくび》から起し掛《か》けたは掛けたが、僅《わず》か何寸かの距離《きょり》を通して、宙に短かい弧線《こせん》を描く努力《どりょく》*と時間とは容易のものでなかった。漸《ようや》く浮き上った筋《きん》の力を利用して、高い方へ引くだけの精気に乏《とぼ》しいので、途中《とちゅう》から断念して、再び元の位置にわが腕《うで》を落そうとすると、それが又安くは落ちなかった。無論そのままにして心を放せば、自然の重みで故《もと》に倒《たお》れるだけの事ではあるが、その倒れる時の激動が、如何に全身に響《ひび》き渡《わた》るかと考えると、非常に恐ろしくなって、ついに思い切る勇気が出なかった。余は卸《おろ》す事も上げる事も、又半途に支える事も出来ない腕を意識しつつその遣《や》り所に窮《きゅう》した。漸く傍《はた》のものの気が付いて、自分の手をわが手に添《そ》えて、無理のない様に顔の所まで持って来てくれて、帰りにもまた二つ腕を一所にしてやっと床の上まで戻《もど》した時には、どうしてこう自己が空虚《くうきょ》になったものか、我ながら殆《ほと》んど想像が付かなかった。後から考えて見て、あれは全く護謨《ゴム》風船《ふうせん》に穴が開いて、その穴から空気が一度に走り出したため、風船の皮が忽《たちま》ちしゅっという音と共に収縮したと一般の吐《と》血《けつ》だから、それでああ身体に応《こた》えたのだろうと判断した。それにしても風船はただ縮まるだけである。不幸にして余の皮は血液の外に大きな長い骨を沢山《たくさん》に包んでいた。その骨が——

余は生れてより以来この時程に吾骨《わが》の硬《かた》さを自覚した事がない。その朝眼が覚めた時の第一の記憶《きおく》は、実にわが全身に満ち渡る骨の痛みの声であった。そうしてその痛みが、宵《よい》に、酒を被《こうぶ》った勢《いきおい》で、多数を相手に劇《はげ》しい喧嘩《けんか》を挑《いど》んだ末、散々に打ち据《す》えられて、手も足も利かなくなった時の如《ご》くに吾《われ》を鈍《にぶ》く叩《たた》きこなしていた。砧《きぬた》に擣《う》たれた布は、こうもあろうかとまで考えた。それ程正体なく極《き》め付けられ了《おわ》った状態を適当に形容するには、ぶ、ち、の、め、すと云う下等社会で用いる言葉が、ただ一つあるばかりである。少しでも身体を動かそうとすると、関節《ふしぶし》がみしみしと鳴った。

昨日《きのう》まで狭《せま》い布団《ふとん》に劃《かく》された余の天地は、急に又狭くなった。その布団のうちの一部分より外に出る能力を失った今の余には、昨日まで狭く感ぜられた布団が更《さら》に大きく見えた。余の世界と接触《せっしょく》する点は、ここに至ってただ肩と脊中《せなか》と細長く伸《の》べた足の裏側に過ぎなくなった。――頭は無論枕《まくら》に着いていた。

これ程に切り詰《つ》められた世界に住む事すら、昨夕《ゆうべ》は許されそうに見えなかったのにと、傍《はた》のものは心の中《うち》で余の為《ため》に観じてくれたろう。何事も弁《わきま》えぬ余にさえそれが憐《あわ》れであった。ただ身の布団に触《ふ》れる所のみがわが世界であるだけに、そうしてその触れる所が少しも変らないために、我と世界との関係は、非常に単純であった。全くスタチック（静）であった。従って安全であった。綿を敷いた棺《かん》の中に長く寐《ね》て、われ棺を出《い》でず、人棺を襲《おそ》わざる亡者《もうじゃ》の気分は――もし亡者に気分が有り得るならば、――この時の余のそれと余り懸《か》け隔《へだ》ってはいなかったろう。

しばらくすると、頭が麻痺《しび》れ始めた。腰《こし》の骨が骨だけになって板の上に載《の》せられている様な気がした。足が重くなった。かくして社会的の危険から安全に保証された余一人の狭い天地にもまた相応の苦しみが出来た。そうしてその苦痛を逃《のが》れるべく余は一寸《すん》の外《ほか》にさえ出る能力を持たなかった。枕元にどんな人がどうして坐っているか、まるで気が付かなかった。余を看護する為に、余の視線の届かぬ傍《かたわ》らを占《し》めた人々の姿は、余に取って神のそれと一般であった。

余はこの安らかながら痛み多き小世界にじっと仰向《あおむけ》に寐たまま、身の及ばざる所に時々眼を走らした。そうして天井《てんじょう》から釣った長い氷嚢《ひょうのう》の糸を屢《しばしば》見詰めた。その糸は冷たい袋《ふくろ》と共に、胃の上でぴくりぴくりと鋭どい脉《みゃく》を打っていた。

朝寒《あささむ》や生きたる骨を動かさず

十九

余《よ》はこの心持をどう形容すべきかに迷う。力を商《あきな》いにする相撲《すもう》が、四つに組んで、かっきり合った時、土俵の真中《まんなか》に立つ彼等の姿は、存外静かに落ち付いている。けれどもその腹は一分と経《た》たないうちに、恐《おそ》るべき波を上下に描《えが》かなければ已《や》まない。そうして熱そうな汗《あせ》の球が幾条《いくすじ》となく脊中《せなか》を流れ出す。

最も安全に見える彼等の姿勢は、この波とこの汗の辛《かろ》うじて齎《もた》らす努力の結果である。静かなのは相剋《あいこく》する血と骨の、僅《わずか》に平均を得た象徴《しょうちょう》である。これを互殺《ごさつ》の和というとき、二三十秒の現状を維持《いじ》するに、彼等がどれほどの気魄《きはく》を消耗《しょうこう》せねばならぬかを思う。看《み》る人は始めて残酷《ざんこく》の感を起すだろう。

自活の計《はかりごと》に追われる動物として、生を営む一点から見た人間は、正《まさ》にこの相撲の如く苦しいものである。吾等は平和なる家庭の主人として、少くとも衣食の満足を、吾等と吾等の妻子とに与《あた》えんがために、この相撲に等しい程の緊張《きんちょう》に甘《あま》んじて、日々自己と世間との間《あいだ》に、互殺の平和を見出《みいだ》そうと力《つと》めつつある。戸外《そと》に出て笑うわが顔を鏡に映すならば、そうしてその笑いの中に殺伐《さつばつ》の気に充《み》ちた我を見出すならば、更にこの笑いに伴《ともな》う恐ろしき腹の波と、脊の汗を想像するならば、最後にわが必死の努力の、回向院《えこういん》のそれの様に、一分足らずで引分を期する望みもなく、命のあらん限《かぎり》は一生続かなければならないという苦しい事実に想《おも》い至るならば、我等は神経衰弱《すいじゃく》に陥《おちい》るべき極度に、わが精力を消耗《しょうこう》するために、日に生き月に生きつつあるとまで言いたくなる。

かく単に自活自営の立場に立って見渡した世の中は悉《ことごと》く敵である。自然は公平で冷酷な敵である。社会は不正で人情のある敵である。もし彼対我の観を極端《きょくたん》に引延ばすならば、朋友《ほうゆう》もある意味に於《お》て敵であるし、妻子もある意味に於て敵である。そう思う自分さえ日に何度となく自分の敵になりつつある。疲《つか》れても已め得ぬ戦いを持続しながら、煢然《けいぜん》*として独りその間《あいだ》に老ゆるものは、見惨《みじめ》と評するより外に評しようがない。

古臭《ふるくさ》い愚痴《ぐち》を繰返《くりかえ》すなという声が頻《しき》りに聞えた。今でも聞える。それを聞き捨てにして、古臭い愚痴を繰返すのは、しみじみそう感じたからばかりではない、しみじみそう感じた心持を、急に病気が来て顚覆《くつがえ》したからである。

血を吐《は》いた余は土俵の上に仆《たお》れた相撲と同じ事であった。自活のために戦う勇気は無論、戦わねば死ぬという意識さえ持たなかった。余はただ仰向けに寝《ね》て、纔《わずか》な呼吸《いき》を敢《あえ》てしながら、怖《こわ》い世間を遠くに見た。病気が床《とこ》の周囲《ぐるり》を屛風《びょうぶ》の様に取り巻いて、寒い心を暖かにした。

今までは手を打たなければ、わが下女さえ顔を出さなかった。人に頼《たの》まなければ用は弁じなかった。いくら仕ようと焦慮《あせ》っても、調わない事が多かった。それが病気になると、がらりと変った。余は寝ていた。黙《だま》って寝ていただけである。すると医者が来た。社員が来た。妻《さい》が来た。仕舞《しまい》には看護婦が二人来た。そうして悉く余の意志を働かさないうちに、ひとりでに来た。

「安心して療養《りょうよう》せよ」と云う電報が満洲から、血を吐いた翌日に来た。思いがけない知己や朋友が代る代る枕元に来た。あるものは鹿児島から来た。あるものは山形から来た。又あるものは眼の前に逼《せま》る結婚を延期して来た。余はこれ等の人に、どうして来たと聞いた。彼等は皆新聞で余の病気を知って来たと云った。仰向《あおむけ》に寝た余は、天井を見詰めながら、世の人は皆自分より親切なものだと思った。住み悪《にく》いとのみ観じた世界に忽《たちま》ち暖かな風が吹《ふ》いた。

四十を越《こ》した男、自然に淘汰《とうた》せられんとした男、さしたる過去を持たぬ男に、忙《いそが》しい世が、これ程《ほど》の手間と時間と親切を掛てくれようとは夢にも待設けなかった余は、病に生き還《かえ》ると共に、心に生き還った。余は病に謝した。又余のためにこれ程の手間と時間と親切とを惜《お》しまざる人々に謝した。そうして願わくは善良な人間になりたいと考えた。そうしてこの幸福な考えをわれに打壊《うちこわ》す者を、永久の敵とすべく心に誓《ちか》った。

馬上青年老。鏡中白髪新。幸生天子国。願作太平民。

二十

ツルゲニェフ以上の芸術家として、有力なる方面の尊敬を新たにしつつあるドストイエフスキーには、人の知る如く、小供の時分から癲癇《てんかん》の発作があった。われ等日本人は癲癇と聞くと、ただ白い泡《あわ》を連想するに過ぎないが、西洋では古くこれを神聖なる疾《やまい》*と称《とな》えていた。この神聖なる疾に冒《おか》される時、或《あるい》はその少し前に、ドストイェフスキーは普通《ふつう》の人が大音楽を聞いて始めて到《いた》り得るような一種微妙《びみょう》の快感に支配されたそうである。それは自己と外界との円満に調和した境地で、丁度天体の端《はし》から、無限の空間に足を滑《すべ》らして落ちるような心持だとか聞いた。

「神聖なる疾」に罹《かか》った事のない余《よ》は、不幸にしてこの年になるまで、そう云う趣《おもむき》に一瞬間《しゅんかん》も捕《とら》われた記憶を有《も》たない。ただ大吐血《だいとけつ》後五六日――経つか経たないうちに、時々一種の精神状態に陥った。それからは毎日の様に同じ状態を繰り返した。遂《つい》には来ぬ先にそれを予期する様になった。そうして自分とは縁《えん》の遠いドストイェフスキーの享《う》けたと云う不可解の歓喜《かんき》をひそかに想像してみた。それを想像するか思い出す程に、余の精神状態は尋常《じんじょう》を飛び越えていたからである。ドクインセイ*の細かに書き残した驚くべき阿片《あへん》の世界も余の連想に上《のぼ》った。けれども読者の心目を眩惑《げんわく》するに足る妖麗《ようれい》な彼の叙述《じょじゅつ》が、鈍い色をした卑しむべき原料から人工的に生れたのだと思うと、それを自分の精神状態に比較《ひかく》するのが急に厭《いや》になった。

余は当時十分と続けて人と話をする煩《わずら》わしさを感じた。声となって耳に響く空気の波が心に伝って、平らかな気分をことさらに騒《ざわ》つかせるように覚えた。口を閉じて黄《こ》金《がね》なりという古い言葉を思い出して、ただ仰向けに寐ていた。難有《ありがた》い事に室《へや》の廂《ひさし》と、向うの三階の屋根の間に、青い空が見えた。その空が秋の露《つゆ》に洗われつつ次第に高くなる時節であった。余は黙ってこの空を見詰めるのを日課の様にした。何事もない、又何物もないこの大空は、その静かな影《かげ》を傾《かた》むけて悉《ことごと》く余の心に映じた。そうして余の心にも何事もなかった、又何物もなかった。透明《とうめい》な二つのものがぴたりと合った。合って自分に残るのは、縹緲《ひょうびょう》とでも形容して可《よ》い気分であった。

その内穏《おだや》かな心の隅《すみ》が、何時《いつ》か薄《うす》く暈《ぼか》されて、其所《そこ》を照す意識の色が微《かす》かになった。すると、ヴェイルに似た靄《もや》が軽く全面に向って万遍なく展《の》びて来た。そうして総体の意識が何処《どこ》も彼処《かしこ》も稀薄《きはく》になった。それは普通の夢の様に濃《こ》いものではなかった。尋常の自覚の様に混雑したものでもなかった。又その中間に横《よこた》わる重い影でもなかった。魂《たましい》が身体《からだ》を抜《ぬ》けると云っては既《すで》に語弊《ごへい》がある。霊《れい》が細かい神経の末端にまで行きわたって、泥《どろ》で出来た肉体の内部を、軽く清くすると共に、官能の実覚から杳《はる》かに遠からしめた状態であった。余は余の周囲に何事が起りつつあるかを自覚した。同時にその自覚が窈窕《ようちょう》として地の臭《におい》を帯びぬ一種特別のものであると云う事を知った。床《ゆか》の下に水が廻って、自然と畳《たたみ》が浮《う》き出すように、余の心は己《おのれ》の宿る身体《からだ》と共に、蒲団《ふとん》から浮き上がった。より適当に云えば、腰と肩《かた》と頭に触《ふ》れる堅《かた》い蒲団が何処かへ行ってしまったのに、心と身体は元の位置に安く漂《ただよ》っていた。発作前に起るドストイェフスキーの歓喜は、瞬刻のために十年もしくは終生の命を賭《と》しても然《しか》るべき性質のものとか聞いている。余のそれはさように強烈《きょうれつ》のものではなかった。寧《むし》ろ恍惚《こうこつ》として幽《かす》かな趣を生活面の全部に軽くかつ深く印《いん》し去ったのみであった。従って余にはドストイェフスキーの受けた様な憂鬱《ゆううつ》性の反動が来なかった。余は朝から屢《しばしば》この状態に入《い》った。午過《ひるすぎ》にもよくこの蕩漾《とうよう》を味《あじわ》った。そうして覚めたときは何時でもその楽しい記憶を抱《いだ》いて幸福の記念とした位であった。

ドストイェフスキーの享《う》け得た境界《きょうがい》は、生理上彼の病の将《まさ》に至らんとする予言である。生を半《なかば》に薄めた余の興致《きょうち》は、単に貧血の結果であったらしい。

仰臥人如唖。黙然見大空。大空雲不動。終日杳相同。

二十一

同じドストイェフスキーもまた死の門口《かどぐち》まで引き摺《ず》られながら、辛《かろ》うじて後戻《あともど》りをする事の出来た幸福な人である。けれども彼の命を危《あや》めにかかった災《わざわい》は、余の場合に於《おけ》るが如き悪辣《あくらつ》な病気ではなかった。彼は人の手に作り上げられた法と云う器械の敵となって、どんと心臓を打ち貫《ぬ》かれようとしたのである。

彼は彼の倶楽部《くらぶ》で時事を談じた。已《や》むなくんば只一撲《ただいっき》あるのみと叫《さけ》んだ。そうして囚《とら》われた。八カ月の長い間薄暗い獄舎《ごくしゃ》の日光に浴したのち、彼は蒼空《あおぞら》の下《もと》に引き出されて、新たに刑壇《けいだん》の上に立った。彼は自己の宣告を受けるため、二十一度の霜《しも》に、襯衣《しゃつ》一枚の裸姿《はだか》となって、申渡の終るのを待った。そうして銃殺《じゅうさつ》に処すの一句を突然《とつぜん》として鼓膜《こまく》に受けた。「本当に殺されるのか」とは、自分の耳を信用しかねた彼が、傍《かたわら》に立つ同囚に問うた言葉である。……白い手帛《はんけち》を合図に振《ふ》った。兵士は覘《ねらい》を定めた銃口《つつぐち》を下に伏せた。ドストイェフスキーはかくして法律の捏《こ》ね丸めた熱い鉛《なまり》の丸《たま》を呑《の》まずに済んだのである。その代り四年の月日をサイベリヤの野に暮した。

彼の心は生から死に行き、死から又生に戻って、一時間と経《た》たぬうちに三たび鋭《する》どい曲折を描《えが》いた。そうしてその三段落が三段落ともに、妥協《だきょう》を許さぬ強い角度で連結された。その変化だけでも驚《おどろ》くべき経験である。生きつつあると固く信ずるものが、突然これから五分のうちに死ななければならないと云う時、既に死ぬと極《きま》ってから、猶《なお》余る五分の命を提《ひっさ》げて、将《まさ》に来《きた》るべき死を迎《むか》えながら、四分、三分、二分と意識しつつ進む時、更《さら》に突《つ》き当ると思った死が、忽《たちま》ちとんぼ返りを打って、新たに生と名づけられる時、――余の如き神経質ではこの三象面《フエーゼス》の一つにすら堪《た》え得まいと思う。現にドストイェフスキーと運命を同じくした同囚の一人は、これがためにその場で気が狂《くる》ってしまった。

それにも拘《かか》わらず、回復期に向った余は、病牀《びょうしょう》の上に寐《ね》ながら、屢《しばし》ばドストイェフスキーの事を考えた。ことに彼が死の宣告から蘇《よみが》えった最後の一幕を眼に浮べた。――寒い空、新らしい刑壇、刑壇の上に立つ彼の姿、襯衣《しゃつ》一枚のまま顫《ふる》えている彼の姿、――悉《ことごと》く鮮《あざ》やかな想像の鏡に映った。独り彼が死刑を免《まぬ》かれたと自覚し得た咄嗟《とっさ》の表情が、どうしても判然《はっきり》映らなかった。しかも余はただこの咄嗟の表情が見たいばかりに、凡《すべ》ての画面を組み立てていたのである。

余は自然の手に罹《かか》って死のうとした。現に少しの間死んでいた。後から当時の記憶《きおく》を呼び起した上、猶所々の穴へ、妻《さい》から聞いた顚末《てんまつ》を埋《う》めて、始めて全く出来上る構図を振り返ってみると、所謂《いわゆる》慄然《りつぜん》と云う感じに打たれなければ已まなかった。その恐《おそ》ろしさに比例して、九仞《きゅうじん》に失った命を一簣《いっき》に取り留める嬉《うれ》しさは又特別であった。この死この生に伴《ともな》う恐ろしさと嬉しさが紙の裏表の如く重なったため、余は連想上常にドストイェフスキーを思い出したのである。

「もし最後の一節を欠いたなら、余は決して正気ではいられなかったろう」と彼自身が物語っている。気が狂うほどの緊張《きんちょう》を幸いに受けずと済んだ余には、彼の恐ろしさ嬉しさの程度を料《はか》り得ぬと云う方が寧《むし》ろ適当かも知れぬ。それであればこそ、画竜点睛《がりゅうてんせい》とも云うべき肝心《かんじん》の刹那《せつな》の表情が、どう想像しても漠《ばく》として眼の前に描き出せないのだろう。運命の擒縦《きんしょう》*を感ずる点に於て、ドストイェフスキーと余とは、殆《ほと》んど詩と散文ほどの相違《そうい》がある。

それにも拘わらず、余は屢ばドストイェフスキーを想像して已まなかった。そうして寒い空と、新らしい刑壇と、刑壇の上に立つ彼の姿と、襯衣一枚で顫えている彼の姿とを、根気よく描き去り描き来《きた》って已まなかった。

今はこの想像の鏡も何時となく曇《くも》って来た。同時に、生き返ったわが嬉しさが日に日にわれを遠ざかって行く。あの嬉しさが始終わが傍《かたわら》にあるならば、――ドストイェフスキーは自己の幸福に対して、生涯感謝する事を忘れぬ人であった。

二十二

余はうとうとしながら何時《いつ》の間にか夢に入《い》った。すると鯉《こい》の跳ねる音で忽ち眼が覚めた。

余が寐ている二階座敷の下はすぐ中庭の池で、中には鯉が沢山に飼ってあった。その鯉が五分に一度位は必ず高い音を立ててぱしゃりと水を打つ。昼のうちでも折々は耳に入った。夜は殊《こと》に甚《はなは》だしい。隣《とな》りの部屋も、下の風呂場も、向うの三階も、裏の山も悉《ことごと》く静まり返った真中《まなか》に、余は絶えずこの音で眼を覚ました。

犬の眠《ねむ》りと云う英語を*知ったのは何時の昔か忘れてしまったが、犬の眠りと云う意味を実地に経験したのはこの頃《ころ》が始めてであった。余は犬の眠りのために夜毎悩《よごとなや》まされた。漸《ようや》く寐付いて難有《ありがた》いと思う間もなく、すぐ眼が開《あ》いて、まだ空は白まないだろうかと、幾度《いくたび》も暁《あかつき》を待ち侘《わ》びた。床《とこ》に縛《しば》り付けられた人の、しんとした夜半《よなか》に、ただ独り生きている長さは存外な長さである。——鯉が勢《いきお》よく水を切った。自分の描いた波の上を叩《たた》く尾の音で、余は眼を覚ました。

室《へや》の中は夕暮よりも猶暗い光で照されていた。天井《てんじょう》から下がっている電気燈の珠《たま》は黒布《くろぬの》で隙間《すきま》なく掩《おお》がしてあった。弱い光りはこの黒布の目を洩《も》れて、微かに八畳の室《へや》を射た。そうしてこの薄暗い灯影《ひかげ》に、真白な着物を着た人間が二人坐っていた。二人とも口を利《き》かなかった。二人とも動かなかった。二人とも膝《ひざ》の上へ手を置いて、互《たが》いの肩を並べたまま凝《じっ》としていた。

黒い布で包んだ球を見たとき、余は紗《しゃ》で金箔《きんぱく》を巻いた弔旗《ちょうき》の頭《あたま》を思い出した。この喪章《もしよう》と関係のある珠の中から出る光線によって、薄く照された白衣《はくい》の看護婦は、静かなる点に於《おい》て、行儀の好い点に於て、幽霊《ゆうれい》の雛《ひな》の様に見えた。そうしてその雛は必要のあるたびに無言のまま必ず動いた。

余は声も出さなかった。呼びもしなかった。それでも余の寐ている位置に、少しの変化さえあれば彼等はきっと動いた。手を毛布《けっと》のうちで、もじ付かせても、心持肩を右から左へ揺《ゆす》っても、頭を――頭は眼が覚める度に必ず麻痺《しび》れていた。或《あるい》は麻痺《しび》れるので眼が覚めるのかも知れなかった。――その頭を枕《まくら》の上で一寸摺《すんず》らしても、或は足――足は能《よ》く寐覚めの種となった。平生《ふだん》の癖《くせ》で時々、片方《かたかた》を片方の上へ重ねて、そのままとろとろとなると、下になった方の骨が沢庵石《たくあんいし》でも載《の》せられた様に、みしみしと痛んで眼が覚めた。そうして余は必ず強い痛さと重たさとを忍《しの》んで足の位置を変えなければならなかった。――これ等のあらゆる場合に、わが変化に応じて、白い着物の動かない事は決してなかった。時にはわが動作を予期して、向うから動くと思われる場合もあった。時には手も足も頭も動かさないのに、眠りが尽《つ》きて不図眼を開けさえすれば、白い着物はすぐ顔の傍《そば》へ来た。余には白い着物を着ている女の心持が少しも分らなかった。けれども白い着物を着ている女は余の心を善く悟《さと》った。そうして影の形に随《したが》う如くに変化した。響《ひびき》の物に応ずる如くに働らいた。黒い布の目から洩れる薄暗い光の下《もと》に、真白《まつしろ》な着物を着た女が、わが肉体の先《せん》を越《こ》して、ひそひそと、しかも規則正しく、わが心のままに動くのは恐ろしいものであった。

余はこの気味の悪い心持を抱いて、眼を開けると共に、ぼんやり眸《ひとみ》に映る室《へや》の天井を眺《なが》めた。そうして黒い布で包んだ電気燈の珠と、その黒い布の織目から洩れてくる光に照らされた白い着物を着た女を見た。見たか見ないうちに白い着物が動いて余に近づいて来た。

秋風鳴万木。山雨撼高楼。病骨稜如剣。一燈青欲愁。

二十三

余《よ》は好意の干《ひ》乾《から》びた社会に存在する自分を甚だぎごちなく感じた。

人が自分に対して相応の義務を尽してくれるのは無論難有《ありがた》い。けれども義務とは仕事に忠実なる意味で、人間を相手に取った言葉でも何でもない。従って義務の結果に浴する自分は、難有いと思いながらも、義務を果した先方に向って、感謝の念を起し悪《にく》い。それが好意となると、相手の所作が一挙一動悉《ことごと》く自分を目的にして働いてくるので、活物《いきもの》の自分にその一挙一動が悉《ことごと》く応《こた》える。其所《そこ》に互を繋《つな》ぐ暖い糸があって、器械的な世を頼《たの》もしく思わせる。電車に乗って一区を瞬く間に走るよりも、人の脊《せ》に負われて浅瀬を越した方が情《なさけ》が深い。

義務さえ素直には尽してくれる人のない世の中に、又《また》自分の義務さえ碌《ろく》に尽しもしない世の中に、こんな贅沢《ぜいたく》を並べるのは過分である。そうとは知りながら余は好意の干乾びた社会に存在する自分を切にぎごちなく感じた。――或る人の書いたものの中に、余りせち辛《がら》い世間だから、自用車を節倹する格で、当分良心を質に入れたとあったが、質に入れるのは固《もと》より一時の融通《ゆうずう》を計る便宜《べんぎ》に過ぎない。今の大多数は質に置くべき好意さえ天《てん》で持っているものが少なそうに見えた。如何《いか》に工面が付いても受出そうとは思えなかった。とは悟りながらやはり好意の干乾びた社会に存在する自分をぎごちなく感じた。

今の青年は、筆を執《と》っても、口を開《あ》いても、身を動かしても、悉く「自我の主張」を根本義にしている。それ程世の中は切り詰《つ》められたのである。それ程世の中は今の青年を虐待《ぎゃくたい》しているのである。「自我の主張」を正面から承《うけたまわ》れば、小憎《こにくら》しい申し分が多い。けれども彼等をしてこの「自我の主張」を敢《あえ》てして憚《はば》かる所なきまでに押し詰めたものは今の世間である。ことに今の経済事情である。「自我の主張」の裏には、首を縊《くく》ったり身を投げたりすると同程度に悲惨《ひさん》な煩悶《はんもん》が含《ふく》まれている。ニーチェは弱い男であった。多病な人であった。又孤独《こどく》な書生であった。そうしてザラツストラはかくの如く叫《さけ》んだのである。

こうは解釈《かいしゃく》する様なものの、依然《いぜん》として余は常に好意の干乾びた社会に存在する自分をぎごちなく感じた。自分が人に向ってぎごちなく振舞《ふるま》いつつあるにも拘《かか》わらず、自《みずか》らをぎごちなく感じた。そうして病に罹《かか》った。そうして病の重い間、このぎごちなさを何処《どこ》へか忘れた。

看護婦は五十グラムの粥《かゆ》をコップの中に入れて、それを鯛味噌《たいみそ》と混ぜ合わして、一《ひと》匙《さじ》ずつ自分の口に運んでくれた。余は雀の子か烏《からす》の子の様な心持がした。医師は病の遠ざかるに連れて、殆《ほと》んど五日目位毎に、余のために食事の献立《こんだて》表を作った。ある時は三通りも四通りも作って、それを比較《ひかく》して一番病人に好さそうなものを撰《えら》んで、あとはそれぎり反故《ほご》にした。

医師は職業である。看護婦も職業である。礼も取れば、報酬《ほうしゅう》も受ける。ただで世話をしていない事は勿論《もちろん》である。彼等を以《もっ》て、単に金銭を得《う》るが故《ゆえ》に、その義務に忠実なるのみと解釈すれば、まことに器械的で、実《み》も蓋《ふた》もない話である。けれども彼等の義務の中に、半分の好意を溶《と》き込《こ》んで、それを病人の眼から透《す》かして見たら、彼等の所作がどれ程《ほど》尊とくなるか分らない。病人は彼等のもたらす一点の好意によって、急に生きて来るからである。余は当時そう解釈して独りで嬉《うれ》しかった。そう解釈された医師や看護婦も嬉しかろうと思う。

子供と違《ちが》って大人《たいじん》は、なまじい一つの物を十筋二十筋の文《あや》から出来た様に見窮《みきわ》める力があるから、生活の基礎となるべき純潔な感情を恣《ほしい》ままに吸収する場合が極《きわ》めて少ない。本当に嬉しかった、本当に難有《ありがた》かった、本当に尊かったと、生涯に何度思えるか、勘定《かんじょう》すれば幾何《いくばく》もない。たとい純潔でなくても、自分に活力を添《そ》えた当時のこの感情を、余はそのまま長く余の心臓の真中《まんなか》に保存したいと願っている。そうしてこの感情が遠からず単に一片の記憶《きおく》と変化してしまいそうなのを切に恐れている。――好意の干乾びた社会に存在する自分を甚だぎごちなく感ずるからである。

天下自多事。被吹天下風。高秋悲鬢白。衰病夢顔紅。

送鳥天無尽。看雲道不窮。残存吾骨貴。慎勿妄磨礱。

二十四

小供のとき家に五六十幅《ぷく》の画《え》があった。ある時は床の間の前で、ある時は蔵《くら》の中で、又ある時は虫干の折に、余は交《かわ》る交《がわ》るそれを見た。そうして懸物《かけもの》の前に独り蹲踞《うずく》まって、黙然《もくねん》と時を過すのを楽《たのしみ》とした。今でも玩具箱《おもちゃばこ》を引繰《ひっく》り返した様に色彩《しきさい》の乱調な芝居を見るよりも、自分の気に入った画に対している方が遥《はる》かに心持が好《い》い。

画のうちでは彩色を使った南画が一番面白かった。惜《お》しい事に余の家の蔵幅にはその南画が少なかった。子供の事だから画の巧拙《こうせつ》などは無論分ろう筈《はず》はなかった。好き嫌《きら》いと云った所で、構図の上に自分の気に入った天然の色と形が表われていればそれで嬉しかったのである。

鑑識《かんしき》上の修養を積む機会を有《も》たなかった余《よ》の趣味《しゅみ》は、その後別段に新らしい変化を受けないで生長した。従って山水によって画を愛するの弊《へい》はあったろうが、名前によって画を論ずるの譏《そし》りも犯《おか》さずに済んだ。丁度画と前後して余の嗜好《しこう》に上《のぼ》った詩と同じく、如何《いか》な大家の筆になったものでも、如何に時代を食ったものでも、自分の気に入らないものは一向顧《かえり》みる義理を感じなかった。(余は漢詩の内容を三分して、いたくその一分を愛すると共に、大いに他の一分をけなしている。残る三分の一に対しては、好むべきか悪《にく》むべきか何《いず》れとも意見を有していない。)

或時、青くて丸い山を向うに控《ひか》えた、又的皪《てきれき》*と春に照る梅を庭に植えた、又柴門《さいもん》の真前《まんまえ》を流れる小河《おがわ》を、垣《かき》に沿うて緩《ゆる》く繞《めぐ》らした、家を見て――無論画絹《えぎぬ》の上に――どうか生涯に一遍で好いからこんな所に住んでみたいと、傍《そば》にいる友人に語った。友人は余の真面目な顔をしけじけ眺めて、君こんな所に住むと、どの位不便なものだか知っているかとさも気の毒そうに云った。この友人は岩手のものであった。余は成程と始めて自分の迂闊《うかつ》を愧《は》ずると共に、余の風流心に泥《どろ》を塗った友人の実際的なのを悪《にく》んだ。

それは二十四五年も前の事であった。その二十四五年の間《あいだ》に、余も已《やむ》を得ず岩手出身の友人の様に次第に実際的になった。崖《がけ》を降りて渓川《たにがわ》へ水を汲《く》みに行くよりも、台所へ水道を引く方が好くなった。けれども南画に似た心持は時々夢を襲《おそ》った。ことに病気になって仰向《あおむけ》に寐《ね》てからは、絶えず美くしい雲と空が胸に描かれた。

すると小宮《こみや》君が歌麿《うたまろ》の錦絵《にしきえ》を葉書に刷ったのを送ってくれた。余はその色合の長い間に自《おのず》と寂《さ》びたくすみ方に見惚《みと》れて、眼を放さずそれを眺めていたが、不図《ふと》裏を返すと、私はこの画の中にある様な人間に生れたいとか何とか、当時の自分の情調とは似ても似付かぬ事が書いてあったので、こんなやにっこい色男は大嫌《だいきらい》だ、おれは暖かな秋の色とその色の中から出る自然の香《か》が好きだと答えてくれと傍《はた》のものに頼んだ。ところが今度は小宮君が自身で枕元へ坐って、自然も好いが人間の背景にある自然でなくっちゃとか何とか病人に向って古臭《ふるくさ》い説を吐《は》き掛《か》けるので、余は小宮君を捕《つらま》えて御前は青二才だと罵《ののし》った。――それ位病中の余は自然を懐《なつ》かしく思っていた。

空が空の底に沈《しず》み切った様に澄《す》んだ。高い日が蒼《あお》い所を目の届くかぎり照らした。余はその射返しの大地に洽《あま》ねき内にしんとして独り温《ぬく》もった。そうして眼の前に群がる無数の赤蜻蛉《あかとんぼ》を見た。そうして日記に書いた。――「人よりも空、語よりも黙《もく》。……肩《かた》に来て人懐かしや赤蜻蛉」

これは東京へ帰った以後の景色である。東京へ帰ったあとも暫《しば》らくは、絶えず美くしい自然の画が、子供の時と同じ様に、余を支配していたのである。

秋露下南磵。黄花粲照顔。欲行沿澗遠。却得与雲還。

二十五

子供が来たから見てやれと妻《さい》が耳の傍《そば》へ口を着けて云う。身体《からだ》を動かす力がないので余《よ》は元の姿勢のまま唯《ただ》視線だけをその方に移すと、子供は枕《まくら》を去る六尺程の所に坐っていた。

余の寐ている八畳《じょう》に付いた床《とこ》の間《ま》は、余の足の方にあった。余の枕元は隣《となり》の間を仕切る襖《ふすま》で半塞《なかばふさ》いであった。余は左右に開かれた襖の間から敷居越《しきいご》しに余の子供を見たのである。

頭の上の方にいるものを室《へや》を隔《へだ》てて見る視力が、不自然な努力を要するためか、其処《そこ》に坐っている子供の姿は存外遠方に見えた。無理な一瞥《いちべつ》の下《もと》に余の眸《ひとみ》に映った顔は、逢《お》うたと記すよりも寧《むし》ろ眺《なが》めたと書く方が適当な位離《はな》れていた。余はこの一瞥より外に復《また》子供の影《かげ》を見なかった。余の眸はすぐと自然の角度に復《ふく》した。けれども余はこの一瞥の短きうちに凡《すべ》てを見た。

子供は三人いた。十二から十、十から八つと順に一列になって隣座敷の真中に並ばされていた。そうして三人ともに女であった。彼等は未来の健康のため、一夏を茅が崎に過すべく、父母から命ぜられて、兄弟五人で昨日まで海辺を駆《か》け廻っていたのである。父が危篤《きとく》の報知によって、親戚《しんせき》のものに伴《つ》れられて、わざわざ砂深い小松原を引き上げて、修善寺まで見舞に来たのである。

けれども危篤の何を意味しているかを知るには彼等は余り小《ち》さ過た。彼等は死と云う名前を覚えていた。けれども死の恐《おそ》ろしさと怖《こわ》さとは、彼等の若い額の奥《おく》に、未《いま》だ嘗《かつ》て影さえ宿さなかった。死に捕《とら》えられた父の身体が、これからどう変化するか彼等には想像が出来なかった。父が死んだあとで自分等の運命にどんな結果が来るか、彼等には無論考え得られなかった。彼等はただ人に伴《ともな》われて父の病気を見舞うべく、父の旅先まで汽車に乗って来たのである。

彼等の顔にはこの会見が最後かも知れぬと云う愁《うれい》の表情がまるでなかった。彼等は親子の哀別《あいべつ》以上に無邪気《むじゃき》な顔を有《も》っていた。そうして色々人のいる中に、三人特別な席に並んで坐らせられて、厳粛《げんしゅく》な空気に凝《じっ》と行儀よく取り済ます窮屈《きゅうくつ》を、切なく感じているらしく思われた。

余はただ一瞥の努力に彼等を見ただけであった。そうして病を解し得ぬ可憐《かれん》な小《ち》さいものを、わざわざ遠くまで引張り出して、殊勝《しゅしょう》に枕元に坐らせて置くのを却《かえっ》て残酷《ざんこく》に思った。妻を呼んで、折角来たものだから、其処い等《ら》を見物させて遣《や》れと命じた。もしその時の余に、或《あるい》はこれが親子の見納めになるかも知れないと云う懸念《けねん》があったならば、余はもう少ししみじみ彼等の姿を見守ったかも知れなかった。然《しか》し余は医師や傍《はた》のものが余に対して抱《いだ》いていた様な危険を余の病の上に自《みずか》ら感じていなかったのである。

子供はじきに東京へ帰った。一週間程してから、彼等は各々《めいめい》に見舞状を書いて、それを一つ封《ふう》に入れて、余の宿に届けた。十二になる筆子のは、四角な字を入れた整わない候文《そうろうぶん》で、「御祖母様《おばばさま》が雨がふっても風がふいても毎日々々一日もかかさず御しゃか様へ御詣《おまいり》を遊ばす御百度をなされ御父様の御病気一日も早く御全快を祈り遊ばされ又高田の御《おん》伯母様何処《どこ》かの御宮へか御詣り遊ばすとのことに御座候《ござそうろう》ふさ、きよみ、むめの三人の連中は毎日猫の墓へ水をとりかえ花を差し上て早く御父様の全快を御祈りに居り候《そうろう》」とあった。十になる恒子《つねこ》のは尋常《じんじょう》であった。八《やっ》になるえい子のは全く片仮名だけで書いてあった。字を埋《うめ》て読み易《やす》くすると、「御父様の御病気は如何《いかが》で御座いますか、私は無事に暮しておりますから御安心なさいませ。御父様も私の事を思わずに御病気を早く直して早く御帰りなさいませ。私は毎日休まずに学校へ行っております。又御母様によろしく」と云うのである。

余は日記の一頁《ページ》を寐ながら割《さ》いて、それに、留守の中《うち》は大人《おとな》しく御祖母様の云う事を聞かなくては不可《いけ》ない、今に序《ついで》のあった時修善寺の御土産《おみやげ》を届けてやるからと書いて、すぐ郵便で妻に出さした。子供は余が東京へ帰ってからも、平気で遊んでいる。修善寺の土産はもう壊《こわ》してしまったろう。彼等が大きくなったとき父のこの文を読む機会がもしあったなら、彼等は果してどんな感じがするだろう。

傷心秋已到。嘔血骨猶存。病起期何日。夕陽還一村。

二十六

五十グラムと云うと日本の二勺半《しゃくはん》にしか当らない。ただそれだけの飲料で、この身体《からだ》を終日持ち応《こた》えていたかと思えば、自分ながら気の毒でもあるし、可愛《かわい》らしくもある。又馬鹿らしくもある。

余《よ》は五十グラムの葛湯《くずゆ》を恭《うやう》やしく飲んだ。そうして左右の腕《うで》に朝夕二回ずつの注射を受けた。腕は両方とも針の痕《あと》で埋《う》まっていた。医師は余に今日は何方《どっち》の腕にするかと聞いた。余は何方《どっち》にもしたくなかった。薬液を皿に溶《と》いたり、それを注射器に吸い込《こ》ましたり、針を丁寧《ていねい》に拭《ぬぐ》ったり、針の先に泡《あわ》の様に細かい薬を吹《ふ》かして眺めたりする注射の準備は甚《はなは》だ物奇麗《ものぎれい》で心持が好《い》いけれども、その針を腕にぐさと刺《さ》して、其所《そこ》へ無理に薬を注射するのは不愉快《ふゆかい》で堪《たま》らなかった。余は医師に全体その鳶色《とびいろ》の液は何だと聞いた。森成さんはブンベルンとかブンメルンとか答えて、遠慮《えんりょ》なく余の腕を痛がらせた。

やがて日に二回の注射が一回に減じた。その一回もまたしばらくすると廃《や》めになった。そうして葛湯の分量が少しずつ増して来た。同時に口の中が執拗《しゅうね》く粘《ねば》り始めた。爽《さわや》かな飲料で絶えず舌と顎《あご》と咽喉《のど》を洗っていなくては居たたまれなかった。余は医師に氷を請求した。医師は固い片《かけ》らが滑《すべ》って胃の腑《ふ》に落ち込む危険を恐れた。余は天井《てんじょう》を眺めながら、腹膜炎を患《わず》らった二十歳《はたち》の昔を思い出した。その時は病気に障《さわ》るとかで、凡《すべ》ての飲物を禁ぜられていた。ただ冷水で含嗽《うがい》をするだけの自由を医師から得たので、余は一時間のうちに、何度となく含嗽をさせて貰《もら》った。そうしてそのつど人に知れない様に、そっと含嗽の水を幾分《いくぶん》かずつ胃の中に飲み下して、やっと熬《い》り付く様な渇《かわき》を紛《まぎ》らしていた。

昔の計《はかりごと》を繰り返す勇気のなかった余は、口中を潤《うるお》すための氷を歯で噛《か》み砕《くだ》いては、正直に残らず吐き出した。その代り日に数回平野水《ひらのすい》*を一口ずつ飲まして貰う事にした。平野水がくんくんと音を立てる様な勢《いきおい》で、食道から胃へ落ちて行く時の心持は痛快であった。けれども咽喉を通り越すや否《いな》やすぐと又飲みたくなった。余は夜半《よなか》に屢《しばし》ば看護婦から平野水を洋盃《こっぷ》に注《つ》いで貰って、それを難有《ありがた》そうに飲んだ当時を能《よ》く記憶している。

渇《かつ》は次第に歇《や》んだ。そうして渇よりも恐ろしい餓《ひも》じさが腹の中を荒《あら》して歩く様になった。余は寐《ね》ながら美くしい食膳《しょくぜん》を何通りとなく想像で拵《こし》らえて、それを眼の前に並べて楽んでいた。そればかりではない、同じ献立《こんだて》を何人前も調《ととの》えて置いて、多数の朋《ほう》友《ゆう》にそれを想像で食わして喜こんだ。今考えると普通《ふつう》のものの嬉《うれ》しがる様な食物《くいもの》はちっともなかった。こう云う自分にすら余り難有くはない御膳ばかりを眼の前に浮《うか》べていたのである。

森成さんがもう葛湯も厭《あ》きたろうと云って、わざわざ東京から米を取り寄せて重湯《おもゆ》を作ってくれた時は、重湯を生れて始めて啜《すす》る余には大いな期待があった。けれども一口飲んで始めてその不味《まず》いのに驚《おど》ろいた余は、それぎり重湯というものを近づけなかった。その代りカジノビスケットを一片《ひときれ》貰った折の嬉しさは未《いま》だに忘れられない。わざわざ看護婦を医師の室《へや》まで遣《や》って、特に礼を述べた位である。

やがて粥《かゆ》を許された。その旨《うま》さはただの記憶《きおく》となって冷やかに残っているだけだから実感としては今思い出せないが、こんな旨いものが世にあるかと疑いつつ舌を鳴らしたのは確かである。それからオートミールが来た。ソーダビスケットが来た。余は凡てを難有く食った。そうして、より多く食いたいと云う事を日課の様に繰《く》り返して森成さんに訴《うった》えた。森成さんは仕舞に余の病床《びょうしょう》に近づくのを恐れた。東君はわざわざ妻《さい》の所へ行って、先生はあんな尤《もっと》もな顔をしている癖《くせ》に、子供の様に始終食物の話ばかりしていて可笑《おか》しいと告げた。

腸《はらわた》に春滴《したた》るや粥の味

二十七

オイッケン*は精神生活と云う事を真向《まむき》に主張する学者である。学者の習慣として、自己の説を唱うる前には、あらゆる他のイズムを打破する必要を感ずるものと見えて、彼は彼の所謂《いわゆる》精神生活を新たならしむるため、その用意として、現代生活に影響《えいきょう》を与《あた》うる在来からの処生*上の主義に一も二もなく非難を加えた。自然主義も遣《や》られる、社会主義も叩《たた》かれる。凡ての主義が彼の眼から見て存在の権利を失ったかの如《ごと》くに説き去られた時、彼は始めて精神生活の四字を拈出《ねんしゅつ》した。そうして精神生活の特色は自由である、自由であると連呼した。

試みに彼に向って自由なる精神生活とはどんな生活かと問えば、端的《たんてき》にこんなものだとは決して答えない。ただ立派な言葉を秩序《ちつじょ》よく並べ立てる。むずかしそうな理窟《りくつ》を蜿蜒《えんえん》と幾重にも重ねて行く。そこに学者らしい手際《てぎわ》はあるかも知れないが、とぐろの中に巻き込まれる素人《しろうと》は茫然《ぼんやり》してしまうだけである。

しばらく哲学者の言葉を平民に解《わか》る様に翻訳《ほんやく》してみると、オイッケンの所謂自由なる精神生活とは、こんなものではなかろうか。――我々は普通衣食の為《ため》に働らいている。衣食のための仕事は消極的である。換言《かんげん》すると、自分の好悪《こうお》撰択《せんたく》を許さない強制的の苦しみを含《ふく》んでいる。そう云う風に外《ほか》から圧《お》し付けられた仕事では精神生活とは名づけられない。苟《いや》しくも精神的に生活しようと思うなら、義務なき所に向って自《みずか》ら進む積極のものでなければならない。束縛《そくばく》によらずして、己《おの》れ一個の意志で自由に営む生活でなければならない。

こう解釈《かいしゃく》した時、誰《たれ》も彼の精神生活を評してつまらないとは云うまい。コムト*は倦怠《アンニュイ》を以《もつ》て社会の進歩を促《うな》がす原因と見た位である。倦怠《アンニュイ》の極已《やむ》を得ずして仕事を見付け出すよりも、内に抑《おさ》えがたき或るものが蟠《わだか》まって、凝《じつ》と持ち応《こた》えられない活力を、自然の勢《いきおい》から生命の波動として描出し来《きた》る方が実際実《み》の入《い》った生き法《かた》と云わなければなるまい。舞踏《ぶとう》でも音楽でも詩歌《しいか》でも、凡て芸術の価値はここに存していると評しても差支《さしつかえ》ない。

けれども学者オイッケンの頭の中で纏《まと》め上げた精神生活が、現に事実となって世の中に存在し得るや否やに至っては自《おのず》から別問題である。彼オイッケン自身が純一無雑に自由なる精神生活を送り得るや否やを想像してみても分明《ぶんみょう》な話ではないか。間断なきこの種の生活に身を託《たく》せんとする前に、吾人《ごじん》は少なくとも早く既《すで》に職業なき閑人《かんじん》として存在しなければならない筈《はず》である。

豆腐《とうふ》屋が気に向いた朝だけ石臼《いしうす》を回して、心の機《はず》まないときは決して豆を挽《ひ》かなかったなら商買《しょうばい》にはならない。更《さら》に進んで、己れの好いた人だけに豆腐を売って、いけ好かない客を悉《ことごと》く謝絶したら猶《なお》の事商買にはならない。凡ての職業が職業として成立するためには、店に公平の灯《ともし》を点《つ》けなければならない。公平と云う美しそうな徳義上の言葉を裏から言い直すと、器械的と云う醜《みにく》い本体を有しているに過ぎない。一分の遅速《ちそく》なく発着する汽車の生活と、所謂《いわゆる》精神的生活とは、正《まさ》に両極に位する性質のものでなければならない。そうして普通の人は十が十までこの両端を七分三分とか六分四分とかに交ぜ合わして自己に便宜《べんぎ》な様に又世間に都合の好《よ》い様に（即《すなわ》ち職業に忠実なる様に）生活すべく天から余儀《よぎ》なくされている。これが常態である。たまたま芸術の好きなものが、好きな芸術を職業とする様な場合ですら、その芸術が職業となる瞬間《しゅんかん》に於《お》いて、真の精神生活は既に汚《けが》されてしまうのは当然である。芸術家としての彼は己れに篤《あつ》き作品を自然の気乗りで作り上げようとするに反して、職業家としての彼は評判のよきもの、売高《うれだか》の多いものを公《おおや》けにしなくてはならぬからである。

既に個人の性格及《およ》び教育次第で融通《ゆうずう》の利《き》かなくなりそうなオイッケンの所謂自由なる精神生活は、現今の社会組織の上から見ても、これ程応用の範囲の狭《せま》いものになる。それを一般に行きわたって実行の出来る大主義の如くに説き去る彼は、学者の通弊《つうへい》として統一病に罹《かか》ったのだと酷評《こくひょう》を加えても可《よ》いが、たまたま文芸を好んで文芸を職業としながら、同時に職業としての文芸を忌《い》んでいる余《よ》の如きものの注意を呼び起して、その批評心を刺戟《しげき》する力は充分《じゅうぶん》ある。大患《たいかん》に罹った余は、親の厄介《やっかい》になった子供の時以来久振《ひさしぶり》で始めてこの精神生活の光に浴した。けれどもそれは僅《わず》か一二カ月の中《うち》であった。病が癒《なお》るに伴《つ》れ、自己が次第に実世間に押《お》し出されるに伴れ、こう云う議論を公けにして得意なオイッケンを羨《うら》やまずには居《い》られなくなって来た。

二十八

学校を出た当時小石川のある寺に下宿をしていた事がある。其処《そこ》の和尚《おしょう》は内職に身の上判断をやるので、薄暗《うすくら》い玄関《げんかん》の次の間に、算木と筮竹《ぜいちく》を見るのが常であった。固《もと》より看板を懸《か》けての公表な商買でなかった所為《せい》か、占《うらない》を頼《たのみ》に来るものは多くて日に四五人、少ない時はまるで筮竹を揉《も》む音さえ聞えない夜もあった。易断に重きを置かない余《よ》は、固よりこの道に於て和尚と無縁《むえん》の姿であったから、ただ折々襖越《ふすまご》しに、和尚の、そりゃ当人の望み通りにした方が好うがすなどと云う縁談に関する助言《じょごん》を耳に挟《さしは》さむ位なもので、面と向き合っては互《たがい》に何も語らずに久しく過ぎた。

或時何かの序《ついで》に、話がつい人相とか方位とか云う和尚の縄張《なわば》り内に摺《ず》り込んだので、冗談《じょうだん》半分私の未来はどうでしょうと聞いてみたら、和尚は眼を据《す》えて余の顔を凝と眺《なが》めた後《あと》で、大して悪い事もありませんなと答えた。大して悪い事もないと云うのは、大して好い事もないと云ったも同然で、即ち御前の運命は平凡《へいぼん》だと宣告した様なものである。余は仕方がないから黙《だま》っていた。すると和尚が、貴方《あなた》は親の死目には逢《あ》えませんねと云った。余はそうですかと答えた。すると今度は貴方は西へ西へと行く相があると云った。余は又そうですかと答えた。最後に和尚は、早く顋《あご》の下へ髯《ひげ》を生やして、地面を買って居宅《うち》を御建てなさいと勧《すす》めた。余は地面を買って居宅《うち》を建て得る身分なら何も君の所に厄介になっちゃいないと答えたかった。けれども顋の下の髯と、地面居宅《やしき》とはどんな関係があるか知りたかったので、それだけ一寸《ちょっと》聞き返してみた。すると和尚は真面目《まじめ》な顔をして、貴方の顔を半分に割ると上の方が長くって、下の方が短か過ぎる。従って落ち付かない。だから早く顋髯を生やして上下《うえした》の釣合《つりあい》を取る様にすれば、顔の居坐りが可《よ》くなって動かなくなりますと答えた。余は余の顔の雑作に向って加えられたこの物理的もしくは美学的の批判が、優に余の未来の運命を支配するかの如く容易に説き去った和尚を少し可笑《おか》しく感じた。そうして成程《なるほど》と答えた。一年ならずして余は松山に行った。それから又熊本に移った。熊本から又倫敦《ロンドン》に向った。和尚の云った通り西へ西へと赴《おもむ》いたのである。余の母は余の十三四の時に死んだ。その時は同じ東京に居りながら、つい臨終《りんじゅう》の席には侍《はんべ》らなかった。父の死んだ電報を東京から受け取ったのは、熊本に居る頃《ころ》の事であった。これで見ると、親の死目に逢えないと云った和尚の言葉もどうかこうか的中している。ただ顋の髯に至ってはその時から今日に至るまで、寧日《ねいじつ》なく剃《そ》り続けに剃っているから、地面と居宅《やしき》が果して髯と共にわが手に入《い》るかどうか未《いま》だに判然《はんぜん》せずにいた。

ところが修善寺で病気をして寐付《ねつ》くや否《いな》や、頬《ほお》がざらざらし始めた。それが五六日すると一本一本に撮《つま》める様になった。又しばらくすると、頬から顋が隙間《すきま》なく隠《かく》れる様になった。和尚の助言は十七八年振で始めて役に立ちそうな気色《けしき》に髯は延びて来た。妻《さい》は一層《いっそ》御生やしなすったら好いでしょうと云った。余も半分その気になって、頻《しき》りにその辺を撫《な》で廻していた。ところが幾日《いくか》となく洗いも櫛《くしけ》ずりもしない髪《かみ》が、膏《あぶら》と垢《あか》で余の頭を埋《うず》め尽《つく》そうとする汚苦《むさくる》しさに堪《た》えられなくなって、或日床屋《とこや》を呼んで、不充分ながら寐たまま頭に手を入れて顔に髪剃《かみそり》を当てた。その時地面と居宅《やしき》の持主たるべき資格を又奇麗《きれい》に失ってしまった。傍《はた》のものは若くなった若くなったと云って頻りに囃《はや》し立てた。独り妻だけはおやすっかり剃って御仕舞になったんですかと云って、少し残り惜《お》しそうな顔をした。妻は夫の病気が本復した上にも、猶《なお》地面と居宅《やしき》が欲《ほ》しかったのである。余といえども、髯を落さなければ地面と居宅《やしき》がきっと手に入《い》ると保証されるならば、あの顋はそのままに保存して置いた筈である。

その後髯は始終剃った。朝早く床の上に起き直って、向うの三階の屋根と吾室《わがへや》の障子の間に僅かばかり見える山の頂《いただき》を眺めるたびに、わが頬の潔《いさぎ》よく剃り落してある滑《なめ》らかさを撫で廻しては嬉しがった。地面と居宅《やしき》は当分断念したか、又は老後の楽しみにあとあとまで取って置く積《つもり》だったと見える。

客夢回時一鳥鳴。夜来山雨暁来晴。孤峯頂上孤松色。早映紅暾鬱々明。

二十九

修善寺*が村の名で兼《かね》て寺の名であると云う事は、行かぬ前から疾《とく》に承知していた。然《しか》しその寺で鐘《かね》の代りに太鼓《たいこ》を叩《たた》こうとは嘗《かつ》て想《おも》い至らなかった。それを始めて聞いたのは何時《いつ》の頃《ころ》であったか全く忘れてしまった。ただ今でも余《よ》が鼓膜《こまく》の上に、想像の太鼓がどん――どんと時々響《ひび》く事がある。すると余は必ず去年の病気を憶《おも》い出す。

余は去年の病気と共に、新らしい天井《てんじょう》と、新らしい床の間に懸けた大島将軍の従軍の詩を憶い出す。そうしてその詩を朝から晩までに何遍となく読み返した当時を明らさまに憶い出す。新らしい天井と、新らしい床の間と、新らしい柱と、新らし過ぎて開閉《あけたて》の不自由な障子は、今でも眼の前にありありと浮《うか》べる事が出来るが、朝から晩までに何遍となく読み返した大島将軍の詩は、読んでは忘れ、読んでは忘れして、今では白壁《しらかべ》の様に白い絹の上を、何処《どこ》までも同じ幅《はば》で走って、尾頭《おがしら》ともにぷつりと折れてしまう黒い線を認めるだけである。句に至っては、始めの剣戟《けんげき》という二字より外憶い出せない。

余は余の鼓膜の上に、想像の太鼓がどん——どんと響く度《たび》に、凡てこれ等のものを憶い出す。これ等のものの中に、凝《じっ》と仰向《あおむ》いて、尻《しり》の痛さを紛《まぎ》らしつつ、のつそつ夜明を待ち佗《わ》びたその当時を回顧《かいこ》すると、修禅寺の太鼓の音《ね》は、一種云うべからざる連想を以て、何時でも余の耳の底に卒然と鳴り渡《わた》る。

その太鼓は最も無風流な最も殺風景な音《おと》を出して、前後を切り捨てた上、中間だけを、自暴《やけ》に夜陰《やいん》に向って擲《たた》き付ける様に、ぶっきら棒な鳴り方をした。そうして、一つどんと素気《そっけ》なく鳴ると共にぱたりと留った。余は耳を峙《そば》だてた。一度静まった夜の空気は容易に動こうとはしなかった。良久《ややしば》らくして、今のは錯覚《さっかく》ではなかろうかと思い直す頃に、又一つどんと鳴った。そうして愛想《あいそ》のない音《おと》は、水に落ちた石の様に、急に夜の中に消えたぎり、しんとした表に何の活動も伝えなかった。寐《ね》られない余は、待ち伏《ぶ》せをする兵士の如く次の音《ね》の至るを思い詰《つ》めて待った。その次の音《ね》はやはり容易には来なかった。漸《ようや》くのこと第一第二と同じく極めて乾《から》び切った響が——響とは云い悪《にく》い。黒い空気の中に、突然無《とつぜんぶ》遠慮《えんりょ》な点をどっと打って直《すぐ》筆を隠した様な音《おと》が、余の耳朶《じだ》を叩いて去る後で、余はつくづくと夜を長いものに観じた。

尤《もっと》も夜は長くなる頃であった。暑さも次第に過ぎて、雨の降る日はセルに羽織を重ねるか、思い切って朝から袷《あわせ》を着るかしなければ、肌寒《はださむ》を防ぐ便《たより》とならなかった時節である。山の端《はし》に落ち込《こ》む日は、常の短かい日よりも猶の事短かく昼を端折って、灯《ひ》は容易に点《つ》いた。そうして夜は中々明けなかった。余はじりじりと昼に食い入る夜長を夜毎《よごと》に恐《おそ》れた。眼が開《あ》くときっと夜であった。これから何時間位こうしてしんと夜の中に生きながら埋《うず》もっている事かと思うと、我ながらわが病気に堪《た》えられなかった。新らしい天井と、新らしい柱と、新らしい障子を見詰めるに堪えなかった。真白な絹に書いた大きな字の懸物には最も堪えなかった。ああ早く夜が明けてくれれば可《い》いのにと思った。

修禅寺の太鼓はこの時にどんと鳴るのである。そうして殊更《ことさら》に余を待ち遠しがらせる如く疎《まば》らな間隔《かんかく》を取って、暗い夜をぽつりぽつりと縫《ぬ》い始める。それが五分と経《た》ち七分と経つうちに、次第に調子付いて、遂《つい》に夕立の雨滴《あまだれ》よりも繁《しげ》く逼《せま》って来る変化は、余から云うともう日の出に間もないと云う報知であった。太鼓を打ち切ってしばらくの後《のち》に、看護婦がやっと起きて室《へや》の廊下《ろうか》の所だけ雨戸を開けてくれるのは何よりも嬉《うれ》しかった。外は何時《いつ》でも薄暗く見えた。

修善寺に行って、寺の太鼓を余ほど精密に研究したものはあるまい。その結果として余は今でも時々どんと云う余音のないぶっ切った様な響を余の鼓膜の上に錯覚の如く受ける。そうして一種云うべからざる心持を繰り返している。

夢繞星潢泫露幽。夜分形影暗燈愁。旗亭病近修禅寺。一梲疎鐘已九秋。

三十

山を分けて谷一面の百合《ゆり》を飽《あ》くまで眺《なが》めようと心に極《き》めた翌日《あくるひ》から床の上に仆《たお》れた。想像はその時限りなく咲き続く白い花を碁石《ごいし》の様に点々と見た。それを小暗《おぐら》く包もうとする緑の奥には、重い香《か》が沈《しず》んで、風に揺《ゆ》られる折々を待つ程《ほど》に、葉は息苦しく重なり合った。——この間宿の客が山から取って来て瓶《へい》に挿《さ》した一輪の白さと大きさと香《かおり》から推《お》して、余《よ》は有るまじき広々とした画《え》を頭の中に描《えが》いた。

聖書にある野の百合とは今云う唐菖蒲《からしょうぶ》の事だと、その唐菖蒲を床に活《い》けて置いた時、始めて芥舟《かいしゅう》君*から教わって、それではまるで野の百合の感じが違《ちが》う様だがと話し合った一月前も思い出された。聖書と関係の薄い余にさえ、檜扇《ひおうぎ》を熱帯的に派出に仕立てた様な唐菖蒲は、深い沈んだ趣《おもむき》を表わすには余り強過ぎるとしか思われなかった。唐菖蒲はどうでも可《よ》い。余が想像に描いた幽《かす》かな花は、一輪も見る機会のないうちに立秋に入《い》った。百合は露《つゆ》と共に摧《くだ》けた。

人は病むものの為《ため》に裏の山に入《い》って、此所彼所《ここかしこ》から手の届く幾茎《いくくき》の草花を折って来た。裏の山は余の室《へや》から廊下伝いにすぐ上る便《たより》のある位近かった。障子さえ明けて置けば、寐ながら縁側《えんがわ》と欄間《らんま》の間を埋《うず》める一部分を鼻の先に眺める事も出来た。その一部分は岩と草と、岩の裾《すそ》を縫うて迂回《うかい》して上《のぼ》る小径《こみち》とから成り立っていた。余は余の為に山に上るものの姿が、縁の高さを辞して欄間の高さに達するまでに、一遍影《かげ》を隠《かく》して、又反対の位地から現われて、遂に余の視線の外に没《ぼっ》してしまうのを大いなる変化の如くに眺めた。そうして同じ彼等の姿が再び欄間の上から曲折して下って来るのを疎《うと》い眼で眺めた。彼等は必ず粗《あら》い縞《しま》の貸浴衣《ゆかた》を着て、日の照る時は手拭《てぬぐい》で頬冠《ほおかむ》りをしていた。岨道《そばみち》を行くべきものとも思われないその姿が、花を抱《かか》えて岩の傍《そば》にぬっと現われると、一種芝居にでも有りそうな感じを病人に与《あた》える位釣合が可笑《おか》しかった。

彼等の採って来てくれるものは色彩《しきさい》の極めて乏《とぼ》しい野生の秋草であった。或日しんとした真昼に、長い薄《すすき》が畳《たたみ》に伏さる様に活けてあったら、何時何処《いつどこ》から来たとも知れない蟋蟀《きりぎりす》がたった一つ、大人《おとな》しく中程に宿《とま》っていた。その時薄は虫の重みで撓《しな》いそうに見えた。そうして袋戸《ふくろど》に張った新らしい銀の上に映る幾分かの緑が、暈《ぼか》した様に淡《あわ》くかつ不分明《ふぶんみょう》に、眸《ひとみ》を誘《さそ》うので、猶更《なおさら》運動の感覚を刺戟《しげき》した。

薄は大概《たいがい》すぐ縮れた。比較的《ひかく》長く持つ女郎花《おみなえし》さえ眺めるには余り色素が足りなかった。漸く秋草の淋《さみ》しさを物憂《ものう》く思い出した時、始めて蜀紅葵《しょっこうあおい》とか云う燃える様な赤い花瓣《はなびら》を見た。留守居の婆《ばあ》さんに銭を遣《や》って、もっと折らせろと云ったら、銭は要りません、花は預かり物だから上げられませんと断わったそうである。余はその話を聞いて、どんな所に花が咲いていて、どんな婆さんがどんな顔をして花の番をしているか、見たくて堪《たま》らなかった。蜀紅葵の花瓣《はなびら》は燃えながら、翌日《あくるひ》散ってしまった。

桂川の岸伝いに行くといくらでも咲いていると云うコスモスも時々病室を照らした。コスモスは凡《すべ》ての中《うち》で最も単簡《たんかん》でかつ長く持った。余はその薄くて規則正しい花片《はなびら》と、空に浮んだ様に超然《ちょうぜん》と取り合わぬ咲き具合とを見て、コスモスは干菓子《ひがし》に似ていると評した。何故《なぜ》ですかと聞いたものがあった。範頼《のりより》*の墓守《はかもり》の作ったと云う菊を分けて貰《もら》って来たのはそれから余程後の事である。墓守は鉢《はち》に植えた菊を貸して上げようかと云ったそうである。この墓守の顔も見たかった。仕舞には畠山《はたけやま》の城趾《しろあと》*からあけびと云うものを取って来て瓶《へい》に挿《はさ》んだ。それは色の褪《さ》めた茄子《なす》の色をしていた。そうしてその一つを鳥が啄《つつ》いて空洞《うつろ》にしていた。――瓶に挿す草と花が次第に変るうちに気節は漸く深い秋に入《い》った。

日似三春永。心随野水空。牀頭花一片。閑落小眠中。

三十一

若い時兄を二人失った。二人とも長い間床に就《つ》いていたから、死んだ時は何《いず》れも苦しみ抜《ぬ》いた病の影を肉の上に刻んでいた。けれどもその長い間に延びた髪《かみ》と髯《ひげ》は、死んだ後《あと》までも漆《うるし》の様に黒くかつ濃《こ》かった。髪はそれ程でもないが、剃《そ》る事の出来ないで不本意らしく爺々《じじ》むさ汚そうに生えた髯に至っては、見るから憐《あわ》れであった。余《よ》は一人の兄の太く逞《たくま》しい髯の色を未《いま》だに記憶《きおく》している。死ぬ頃の彼の顔が如何《いか》にも気の毒な位瘠《や》せ衰《おとろ》えて小さく見えるのに引き易《か》えて、髯だけは健康な壮者を凌《しの》ぐ勢《いきおい》で延びて来た一種の対照を、気味悪く又情なく感じた為でもあろう。

大患《たいかん》に罹《かか》って生か死かと騒《さわ》がれる余に、幾日かの怪《あや》しき時間は、生とも死とも片付かぬ空裏に過ぎた。存亡の領域が稍《やや》明かになった頃、まず吾《わが》存在を確めたいと云う願から、取り敢《あ》えず鏡を取ってわが顔を照らして見た。すると何年か前に世を去った兄の面影《おもかげ》が、卒然として冷かな鏡の裏を掠《かす》めて去った。骨ばかり意地悪く高く残った頬、人間らしい暖味を失った蒼《あお》く黄色い皮、落ち込んで動く余裕《よゆう》のない眼、それから無遠慮に延びた髪と髯、――どう見ても兄の記念であった。

ただ兄の髪と髯が死ぬまで漆の様に黒かったのに拘《かか》わらず、余のそれ等には何時の間にか銀の筋が疎《まば》らに交っていた。考えてみると兄は白髪《しらが》の生える前に死んだのである。死ぬとすればその方が屑《いさぎ》よいかも知れない。白髪に鬢《びん》や頰をぽつぽつ冒《おか》されながら、まだ生き延びる工夫に余念のない余は、今を盛《さか》りの年頃に容赦《ようしゃ》なく世を捨て逝《ゆ》く壮者《そうしゃ》に比べると、何だか極りが悪い程未練らしかった。鏡に映るわが表情のうちには、無論はかないと云う心持もあったが、死に損《そく》なったと云う耻《はじ》も少しは交っていた。

又「ヴァージニバス・ピュエリスク*」の中に、人はいくら年を取っても、少年の時と同じ様な性情を失わないものだと書いてあったのを、成程と首肯《うなず》いて読んだ当時を憶い出して、ただその当時に立ち戻《もど》りたい様な気もした。

「ヴァージニバス・ピュエリスク」の著者は、長い病苦に責められながらも、よくその快活の性情を終焉《しゅうえん》まで持ち続けたから、嘘《うそ》は云わない男である。けれども惜《お》しい事に髪の黒いうちに死んでしまった。もし彼が生きて六十七十の高齢《こうれい》に達したら、或《あるい》はこうは云い切れなかったろうと思えば、思われない事もない。自分が二十の時、三十の人を見れば大変に懸隔《けんかく》がある様に思いながら、何時か三十が来ると、二十の昔と同じ気分な事が分ったり、わが三十の時、四十の人に接すると、非常な差違《さい》を認めながら、四十に達して三十の過去を振《ふ》り返れば、依然《いぜん》として同じ性情に活きつつある自己を悟《さと》ったりするので、スチーヴンソンの言葉も尤と受けて、今日まで世を経た様なものの、外部から萌《きざ》して来る老頽《ろうたい》の徴候《ちょうこう》を、幾茎かの白髪に認めて、健康の常時とは心意の趣を異にする病裡《びょうり》の鏡に臨《のぞ》んだ刹那《せつな》の感情には、若い影は更に射《さ》さなかったからである。

白髪に強《し》いられて、思い切りよく老の敷居を跨《また》いでしまおうか、白髪を隠して、猶《なお》若い街巷《ちまた》に徘徊《はいかい》しようか、——其所《そこ》までは鏡を見た瞬間《しゅんかん》には考えなかった。又考える必要のないまでに、病める余は若い人々を遠くに見た。病気に罹《かか》る前、ある友人と会食したら、その友人が短かく刈《か》った余の揉上《もみあげ》を眺めて、其所《そこ》から白髪に冒されるのを苦にして段々上の方へ剃《す》り上げるのではないかと聞いた。その時の余にはこう聞かれるだけの色気は充分《じゅうぶん》あった。けれども病に罹った余は、白髪を看板にして事をしたい位までに諦《あきら》めよく落ち付いていた。

病の癒《い》えた今日《こんにち》の余は、病中の余を引き延ばした心に活きているのだろうか、又は友人と食卓《しょくたく》に就いた病気前《ぜん》の若さに立ち戻っているだろうか。果してスチーヴンソンの云った通りを歩く気だろうか、又は中年に死んだ彼の言葉を否定して漸《よう》く老境に進む積《つもり》だろうか。——白髪と人生の間《あいだ》に迷《まよ》うものは若い人たちから見たら可笑《おか》しいに違ない。けれども彼等若い人達にもやがて墓と浮世の間に立って去就を決しかねる時期が来るだろう。

桃花馬上少年時。笑挹銀鞍払柳枝。緑水至今迢遞去。月明来照鬢如糸。

三十二

初めはただ漠然《ばくぜん》と空を見て寐《ね》ていた。それから暫《しばら》くして何時帰れるのだろうと思い出した。或時はすぐにも帰りたい様な心持がした。けれども床の上に起き直る気力すらないものが、どうして汽車に揺《ゆ》られて半日の遠きを行くに堪え得ようかと考えると、帰りたいと念ずる自分がかなり馬鹿気て見えた。従って傍《はた》のものに自分は何時帰れるかと問い糺《ただ》した事もなかった。同時に秋は幾度の昼夜を巻いて、わが心の前を過ぎた。空は次第に高くかつ蒼くわが上を掩《おお》い始めた。

もう動かしても大事なかろうと云う頃になって、東京から別に二人の医者を迎《むか》えてその意見を確めたら、今二週間の後《のち》にと云う挨拶《あいさつ》であった。挨拶があった翌日《あくるひ》から余《よ》は自分の寐ている地と、寐ている室《へや》を見捨るのが急に惜しくなった。約束の二週間が成るべく緩《ゆっ》くり廻転する様にと冀《ねが》った。曾《かつ》て英国に居た頃、精一杯英国を悪《にく》んだ事がある。それはハイネが英国を悪んだ如《ごと》く因業《いんごう》に英国を悪んだのである。けれども立つ間際《まぎわ》になって、知らぬ人間の渦を巻いて流れている倫敦《ロンドン》の海を見渡《みわた》したら、彼等を包む鳶色《とびいろ》の空気の奥に、余の呼吸に適する一種の瓦斯《ガス》が含《ふく》まれている様な気がし出した。余は空を仰いで町の真中《まなか》に佇《ただ》ずんだ。二週間の後《のち》この地を去るべき今の余も、病む軀《からだ》を横《よこた》えて、床の上に独り佇ずまざるを得なかった。余は特に余のために造って貰った高さ一尺五寸程の偉大《いだい》な藁蒲団《わらぶとん》に佇ずんだ。静かな庭の寂寞《せきばく》を破る鯉《こい》の水を切る音に佇ずんだ。朝露《あさつゆ》に濡《ぬ》れた屋根瓦《がわら》の上を遠近《おちこち》と尾を揺《うご》かし歩く鶺鴒《せきれい》に佇ずんだ。枕元《まくらもと》の花瓶《かへい》にも佇ずんだ。廊下《ろうか》のすぐ下をちょろちょろと流れる水の音《ね》にも佇ずんだ。かくわが身を繞《めぐ》る多くのものに低徊《ていかい》しつつ、予定の通り二週間の過ぎ去るのを待った。

その二週間は待ち遠い歯《は》搔《がゆ》さもなく、又あっけない不足もなく普通《ふつう》の二週間の如くに来て、尋常《じんじょう》の二週間の如くに去った。そうして雨の濛々《もうもう》と降る暁《あかつき》を最後の記念として与えた。暗い空を透《す》かして、余は雨かと聞いたら、人は雨だと答えた。

人は余を運搬《うんぱん》する目的を以て、一種妙《みょう》なものを拵《こし》らえて、それを座敷の中《うち》に舁《か》き入れた。長さは六尺もあったろう、幅《はば》は僅《わず》か二尺に足らない位狭《せま》かった。その一部は畳を離《はな》れて一尺程の高さまで上に反り返る様に工夫してあった。そうして全部を白い布で捲《ま》いた。余は抱かれて、この高く反《そっ》た前方に脊《せ》を託《たく》して、平たい方に足を長く横たえた時、これは葬式《そうしき》だなと思った。生きたものに葬式と云う言葉は穏当《おんとう》でないが、この白い布で包んだ寐台《ねだい》とも寐棺《ねがん》とも片の付かないものの上に横になった人は、生きながら葬《とむら》われるとしか余には受け取れなかった。余は口の中で、第二の葬式と云う言葉をしきりに繰《く》り返した。人の一度は必ず遣《や》って貰う葬式を、余だけはどうしても二返《へん》執行《しっこう》しなければ済まないと思ったからである。

舁《か》かれて室《へや》を出るときは平《たいら》であったが、階子段《はしごだん》を降りる際《きわ》には、台が傾《かたむ》いて、急に輿《こし》から落ちそうになった。玄関《げんかん》に来ると同宿の浴客が大勢並んで、左右から白い輿を目送していた。何《いず》れも葬式の時の様に静かに控《ひか》えていた。余の寐台はその間を通り抜けて、雨の降る庇《ひさし》の外に担《かつ》ぎ出された。外にも見物人は沢山居た。やがて輿を竪《たて》に馬車の中に渡して、前後相対する席と席とで支えた。予《あら》かじめ寸法を取って拵らえたので、輿はきっしりと旨《うま》く馬車の中に納った。馬は降る中を動き出した。余は寐ながら幌《ほろ》を打つ雨の音を聞いた。そうして、御者台《ぎょしゃだい》と幌の間に見える窮屈《きゅうくつ》な空間から、大きな岩や、松や、水の断片を難有《ありがた》く拝した。竹藪《たけやぶ》の色、柿紅葉《かきもみじ》、芋《いも》の葉、槿垣《むくげがき》、熟した稲《いね》の香《か》、凡《すべ》てを見るたびに、成程今はこんなものの有るべき季節であると、生れ返った様に憶《おも》い出しては嬉《うれ》しがった。更《さら》に進んでわが帰るべき所には、如何《いか》なる新らしい天地が、寐ぼけた古い記憶を蘇生《そせい》せしむるために展開すべく待ち構えているだろうかと想像して独り楽しんだ。同時に昨日《きのう》まで彽徊した藁蒲団も鶺鴒《せきれい》も秋草も鯉も小河《おがわ》も悉《ことごと》く消えてしまった。


万事休時一息回。余生豈忍比残灰。風過古澗秋声起。日落幽篁瞑色来。

漫道山中三月滞。詎知門外一天開。帰期勿後黄花節。恐有羇魂夢旧苔。

三十三

正月を病院で為《し》た経験は生涯《しょうがい》にたった一遍しかない。

松飾《まつかざ》りの影《かげ》が眼先に散らつく程暮が押《お》し詰《つま》った頃、余《よ》は始めてこの珍《めず》らしい経験を目前に控えた自分を異様に考え出した。同時にその考《かんがえ》が単に頭だけに働らいて、毫《ごう》も心臓の鼓動《こどう》に響《ひびき》を伝えなかったのを不思議に思った。

余は白い寝床《ベッド》の上に寐ては、自分と病院と来《きた》るべき春とをかくの如く一所に結び付ける運命の酔興《すいきょう》さ加減を懇《ねんご》ろに商量した。けれども起き直って机に向ったり、膳《ぜん》に着いたりする折は、もう此所《ここ》が我家《わがいえ》だと云う気分に心を任して少しも怪《あや》しまなかった。それで歳《とし》は暮れても春は逼《せま》っても別に感慨《かんがい》と云う程のものは浮ばなかった。余はそれ程長く病院に居て、それ程親しく患者の生活に根を卸《おろ》したからである。

愈大晦日《いよいよおおみそか》が来た時、余は小《ち》さい松を二本買って、それを自分の病室の入口に立てようかと思った。然《しか》し松を支える為《ため》に釘《くぎ》を打ち込《こ》んで美くしい柱に創《きず》を付けるのも悪いと思って已《や》めにした。看護婦が表へ出て梅でも買って参りましょうと云うから買って貰《もら》う事にした。

この看護婦は修善寺以来余が病院を出るまで半年の間《あいだ》始終余の傍《そば》に附き切りに附いていた女である。余は故《ことさ》らに彼の本名を呼んで町井《まちい》石子嬢《いしこじょう》々々と云っていた。時々は間違《まちが》えて苗字《みょうじ》と名前を顚倒《てんとう》して、石井町子嬢とも呼んだ。すると看護婦は首を傾《かし》げながらそう改めた方が好い様で御座いますねと云った。仕舞《しまい》には遠慮《えんりょ》がなくなって、とうとう鼬《いたち》と云う渾名《あだな》を付けて遣《や》った。或時何かの序《ついで》に、時に御前の顔は何かに似ているよと云ったら、どうせ碌《ろく》なものに似ているのじゃ御座いますまいと答えたので、凡《およ》そ人間として何かに似ている以上は、まず動物に極っている。外に似ようたって容易に似られる訳のものじゃないと言って聞かせると、そりゃ植物に似ちゃ大変ですと絶叫《ぜっきょう》して以来、とうとう鼬《いたち》と極ってしまったのである。

鼬の町井さんはやがて紅白の梅を二枝提《さ》げて帰って来た。白い方を蔵沢《ぞうたく》*の竹の画《え》の前に挿《さ》して、紅《あか》い方は太い竹筒《たけづつ》の中に投げ込んだなり、袋戸《ふくろど》の上に置いた。この間人から貰った支那《しな》水仙もくるくると曲って延びた葉の間から、白い香をしきりに放った。町井さんは、もう大分《だいぶん》病気が可《よ》くおなりだから、明日《あした》はきっと御雑煮《おぞうに》が祝えるに違ないと云って余を慰《なぐさ》めた。

除夜の夢は例年の通り枕の上に落ちた。こう云う大患に罹った揚句《あげく》、病院の人となって幾《いく》つの月を重ねた末、雑煮までここで祝うのかと考えると、頭の中にはアイロニーと云う羅馬《ローマ》字が明らかに綴《つづ》られて見える。それにも拘《かか》わらず、感に堪えぬ趣《おもむき》は少しも胸を刺《さ》さずに、四十四年の春は自《おの》ずから南向の縁から明け放れた。そうして町井さんの予言の通り形ばかりとは云いながら、小《ち》さい一切の餅《もち》が元日らしく病人の眸《ひとみ》に映じた。余はこの一椀《わん》の雑煮に自家頭上を照すある意義を認めながら、しかも何等の詩味をも感ぜずに、小《ち》さな餅の片《きれ》を平凡《へいぼん》にかつ一口に、ぐいと食ってしまった。

二月の末になって、病室前の梅がちらほら咲き出す頃、余は医師の許《ゆるし》を得て、再び広い世界の人となった。振り返ってみると、入院中に、余と運命の一角を同じくしながら、遂《つい》に広い世界を見る機会が来ないで亡《な》くなった人は少なくない。ある北国の患者は入院以後病勢が次第に募《つの》るので、附添《つきそい》の息子《むすこ》が心配して、大晦日の夜になって、無理に郷里に連れて帰ったら、汽車がまだ先へ着かないうちに途中《とちゆう》で死んでしまった。一間置いて隣《とな》りの人は自分で死期を自覚して、諦《あき》らめてしまえば死ぬと云う事は何でもないものだと云って、気の毒な程大人しい往生《おうじよう》を遂《と》げた。向うの外れにいた潰瘍《かいよう》患者の高い咳嗽《せき》が日毎《ひごと》に薄《うす》らいで行くので、大方落ち付いたのだろうと思って町井さんに尋《たず》ねてみると、衰弱《すいじゃく》の結果何時の間にか死んでいた。そうかと思うと、癌《がん》で見込のない病人の癖《くせ》に、から景気をつけて、回診の時に医師の顔を見るや否《いな》や、すぐ起き直って尻《しり》を捲《まく》るというのがあった。附添の女房を蹴《け》たり打《ぶ》ったりするので、女房が洗面所へ来て泣いているのを、看護婦が見兼《みかね》て慰めていましたと町井さんが話した事も覚えている。ある食道狭窄《きょうさく》の患者は病院には這入《はい》っている様なものの迷《まよ》いに迷い抜いて、灸点師《きゅうてんし》を連れて来て灸を据《す》えたり、海草を採って来て煎《せん》じて飲んだりして、ひたすら不治の癌症を癒《なお》そうとしていた。……

余はこれ等の人と、一つ屋根の下に寐て、一つ賄《まかない》の給仕を受けて、同じく一つ春を迎《むか》えたのである。退院後一カ月余の今日になって、過去を一攫《ひとつかみ》にして、眼の前に並べてみると、アイロニーの一語は益《ますます》鮮《あざ》やかに頭の中に拈出《ねんしゅつ》される。そうして何時の間にかこのアイロニーに一種の実感が伴《ともな》って、両《ふた》つのものが互《たがい》に纏綿《てんめん》して来た。鼬の町井さんも、梅の花も、支那水仙も、雑煮も、――あらゆる尋常の景趣は悉く消えたのに、ただ当時の自分と今の自分との対照だけがはっきりと残る為だろうか。

ケーベル先生

木の葉の間から高い窓が見えて、その窓の隅《すみ》からケーベル先生＊の頭が見えた。傍《わき》から濃《こ》い藍色《あいいろ》の烟《けむり》が立った。先生は烟草《たばこ》を呑《の》んでいるなと余《よ》は安倍《あべ》君に云った。

この前此処《ここ》を通ったのは何時《いつ》だか忘れてしまったが、今日見ると僅《わず》かの間《ま》にもう大分様子が違っている。甲武線《こうぶせん》の崖上《がけうえ》は角並《かどなみ》＊新らしい立派な家に建て易《か》えられて、何れ《いず》も現代的日本の産み出した富の威力《いりょく》と切り放す事の出来ない門構《もんがまえ》ばかりである。その中に先生の住居《すまい》だけが過去の記念の如《かたみ》くたった一軒古ぼけたなりで残っている。先生はこの燻《くす》ぶり返った家の書斎《しょさい》に這入《はい》ったなりめったに外へ出た事がない。その書斎は取《とり》も直さず先生の頭が見えた木の葉の間の高い所であった。

余と安倍君とは先生に導びかれて、敷物《しきもの》も何も足に触《ふ》れない素裸《すはだか》のままの高い階子《はしご》段《だん》を薄暗《うすくら》がりにがたがた云わせながら上《のぼ》って、階上の右手にある書斎に入った。そうして先生の今まで腰《こし》を卸《おろ》して窓から頭だけを出していた一番光に近い椅子《いす》に余は坐った。そこで外面《そと》から射《さ》す夕暮に近い明りを受けて始めて先生の顔を熟視した。先生の顔は昔とさまで違《ちが》っていなかった。先生は自分で六十三だと云われた。余が先生の美学の講義を聴《き》きに出たのは、余が大学院に這入った年で、慥《たし》か先生が日本へ来て始めての講義だと思っているが、先生はその時から已《すで》にこう云う顔であった。先生に日本へ来てもう二十年になりますかと聞いたら、そうはならない、たしか十八年目だと答えられた。先生の髪《かみ》も髯《ひげ》も英語で云うとオーバーンとか形容すべき、ごく薄い麻《あさ》の様な色をしている上に、普通《ふつう》の西洋人の通り非常に細くって柔《やわら》かいから、少しの白髪《しらが》が生えてもまるで目立たないのだろう。それにしても血色が元の通りである。十八年を日本で住み古した人とは思えない。

先生の容貌《ようぼう》が永久にみずみずしている様に見えるのに引き易えて、先生の書斎は耄《ぼ》け切った色で包まれていた。洋書というものは唐本《とうほん》や和書よりも装飾《そうしょく》的な背皮に学問と芸術の派出やかさを偲《しの》ばせるのが常であるのに、この部屋は余の眼を射る何物をも蔵していなかった。ただ大きな机があった。色の褪《さ》めた椅子が四脚《きゃく》あった。マッチと埃及烟草《エジプトたばこ》と灰皿があった。余は埃及烟草を吹《ふ》かしながら先生と話をした。けれども部屋を出て、下の食堂へ案内されるまで、余は遂《つい》に先生の書斎にどんな書物がどんなに並んでいたかを知らずに過ぎた。

花やかな金文字や赤や青の背表紙が余の眼を刺激《しげき》しなかったばかりではない。純潔な白色《はくしょく》でさえ遂に余の眼には触れずに済んだ。先生の食卓《しょくたく》には常の欧洲人が必要品とまで認めている白布が懸っていなかった。その代りにくすんだ更紗形《さらさがた》を置いた布《きれ》が一杯に被《かぶ》さっていた。そうしてその布《きれ》はこの間まで余の家《うち》に預かっていた娘の子を嫁《かた》づける時に新調して遣《や》った布団の表と同じものであった。この卓を前にして坐った先生は、襟《えり》も襟飾《えりかざり》も着けてはいない。千筋《せんすじ》の縮みの襯衣《しゃつ》を着た上に、玉子色の薄い脊広《せびろ》を一枚無造作に引掛けただけである。始めから儀式《ぎしき》ばらぬ様にとの注意ではあったが、あまり失礼に当ってはと思って、余は白い襯衣と白い襟と紺の着物を着ていた。君が正装をしているのに私はこんな服《なり》でと先生が最前云われた時、正装の二字に痛み入るばかりであったが、成程《なるほど》洗い立ての白いものが手と首に着いているのが正装なら、余の方が先生よりも余程正装であった。

余は先生に一人で淋《さび》しくはありませんかと聞いたら、先生は少しも淋しくはないと答えられた。西洋へ帰りたくはありませんかと尋《たず》ねたら、それ程西洋が好《い》いとも思わない、然《しか》し日本には演奏会と芝居《しばい》と図書館と画館がないのが困る、それだけが不便だと云われた。一年位暇《ひま》を貰《もら》って遊んで来てはどうですと促《うな》がしてみたら、そりゃ無論遣《や》って貰える、けれどもそれは好まない。私がもし日本を離《はな》れる事があるとすれば、永久に離れる。決して二度とは帰って来ないと云われた。

先生はこういう風にそれ程故郷を慕《した》う様子もなく、あながち日本を嫌《きら》う気色《けしき》もなく、自分の性格とは容《い》れ悪《にく》い程に矛盾《むじゅん》な乱雑な空虚《くうきょ》にして安っぽい所謂《いわゆる》新時代の世態が、周囲の過渡層*の底から次第々々に浮《う》き上って、自分をその中心に陥落《かんらく》せしめねば已《や》まぬ勢《いきおい》を得つつ進むのを、日毎《ひごと》眼前に目撃《もくげき》しながら、それを別世界に起る風馬牛《ふうばぎゅう》の現象の如く余所《よそ》に見て、極《きわ》めて落ち付いた十八年を吾邦《わがくに》で過ごされた。先生の生活はそっと煤烟《ばいえん》の巷《ちまた》に棄《す》てられた希臘《ぎりしゃ》の彫刻《ちょうこく》に血が通い出した様なものである。雑閙《ざっとう》の中に已れを動かして如何《いか》にも静かである。先生の踏《ふ》む靴《くつ》の底には敷石を嚙《か》む鋲《びょう》の響《ひびき》がない。先生は紀元前の半島の人の如くに、しなやかな革《かわ》で作ったサンダルを穿《は》いて音なしく*電車の傍《そば》を歩るいている。

先生は昔し烏《からす》を飼っておられた。何処《どこ》から来たか分らないのを餌《え》を遣って放し飼にしたのである。先生と烏とは妙《みょう》な因縁《いんねん》に聞える。この二つを頭の中で結び付けると一種の気持が起る。先生が大学の図書館で書架《しょか》の中からポーの全集を引き卸したのを見たのは昔の事である。先生はポーもホフマンも好きなのだと云う。この夕《ゆうべ》その烏の事を思い出して、あの烏はどうなりましたと聞いたら、あれは死にました、凍《こご》えて死にました。寒い晩に庭の木の枝に留ったまんま、翌日《あくるひ》になると死んでいましたと答えられた。

烏の序《ついで》に蝙蝠《こうもり》の話が出た。安倍君が蝙蝠は懐疑《スケプチック》な鳥だと云うから、何故《なぜ》と反問したら、でも薄暗がりにはたはた飛んでいるからと謎《なぞ》の様な答をした。余は蝙蝠の翼《はね》が好だと云った。先生はあれは悪魔《あくま》の翼《つばさ》だと云った。成程画《え》にある悪魔は何時でも蝙蝠の羽根を脊負《しょ》っている。

その時夕暮の窓際《まどぎわ》に近く日暮しが来て朗《ほが》らに鋭《する》どい声を立てたので、卓を囲んだ四人《よったり》はしばらくそれに耳を傾《かたむ》けた。あの鳴声にも以太利《イタリヤ》の連想があるでしょうと余は先生に尋ねた。これは先生が少し前に蜥蜴《とかげ》が美くしいと云ったので、青く澄《す》んだ以太利の空を思い出させやしませんかと聞いたら、そうだと答えられたからである。然し日暮しの時には、先生は少し首を傾むけて、いやあれは以太利じゃない、どうも以太利では聞いた事がない様に思うと云われた。

余等は熱い都の中心に誤って点ぜられたとも見える古い家の中で、静かにこんな話をした。それから菊の話と椿《つばき》の話と鈴蘭《すずらん》の話をした。果物《くだもの》の話もした。その果物のうちで尤《もっと》も香りの高い遠い国から来たレモンの露《つゆ》を搾《しぼ》って水に滴《したた》らして飲んだ。珈琲《コーヒー》も飲んだ。凡《すべ》ての飲料のうちで珈琲が一番旨《うま》いという先生の嗜好《しこう》も聞いた。それから静かな夜の中に安倍君と二人で出た。

先生の顔が花やかな演奏会に見えなくなってから、もう余程になる。先生はピヤノに手を触れる事すら日本に来ては口外せぬ積《つもり》であったと云う。先生はそれ程浮いた事が嫌《きらい》なのである。凡《すべ》ての演奏会を謝絶した先生は、ただ自分の部屋で自分の気に向いたときだけ楽器の前に坐る、そうして自分の音楽を自分だけで聞いている。その外にはただ書物を読んでいる。

文科大学へ行って、此処《ここ》で一番人格の高い教授は誰《だれ》だと聞いたら、百人の学生が九十人までは、数ある日本の教授の名を口にする前に、まずフォン・ケーベルと答えるだろう。斯程《かほど》に多くの学生から尊敬される先生は、日本の学生に対して終始渝《かわ》らざる興味を抱《いだ》いて、十八年の長い間哲学《てつがく》の講義を続けている。先生が疾《と》くに索寞《さくばく》たる日本を去るべくして、未《いま》だに去らないのは、実にこの愛すべき学生あるが為《ため》である。

京都の深田教授*が先生の家にいる頃、何時でも閑《ひま》な時に晩餐《ばんさん》を食べに来いと云われてから、行かずに経過した月日を数えるともう四年以上になる。漸《ようや》くその約を果して安倍君と一所に大きな暗い夜の中に出た時、余は先生はこれから先、もう何年位日本に居る積《つもり》だろうと考えた。そうして一度日本を離れればもう帰らないと云われた時、先生の引用した“no《ノー》 more《モアー》, never《ネヴァー》 more《モアー》.”*というポーの句を思い出した。

変な音

上

うとうとしたと思ううちに眼が覚《さめ》た。すると、隣《となり》の室《へや》で妙《みょう》な音がする。始めは何の音とも又何処《またどこ》から来るとも判然《はっきり》した見当が付かなかったが、聞いているうちに、段々耳の中へ纏《まと》まった観念が出来てきた。何でも山葵卸《わさびおろ》しで大根《だいこ》かなにかをごそごそ擦《す》っているに違《ちがい》ない。自分は確《たしか》にそうだと思った。それにしても今頃《いまごろ》何の必要があって、隣りの室で大根卸《だいこおろし》を拵《こしら》えているのだか想像が付かない。

いい忘れたが此処《ここ》は病院である。賄《まかない》は遥《はる》か半町も離《はな》れた二階下の台所に行かなければ一人もいない。病室では炊事《すいじ》割烹《かっぽう》は無論菓子《かし》さえ禁じられている。況《ま》して時ならぬ今時分何しに大根卸を拵えよう。これはきっと別の音が大根卸の様に自分に聞えるのに極《きま》っていると、すぐ心の裡《うち》で覚《さと》ったようなものの、さてそれなら果して何処からどうして出るのだろうと考えるとやッぱり分らない。

自分は分らないなりにして、もう少し意味のある事に自分の頭を使おうと試みた。けれども一度耳に付いたこの不可思議な音は、それが続いて自分の鼓膜《こまく》に訴《うった》える限り、妙に神経に祟《たた》って、どうしても忘れる訳に行かなかった。あたりは森《しん》として静かである。この棟《むね》に不自由な身を託《たく》した患者《かんじゃ》は申し合せた様に黙《だま》っている。寐《ね》ているのか、考えているのか話をするものは一人もない。廊下《ろうか》を歩く看護婦の上草履《うわぞうり》の音さえ聞えない。その中にこのごしごしと物を擦り減らす様な異《い》な響《ひびき》だけが気になった。

自分の室はもと特等として二間つづきに作られたのを病院の都合で一つずつに分けたものだから、火鉢《ひばち》などの置いてある副室の方は、普通《ふつう》の壁《かべ》が隣の境になっているが、寝床《ねどこ》の敷《し》いてある六畳《じょう》の方になると、東側に六尺の袋戸棚《ふくろとだな》があって、その傍《わき》が芭蕉布《ばしょうふ》の襖《ふすま》ですぐ隣へ往来《ゆきかよい》が出来るようになっている。この一枚の仕切をがらりと開けさえすれば、隣室《りんしつ》で何を為《し》ているかは容易《たやす》く分るけれども、他人に対してそれ程《ほど》の無礼を敢《あえ》てする程大事な音でないのは無論である。折から暑さに向う時節であったから縁側《えんがわ》は常に明け放したままであった。縁側は固《もと》より棟一杯細長く続いている。けれども患者が縁端《えんばた》へ出て互《たがい》を見《み》透《とお》す不都合を避けるため、わざと二部屋毎《ごと》に開き戸を設けて御互の関とした。それは板の上へ細い桟《さん》を十文字に渡した洒落《しゃれ》たもので、小使が毎朝拭《ふき》掃除《そうじ》をするときには、下から鍵《かぎ》を持って来て、一々この戸を開けて行くのが例になっていた。自分は立って敷居の上に立った。かの音はこの妻戸《つまど》の後《うしろ》から出る様である。戸の下は二寸程空《す》いていたが其処《そこ》には何も見えなかった。

この音はその後《ご》もよく繰返《くりかえ》された。ある時は五六分続いて自分の聴神経を刺激する事もあったし、又ある時はその半《なかば》にも至らないでぱたりと已《や》んでしまう折もあった。けれどもその何であるかは、ついに知る機会なく過ぎた。病人は静かな男であったが、折々夜半《よなか》に看護婦を小さい声で起していた。看護婦が又殊勝《しゅしょう》な女で小さい声で一度か二度呼ばれると快よい優《やさ》しい「はい」と云う受け答えをして、すぐ起きた。そうして患者の為《ため》に何かしている様子であった。

ある日回診の番が隣へ廻《まわ》ってきたとき、何時《いつ》もよりは大分手間《てま》が掛《かか》ると思っていると、やがて低い話し声が聞え出した。それが二三人で持ち合って中々捗取《はかど》らないような湿《しめ》り気を帯びていた。やがて医者の声で、どうせ、そう急には御癒《おなお》りにはなりますまいからと云った言葉だけが判然《はっきり》聞えた。それから二三日して、かの患者の室《へや》にこそこそ出《で》入《はい》りする人の気色がしたが、孰《いず》れも己れの活動する立居を病人に遠慮《えんりょ》する様に、ひそやかに振舞《ふるま》っていたと思ったら、病人自身も影《かげ》の如《ごと》く何時の間にか何処かへ行ってしまった。そうしてその後《あと》へはすぐ翌《あく》る日《ひ》から新しい患者が入って、入口の柱に白く名前を書いた黒塗《くろぬり》の札が懸易《かけか》えられた。例のごしごし云う妙な音はとうとう見極わめる事が出来ないうちに病人は退院してしまったのである。そのうち自分も退院した。そうして、かの音に対する好奇の念はそれぎり消えてしまった。

下

三カ月ばかりして自分は又同じ病院に入った。室《へや》は前のと番号が一つ違うだけで、つまりその西隣であった。壁一重隔《へだ》てた昔の住居《すまい》には誰《だれ》が居るのだろうと思って注意してみると、終日かたりと云う音もしない。空いていたのである。もう一つ先が即《すなわ》ち例の異様の音の出た所であるが、此処《ここ》には今誰がいるのだか分らなかった。自分はその後《のち》受けた身体《からだ》の変化のあまり劇《はげ》しいのと、その劇しさが頭に映って、この間からの過去の影《かげ》に与《あた》えられた動揺《どうよう》が、絶えず現在に向って波紋《はもん》を伝えるのとで、山葵卸《わさびおろし》の事などは頓《とん》と思い出す暇《ひま》もなかった。それよりは寧《むし》ろ自分に近い運命を持った在院の患者の経過の方が気に掛った。看護婦に一等の病人は何人いるのかと聞くと、三人だけだと答えた。重いのかと聞くと重そうですと云う。それから一日二日して自分はその三人の病症を看護婦から確めた。一人は食道癌《しょくどうがん》であった。一人は胃癌であった、残る一人は胃潰瘍《いかいよう》であった。みんな長くは持たない人ばかりだそうですと看護婦は彼等の運命を一纏《ひとまと》めに予言した。

自分は縁側に置いたベゴニアの小さな花を見暮らした。実は菊を買う筈《はず》の所を、植木屋が十六貫＊だと云うので、五貫に負けろと値切っても相談にならなかったので、帰りに、じゃ六貫やるから負けろと云ってもやっぱり負けなかった、今年は水で菊が高いのだと説明した、ベゴニアを持って来た人の話を思い出して、賑《にぎ》やかな通りの縁日の夜景を頭の中に描きなどしてみた。

やがて食道癌の男が退院した。胃癌の人は死ぬのは諦《あきら》めさえすれば何でもないと云って美しく死んだ。潰瘍の人は段々悪くなった。夜半《よなか》に眼を覚すと、時々東のはずれで、附添のものが氷を摧《くだ》く音がした。その音が已《や》むと同時に病人は死んだ。自分は日記に書き込んだ。――「三人のうち二人死んで自分だけ残ったから、死んだ人に対して残っているのが気の毒の様な気がする。あの病人は嘔気《はきけ》があって、向うの端から此方《こっち》の果まで響くような声を出して始終げえげえ吐いていたが、この二三日それがぴたりと聞えなくなったので、大分落ち付いてまあ結構だと思ったら、実は疲労《ひろう》の極《きょく》声を出す元気を失ったのだと知れた。」

その後《のち》患者は入れ代り立ち代り出たり入ったりした。自分の病気は日を積むに従って次第に快方に向った。仕舞には上草履を穿《は》いて広い廊下をあちこち散歩し始めた。その時不図《ふと》した事から、偶然《ぐうぜん》ある附添の看護婦と口を利《き》く様になった。暖かい日の午《ひる》過《す》ぎ食後の運動がてら水仙の水を易《か》えてやろうと思って洗面所へ出て、水道の栓《せん》を捩《ねじ》っていると、その看護婦が受持の室《へや》の茶器を洗いに来て、例の通り挨拶《あいさつ》をしながら、しばらく自分の手にした朱泥《しゆでい》の鉢《はち》と、その中に盛り上げられた様に膨《ふく》れて見える珠根《たまね》を眺《なが》めていたが、やがてその眼を自分の横顔に移して、この前御入院の時よりもうずっと御顔色が好くなりましたねと、三カ月前の自分と今の自分を比較《ひかく》した様な批評をした。

「この前って、あの時分君もやっぱり附添で此処に来ていたのかい」

「ええつい御隣でした。しばらく〇〇さんの所に居りましたが御存じはなかったかも知れません」

〇〇さんと云うと例の変な音をさせた方の東隣である。自分は看護婦を見て、これがあの時夜半に呼ばれると、「はい」という優しい返事をして起き上った女かと思うと、少し驚《おどろ》かずにはいられなかった。けれども、その頃自分の神経をあの位刺激した音の原因に就《つい》ては別に聞く気も起らなかった。で、ああそうかと云ったなり朱泥の鉢を拭《ふ》いていた。すると女が突然《とつぜん》少し改まった調子でこんな事を云った。

「あの頃貴方《あなた》の御室で時々変な音が致しましたが……」

自分は不意に逆襲《ぎやくしゆう》を受けた人の様に、看護婦を見た。看護婦は続けて云った。

「毎朝六時頃になるときっとする様に思いましたが」

「うん、あれか」と自分は思い出した様につい大きな声を出した。「あれはね、自働革砥《オートストロップ》の音だ。毎朝髭《ひげ》を剃《そ》るんでね、安全髪剃《かみそり》を革砥《かわど》へ掛けて磨《と》ぐのだよ。今でも遣ってる。嘘《うそ》だと思うなら来て御覧」

看護婦はただへええと云った。段々聞いてみると、○○さんと云う患者は、ひどくその革砥の音を気にして、あれは何の音だ何の音だと看護婦に質問したのだそうである。看護婦がどうも分らないと答えると、隣の人は大分快《い》いので朝起きるすぐと、運動をする、その器械の音なんじゃないか羨《うらや》ましいなと何遍《なんべん》も繰り返したと云う話である。

「そりゃ好いが御前の方の音は何だい」

「御前の方の音って？」

「そら能《よ》く大根《だいこ》を卸す様な妙な音がしたじゃないか」

「ええあれですか。あれは胡瓜《きゅうり》を擦《すっ》たんです。患者さんが足が熱《ほて》って仕方がない、胡瓜の汁《しる》で冷してくれと仰《おっ》しゃるもんですから私が始終擦って上げました」

「じゃやっぱり大根卸の音なんだね」

「ええ」

「そうかそれで漸《ようや》く分った。――一体○○さんの病気は何だい」

「直腸癌です」

「じゃ到底《とても》むずかしいんだね」

「ええもう疾《と》うに。此処を退院なさると直《じき》でした、御亡《おな》くなりになったのは」

自分は黙然《もくねん》としてわが室に帰った。そうして胡瓜の音で他《ひと》を焦《じ》らして死んだ男と、革砥の音を羨ましがらせて快くなった人との相違《そうい》を心の中で思い比べた。

手紙

一

モーパサンの書いた「二十五日間」と題する小品には、ある温泉場の宿屋へ落ち付いて、着物や白襯衣《しゃつ》を衣裳棚《いしょうだな》へしまおうとするときに、その抽出《ひきだし》を開けて見たら、中から巻いた紙が出たので、何気なく引き延ばして読むと、「私の二十五日《メヴァンサンジュール》」という標題が眼に触《ふ》れたという冒頭が置いてあって、その次にこの無名氏の所謂《いわゆる》二十五日間が一字も変えぬ元の姿で転載《てんさい》された体になっている。

プレヴォー*の「不在」と云う端物《はもの》*の書出《かきだし》には、巴里《パリー》のある雑誌に寄稿《きこう》の安受合《やすうけあい》をしたため、独逸《ドイツ》のさる避暑地《ひしょち》へ下りて、其処《そこ》の宿屋の机か何かの上で、しきりに構想に悩《なや》みながら、何か種はないかという風に、机の抽出を一々開けて見ると、最終の底から思いがけなく手紙が出て来たとあって、これにもその手紙がそっくりそのまま出してある。

二つとも能《よ》く似た趣向《しゅこう》なので、或《あるい》は新しい方が古い人の遣《や》った迹《あと》を踏襲《とうしゅう》したのではなかろうかという疑いさえ挟《さしは》さめる位だが、それは自分にはどうでも宜《よろ》しい。ただ自分もつい近頃、これと同様の経験をした事がある。その所為《せい》か今までは成程《なるほど》小説家だけあって旨《うま》く拵《こしら》えるなとばかり感心していたのが、それ以後実際世の中には随分《ずいぶん》似た事が沢山あるものだという気になって、寧《むし》ろ偶然《ぐうぜん》の重複に咏嘆《えいたん》する様な心持が幾分《いくぶん》かあるので、つい二人の作をここに並べて挙げたくなったのである。

尤《もっと》もモーパサンのは標題の示す如《ごと》く、逗留《とうりゅう》二十五日間の印象記と云う種類に属すべきもので、プレヴォーのは滞在《たいざい》中の女客に宛《あ》てた艶《なま》めかしい男の文だから、双方《そうほう》とも無名氏の文字《もんじ》それ自身が興味の眼目である。自分の経験もやはり不図《ふと》した場所で意外な手紙の発見をしたと云う事にはなるが、それが導火線になって、思いがけなく或実際上の効果を収め得たのであるから、手紙その物にはそれ程興味がない。少くとも、小説的な情調の下《もと》に、それを読み得なかった自分にはそういう興味はなかった。其処が前に挙げた仏蘭西《フランス》の二作家と違《ちが》う所で、其処が又彼等よりも散文的な自分をして、彼等の例にならって、その手紙をこの話の中心として、一字残らず写さしめなかった原因になる。

手紙は疑いもなく宿屋で発見されたのである。場所も場合も殆《ほと》んど仏蘭西の作家の筆にした所と殆んど変りはない。けれどもどうしてとかどんな手紙をとか云う問に答えるためには、それを発見した当時から約一週間程前に溯《さかの》ぼって説明する必要がある。

愈《いよいよ》K市へ立つという前の晩に成《なっ》て、妻《さい》が丁度好《い》い序《ついで》だから、帰りに重吉《じゅうきち》さんの所へ寄って入《い》らっしゃい、そうして重吉さんに会って、あの事をもっと判然《はっきり》極めて入らっしゃい。何だか紙鳶《たこ》が木の枝へ引懸《ひっかか》っていながら、途中《とちゅう》で揚がってる様な気がして不可《いけ》ませんからと云った。重吉の事は自分も同感であった。それにしても妻によくこんな気の利《き》いた言葉が使えると思って、御前誰かに教わったのかいと、何も答えない先に、まず冗談《じょうだん》半分の疑いを仄《ほの》めかしてみた。すると妻《さい》は存外真面目《まじめ》切った顔付で、何をですと問い返した。開き直ったという程でもないが、此方《こっち》の意味が通じなかった事だけは慥《たしか》な様に見えたから、自分は紙鳶《たこ》の話はそれぎりにして、直接重吉の事を談合した。

重吉というのは自分の身内とも厄介者《やっかいもの》とも片の付かない一種の青年であった。一時は自分の家《うち》に寐起《ねおき》をしてまで学校へ通った位関係は深いのであるが、大学へ這入《はい》って以来下宿をしたぎり、四年の課程を終るまで、とうとう家へは帰らなかった。尤《もっと》も別に疎遠《そえん》になったと云う訳ではない、日曜や土曜もしくは平日でさえ気に向いた時は遣《や》って来て長く遊んで行った。元来が鷹揚《おうよう》な性質《たち》で、素直に男らしく打ち寛《くつ》ろいでいる様に見えるのが、持って生れたこの人の得であった。それで自分も妻も甚《はなは》だ重吉を好いていた。重吉の方でも自分等を叔父《おじ》さん叔母《おば》さんと呼んでいた。

二

重吉は学校を出たばかりである。そうして出るや否《いな》やすぐ田舎《いなか》へ行ってしまった。何故《なぜ》そんな所へ行くのかと聞いたら別に大した意味もないが、唯口《ただ》を頼《たの》んで置いた先《せん》輩《ぱい》が、行ったらどうだと勧《すす》めるからその気になったのだと答えた。それにしてもHはあんまりじゃないか、せめて大阪とか名古屋とかなら地方でも仕方がないけれどもと、自分は当人が既《すで》に極《き》めたというにも拘《かかわ》らず一応彼のH行に反対してみた。その時重吉はただにやにや笑っていた。そうして今急にあすこに欠員が出来て困てると云うから、当分の約束で行《ゆく》のです、直《じき》又帰って来ますと、あたかも未来が自分の勝手になる様な物の云い方をした。自分はその場で重吉の「又帰って来ます」を「帰って来る積《つもり》です」に訂正《ていせい》して遣りたかったけれどもそう思い込《こん》でいるものの心を、無益にざわ付かせる必要もないからそれはそれなりにして置いて、じゃあの事はどうする積だと尋《たず》ねた。「あの事」は今までの行き掛り上、重吉の立つ前に是非とも聞いて置かなければならない問題だったからである。すると重吉は別に気に掛《かけ》る様子もなく、万事貴方《あなた》に御任せするから宜《よろ》しく願いますと云ったなり、平気でいた。刺激に対して急劇な反応を示さないのはこの男の天分であるが、それにしても彼の年齢《ねんれい》と、この問題の性質から一般的に見た所で、重吉の態度はあまり冷静過て、定量未満の興味しか有《も》ち得ないという風に思われた。自分は少し不審《ふしん》を抱《いだ》いた。

元来自分と妻《さい》と重吉の間にただ「あの事」として一種の符牒《ふちよう》の様に通用しているのは、実を云うと、彼の縁談《えんだん》に関する件であった。卒業の少し前から話が続いているので、自分達だけには単なる「あの事」で一切《いっさい》の経過が明かに頭に浮《うか》む所為《せい》か、別段改まって相手の名前などは口へ出さないで済ます事が多かったのである。

女は妻《さい》の遠縁に当るものの次女であった。その関係で時々自分の家に出入る所から自然重吉とも知合になって、会えば互《たがい》に挨拶《あいさつ》する位の交際が成立した。けれども二人の関係はそれ以上に接近する機会も企《くわだ》てもなく、殆ど同じ距離《きょり》で進行するのみに見えた。そうして二人共それ以上に何物をも求むる気色《けしき》がなかった。要するに二人の間は、年長者の監督《かんとく》の下《もと》に立つある少女と、まだ修業《しゅぎょう》中の身分を自覚するある青年とが一種の社会的な事情から、互と顔を見合せて、礼義に戻《もと》らないだけの応対をするに過ぎなかった。

だから自分は驚《おどろ》いたのである。重吉が昂《あが》らず逼《せま》らず、常と少しも違わない平面な調子で、あの人を妻《さい》に貰《もら》いたい、話てくれませんかと云った時には、君本当かと実際聞き返した位であった。自分はすぐ重吉の挙止動作が不断に大抵は真面目である如く、この問題に対してもまた真面目であるのを発見した。そうして過渡期の日本の社会道徳に背いて、私の歩を相互に真面目に進める事なしに、意志の重みを初めから監督者たる父母に寄せ掛けた彼の行い振りを快よく感じた。其処で彼の依頼を引き受けた。

早速妻を遣って先方へ話をさせてみると、妻は女の母の挨拶だといって、妙《みょう》な返事を齎《もたら》した。金はなくっても構わないから道楽をしない保証の付いた人でなければ遣らないと云うのである。そうして何故《なぜ》そんな注文を出すかの、理由《いわれ》が説明としてその返事に伴っていた。

女には一人の姉があって、その姉は二三年前既にある資産家の所へ嫁《よめ》に行った。今でも行っている。世間並の夫婦として別に他の注意を惹《ひ》く程の波瀾《はらん》もなく、まず平穏《へいおん》に納まっているから、人目にはそれで差支《さしつかえ》ない様に見えるけれども、姉娘《むすめ》の父母はこの二三年の間に、苦々しい思いを断えず陰《かげ》で舐《な》めさせられたのである。その凡《すべ》ては娘の片付いた先の夫の不身持から起ったのだと云えばそれまでであるが、父母だって、娘の亭主を、業務上必要の交際《つきあい》から追い出してまで、娘の権利と幸福を庇護《ひご》しようと試みる程捌《さば》けない人達ではなかった。

三

実を云うと、父母は始めからそれを承知の上で娘を嫁にやったのである。それのみか、腕利《うできき》の腕を最も敏活《びんかつ》に働かすという意味に解釈《かいしゃく》した酒と女は、仕事の上に欠くべからざる交際社会の必要条件とまで認めていた。それだのに彼等はやがて眉《まゆ》を顰《ひそ》めなければならなくなって来た。かねて丈夫《じょうぶ》であった娘の健康が、嫁に入《い》って暫《しばら》くすると、眼に付くように衰《おとろ》え出したときに、彼等はもう相応に胸を傷《いた》めた。娘に会うたびに母親は何処《どこ》か悪くはないかと聞いた。娘はただ微笑《びしょう》して、別段何ともないとばかり答えていた。けれどもその血色は次第に蒼《あお》くなるだけであった。そうして仕舞《しまい》にはとうとう病気だと云う事が分った。しかもその病気があまり質《たち》の好いものでないという事が分った。猶《なお》よく探究すると、公《おおや》けに云い難《がた》い夫の疾《やまい》が何時の間にか妻《つま》に感染《かんせん》したのだと云う事まで分った。父母の懸念《けねん》が道徳上の着色を帯びて、好悪《こうお》の意味で、娘の夫に反射する様になったのはこの時からである。彼等は気の毒な長女を見るにつけて、これから嫁に遣る次女の夫として、姉のそれと同型の道楽ものを想像するに堪《た》えなくなった。それで金はなくても構わないから、どうしても道楽をしない保険付の堅《かた》い人に貰ってもらおうと、夫婦の間に相談が纏《まと》まったのである。

自分の妻《さい》は先方から聞いて来た通りをこう云う風に詳《くわ》しく繰返《くりかえ》して自分に話した後《のち》、重吉さんなら間違いはなかろうと思うんですが、どうでしょうと云った。自分は只《ただ》そうさと答えたまま、畳《たたみ》の上を見詰《みつ》めていた。すると妻は稍《やや》疑ぐったような調子で、重吉さんでも道楽をするんでしょうかと聞いた。

「まあ大丈夫だろうよ」

「まあじゃ困るわ。本当に大丈夫でなくっちゃ。だってもしか、嘘《うそ》でも吐《つ》いたら、私済まないんですもの。私ばかしじゃない、貴方だって責任が御有りじゃありませんか」

こう云われてみると成程先方へ好加減《いいかげん》な返事をするのも如何《いかが》なものである。と云って、あの重吉が遊ぶとは、どうしても考えられない。無論彼の容子には爺々《じじ》汚《むさ》いとか無骨《ぶこつ》過ぎるとか、凡て粋《いき》の裏へ廻るものは一つもなかった。けれども全面が平たく尋《じん》常《じょう》に出来上っている所為《せい》か、何処と指して、此処が道楽臭《くさ》いという点もまたまるで見当らなかった。自分は妻と色々話した末、こう云った。

「まあ大抵宜かろうじゃないか。道楽の方は受け合いますと云っといでよ」

「道楽の方って――。為《し》ない方をでしょう」

「当り前さ。為《す》る方を受け合っちゃ大変だ」

妻は又先方へ行って、決して道楽をする様な男じゃ御座いませんと受合った。話はそれから発展し始たのである。重吉が地方へ行くと云い出した時には、それがずっと進行して、もう十の九までは纏まっていた。自分は重吉のHへ立つ前に、わざわざ先方へ出掛けて行って、父母の同意を求めた上で重吉を立たせた。

重吉とお静さんとの関係は其処まで行って、ぴたりと停ったなり今日《こんにち》に至ってまだ動かずにいる。尤《もっと》も自分はそれ程気にも掛からない、今に何方《どっち》から動き出すだろう、万事はその時の事と覚悟《かくご》を極めていたが、妻は女だけに心配して、この間も長い手紙を重吉に遣って、一体あの事はどうなさる積《つもり》ですかと尋ねたら、重吉は万事宜しく願いますと例の通りの返事を寄こした。その前聞き合わせた時には、私はまだ道楽を始めませんから、大丈夫ですという端書《はがき》が来た。妻はその端書を自分の所へ持って来て、重吉さんも随分呑気《のんき》ね、まだ始めませんって、今に始められた日にゃ、大丈夫でも何でもないじゃありませんか、冗談じゃあるまいし、と少し怒《おこ》った様な語気を洩《も》らした。自分にも重吉の用いたこのまだと云う字が如何《いか》にも可笑《おか》しく思われた。妻に、当人本気なのかなと云った位である。

妻が評した如く、こう云う風に、いつまでも、紙鳶《たこ》が木の枝に引掛って中途から揚がっている様な状態《ありさま》で推して行かれては間へ這入った自分達の責任としても、仕舞には放って置かれなくなるのは明らかだから、今度の旅行を幸い、帰りにHへ寄って、所謂《いわゆる》「あの事」をもっと判然《はっきり》片付けて来たら好かろうと云う妻の意見に従う事に極めて家を出た。

四

汽車中では重吉の地方生活を色々に想像する暇《ひま》もあったが、目的地へ下りるや否《いな》や、すぐ当用の為《ため》に忙殺《ぼうさい》されて、「あの事」などは殆ど考えもしなかった。ようよう四五日掛って、一段落が付いた時、自分は又汽車に揺《ゆ》られながら、まだ見ないHの町や、その町の中にある重吉の下宿している旅館などを、頭の奥《おく》に漂よう画《え》の様に眺《なが》めた。固《もと》より物数寄《ものずき》のさせる業だから、煙草《たばこ》の煙《けぶり》に似て、取留る事の出来ないうちに、また煙草の煙《けむり》に似た淡《あわ》い愉快《ゆかい》があった。とかくする内に汽車はとうとうHへ着いた。

自分はすぐ俥《くるま》を雇《やと》って、重吉のいる宿屋の玄関《げんかん》へ乗付けた。番頭に此処《ここ》に佐野《さの》という人が下宿している筈《はず》だがと聞くと番頭は御辞儀《おじぎ》を二つばかりして、佐野さんは先達《せんだっ》てまで御出《おいで》になりましたが、ついこの間御引移りになりましたと云う。怪《け》しからん事だと思いながらも、猶引越先の模様を尋ねてみると、到底《とうてい》自分などの行って、一晩でも二晩でも厄介になれそうな所ではないらしい。一層《いっそ》此処へ泊《とま》る方が楽だろうと思って、じゃ空《あ》いた部屋へ案内してくれと云うと、番頭は又御辞儀を一つして、誠に御気の毒様で御座いますが、招魂祭《しょうこんさい》でどの室《へや》も塞《ふさ》がっておりますのでと叮嚀《ていねい》に断った。自分は傘《かさ》を突《つ》いたまま、しばらく玄関の前に立っていた。正式に云うと、あらかじめ重吉に通知をした上、猶H着の時間を電報で云って遣《やる》べきであるが、なるべく御互の面倒《めんどう》を省いて簡略に事を済すのが当世だと思って、わざと前触《まえぶれ》なしに重吉を襲《おそ》ったのであるが、愈《いよいよ》来てみると、自分の遣口《やりくち》はただの不注意から、出る不都合な結果を、自分の上に投げ掛たと同じ事になってしまった。

自分はHにどんな宿屋が何軒あるかまるで知らなかったが、この旅館がその内で一番善いのだと云う事だけは、かねて受取った重吉の手紙によって心得ていた。成程奥を覗《のぞ》いてみると、廊下《ろうか》が折れ曲ったり、中庭の先に新しい棟《むね》が見えたりして、さも広そうでかつ物綺麗《ものぎれい》であった。自分は番頭に何処か都合が出来るだろうと云った。番頭は当惑した様な顔をして、暫く考えていたが、甚だ見苦しい所で、一夜泊《いちやどまり》の御客様には御気の毒で御座いますが、佐野さんの入《い》らしった御座敷なら、どうか致しましょうと答えた。その口振《くちぶり》から察すると、何でも余程汚《きた》ない所らしいので、又少し躊躇《ちゅうちょ》し掛けたが、もとよりこの地へ来て体裁《ていさい》を顧《かえり》みる必要もない身だから、一晩や二晩はどんな室《へや》で明かしたって構わないと云う気になって、この間まで重吉のいたと云うその部屋へ案内して貰った。

室《へや》は第一の廊下を右へ折れて、其処《そこ》の縁側から庭下駄《にわげた》を穿《は》いて、二足三足《ふたあしみあしたた》三和土《たたき》の上を渡《わた》らなければ這入れない代りに何処とも続ていない所が、まるで一軒立《だち》の観を与《あた》えた。天井《てんじょう》の低いのや柱の細いのが、さも茶がかった空気を作ると共に、如何《いか》にも湿《しめ》っぽい陰気《いんき》な感じがした。そうして畳と云わず襖《ふすま》と云わず甚《はなは》だしく古びていた。向《むこう》の藤棚《ふじだな》の陰に見える少し出張った新築の中二階などと較《くら》べると、まるで比較《ひかく》にならない程趣《おもむき》が違っていた。

「こんな所に這入っていたのか」と思いながら、自分は茶を呑《の》んで暫く座敷を見廻していたが、やがて硯《すずり》を借りて、重吉の所へやる手紙を書いた。ただ簡単にK市へ用があって来た序《ついで》に此処へ寄ったから、すぐ来いというだけに留《とど》めた。それから湯に入って出ると、もう食事の時間になった。自分はなるべく重吉と一所に晩飯を食おうと思って、煙草を何本も吹《ふ》かしながら、彼の来るのを心待ちに待っているうちに、向うの中二階に電気燈が点《つ》いて、賑《にぎ》やかな人声が聞え出した。自分はとうとう待ち切れず一人膳《ぜん》に向った。給仕に出た女が、招魂祭で何処の宿屋でも込み合っているとか、町では色々の催しがあるとか、佐野さんも今晩はきっと何処かへ御呼ばれなすったんでしょうとか云うのを聞きながら、麦酒《ビール》を一二杯呑んだ。下女は重吉の事を大人《おと》なしい好い方だと云った。女に惚《ほ》れられるかいと聞いたら、えへへと笑っていた。道楽をするだろうと聞いたら、下を向いて小さな声をしていいえと答えた。

五

食事が済んで下女が膳を下げたのは、もう九時近くであった。それでも重吉はまだ顔を見せなかった。自分はひとりで縁鼻《えんばな》へ座蒲団《ざぶとん》を運んで、手摺《てすり》に靠《もた》れながら向座敷の明るい電気燈や派出な笑い声を湿っぽい空気の中から遠く窺《うかが》ってつまらない心持をつまらないなりに引摺《ひきず》る様な態度で、煙草ばかり吹かしていた。そこへ先刻《さっき》の下女が襖を開けて、漸《やっ》と入らっしゃいましたと案内をした。その後《あと》から重吉が赤い顔をして入って来た。自分は重吉の赤い顔をこの時始めて見た。けれども席に着いて挨拶《あいさつ》をする彼の様子と云い、言葉数と云い、抑揚《あげさげ》の調子と云い、凡《すべ》てが平生の重吉そのままであった。自分は彼の言語動作のいずれの点にも、酒気に駆《か》られて動くのだと評して然《しか》るべき際立《きわだ》った何物をも認めなかったので、異常な彼の顔色に就いては、別に云う所もなく済ました。少時《しばらく》して彼は茶器を代えに来た下女の名を呼んで、洋盃《コップ》に水を一杯くれと頼《たの》んだ。そうして自分の方を見ながら、どうも咽喉《のど》が渇《かわ》いてと間接な弁解をした。

「大分飲んだんだね」

「ええ御祭りで、少し飲まされました」

赤い顔の事は簡単にこれで済んでしまった。それから何処をどう話が通ったか覚えていないが、三十分ばかり経《た》つうちに、自分も重吉も何時の間にか、所謂《いわゆる》「あの事」の圏内で受け答えをする様になった。

「一体どうする気なんだい」

「どうする気だって、——無論貰《もら》いたいんですがね」

「真剣《しんけん》の所を白状しなくっちゃ不可《いけ》ないよ。好加減な事を云って引張る位なら、一層《いっそ》きっぱり今のうちに断る方が得策だから」

「今更《いまさら》断るなんて、僕《ぼく》は御免だなあ。実際叔父《おじ》さん、僕はあの人が好きなんだから」

重吉の様子に何処と云って嘘らしい所は見えなかった。

「じゃ、もっと早くどしどし片付けるが好いじゃないか、何時まで立っても愚図々々《ぐずぐず》で、傍《はた》から見ると、如何《いか》にも煮《に》え切らないよ」

重吉は小さな声でそうかなと云って、しばらく休んでいたが、やがて元の調子に戻《もど》って、こう聞いた。

「だって貰ってこんな田舎《いなか》へ連れてくるんですか」

自分は田舎でも何でも構わない筈だと答えた。重吉は先方がそれを承知なのかと聞き返した。自分はその時一寸《ちよつと》困った。実はそんな細かな事まで先方の意見を確めた上で、談判に来た訳ではなかったのだからである。けれども行き掛り上已《やむ》を得ないので、

「そう話したら、承知するだろうじゃないか」と勢いよく云って退《の》けた。

すると、重吉は問題の方向を変えて、目下の経済事情が、到底暖かい家庭を物質的に形づくる程の余裕《よゆう》を有《も》っていないから、しばらくの間独りで辛抱《しんぼう》する積《つもり》でいたのだという弁解をした上、最初の約束によれば此年《ことし》の暮には月給が上がって東京へ帰れる筈だから、その時は先さえ承知なら、どんな小さな家でも構えて、お静さんを迎《むか》える考えだと話した。もし事が約束通りに運ばない為、月給も上らず、東京へも帰れなかった暁《あかつき》には、その時こそ、先方さえ異存がなければ、自分の云った様にする気だから、何分宜《よろ》しく頼むという事も附け加えた。自分は一応尤もだと思った。

「そう御前の腹が極まってるなら、それでいい。叔母《おば》さんも安心するだろう。御静さんの方へも、よくそう話して置こう」

「ええどうぞ――。然し僕の腹は大抵貴方《あなた》がたには分ってる筈ですがねえ」

「そんなら、あんな返事を寄こさないが好いよ。ただ宜しく願いますだけじゃ何だか一向分らないじゃないか。そうして、あの端書《はがき》は何だい。私はまだ道楽を始めませんから、大丈夫ですって。本気だか冗談《じょうだん》だかまるで見当が付かない」

「どうも済みません。――然し全く本気なんです」と云いながら、重吉は苦笑して頭を掻《か》いた。

「あの事」はそれで切り上げて、あとは纏まらない四方山《よもやま》の話に夜を更《ふ》かした。折角だから二三日逗留《とうりゅう》して緩《ゆっ》くりして入らっしゃいと勧《すす》めてくれるのを断って、やはり翌《あく》日《ひ》立つ事にしたので、重吉はそんなら御《お》疲《つか》れでしょう、早く御休みなさいと挨拶して帰って行った。

六

翌朝《あくるあさ》顔を洗って室へ帰ると、棚の上の鏡台が麗々《れいれい》と障子の前に据《す》え直してある。自分は何気なくその前に坐ると共に鏡の下の櫛《くし》を取り上げた。そうしてその櫛を拭《ふ》く積《つもり》か何かで、鏡台の抽出《ひきだし》を力任せに開けてみた。すると浅い桐《きり》の底に、奥の方で、何か引掛る様な手応《てごたえ》がしたのが、忽《たちま》ち軽くなって、するすると、抜けて来た途端《とたん》に、捲《ま》き納めて捩《ねじ》れたような手紙の端《はし》が筋違《すじかい》に見えた。自分は引手繰《ひったく》るようにその手紙を取って、直五六寸破いて櫛を拭こうとして見ると、細かい女の字で白紙《しらかみ》の闇《やみ》を辿《たど》ると云ったように、細長くひょろひょろと何か書いてあるのに気が付いた。自分は一寸一二行読んでみる気になった。然しこのひょろひょろした文字が言文一致《げんぶんいっち》で綴《つづ》られているのを発見した時、自分の好奇心は最初の一二行では満足する事が出来なくなった。自分は知らず知らず、先に裂《さ》き破った五六寸を一息に読み尽《つく》した。そうして裂き残しの分へまでもどんどん進んで行った。こう進んで行くうちにも、自分は絶えず微笑《びしょう》を禁じ得なかった。実をいうと手紙はある女から男に宛《あて》た艶書《えんしょ》なのである。

艶書だけに一方から云うと甚だ陳腐《ちんぷ》には相違《そうい》ないが、それが又形式の極《きま》らない言文一致で勝手に書き流してあるので、随分奇抜《ずいぶんきばつ》だと思う文句がひょいひょいと出て来た。ことに字違いや仮名違が眼に付いた。それから感情の現わし方が如何《いか》にも露骨《ろこつ》でありながら一種の型に入っているという意味で誠が却《かえっ》て出ていない様にも見えた。最も恐るべく下手な恋の都々《どど》一《いっ》なども遠慮《えんりょ》なく引用してあった。凡てを綜合《そうごう》して、書き手の黒人《くろうと》である事が、誰の眼にも何より先にまず映る手紙であった。どうせ無関係な第三者が他《ひと》の艶書の偸《ぬす》み読をするときに滑稽《こっけい》の興味が加わらない筈はない訳であるが、書き手が節操上の徳義を負担《ふたん》しないで済む黒人《くろうと》の様な場合には、この興味が他の厳粛《げんしゅく》な社会的観念に妨《さまた》げられる虞《おそれ》がないだけに、読み手は甚だ気楽なものである。

そう云う訳で、自分は多大の興味を以《もっ》てこの長い手紙をくすくす笑いながら読んだ。そうして読みながら、こんなに女から思われている色男は、一体何者だろうかとの好奇心を、最後の一行が尽きて、名宛の名が自分の眼の前に現れるまで引摺って行った。ところがこの好奇心が遺憾《いかん》なく満足されべき画竜点睛《がりゅうてんせい》の名前まで愈《いよいよ》読み進んだ時、自分は突然《とつぜん》驚《おどろ》いた。名宛には重吉の姓《せい》と名が判然《はんぜん》書いてあった。

自分は少しの間ぼんやり庭の方を見ていた。それから手に持った手紙をさらさらと巻いて浴衣《ゆかた》の懐《ふところ》へ入れた。そうして鏡の前で髪《かみ》を分けた。時計を見ると、まだ七時である。然し自分は十時何分かの汽車で立つ筈になっていた。手を敲《たた》いて下女を呼んで、すぐ重吉を車で迎えに遣るように命じた。その間に飯を食う事にした。

何だか可笑《おか》しいという気分も幾分か混っていた。けれども惣体《そうたい》に「あの野郎」という心持の方が勝《か》っていた。そのあの野郎として重吉を眺《なが》めると、宿を易《か》えて何時までも知らせなかったり、散々人を待たせて、気の毒そうな顔もしなかったり、漸《やっ》と這入《はい》って来たかと思うと、一面アルコールに彩《いろ》どられていたり、凡て不都合だらけである。が、平生どの角度に見ても尋常《じんじょう》一式なあの男が、何時の間に女から手紙などを貰《もら》って済まし返っているのだろうと考えると、当り前過ぎる不断の重吉と、色男として別に通用する特製の重吉との矛盾《むじゅん》が頗《すこぶ》る滑稽に見えた。従って自分は何方《どっち》の感じで重吉に対して好いか分らなかった。けれども何方かに極《き》めて、これを根本調として会見しなければならないと云う事に気が付いた。自分は食後の茶を飲んで楊枝《ようじ》を使いながら、此処へ重吉が来たらどう取扱《とりあつか》ったものだろうと考えた。

七

其処へ宿から迎えに遣った車に乗って、彼はすぐ馳《か》け付けて来た。彼に対する態度をまだ能《よ》く定めていない自分には、彼の来かたが寧《むし》ろ早過ぎる位、現れようが今度は迅速であった。彼は簡単に、早いじゃありませんか、今朝《けさ》起きたら直《すぐ》上る積《つもり》でいた所を御迎えで——と云ったまま、其処へ坐って、自分の顔を正視した。この時傍《はた》から二人の様子を虚心《きょしん》に観察したら、重吉の方が自分より遥《はるか》に無邪気《むじゃき》に見えたに違ない。自分は黙《だま》っていた。彼は白足袋《しろたび》に角帯で単衣《ひとえ》の下から鼠色の羽二重を掛けた襦袢《じゅばん》の襟《えり》を出していた。

「今日は大分洒落《しゃれ》てるじゃないか」

「昨夕《ゆうべ》もこの服装《なり》ですよ。夜だから分らなかったんでしょう」

自分は又黙った。それから又こんな会話を二三度取り換《か》わしたが、何時でもその間に妙な穴が出来た。自分はこの穴を故意に拵《こしら》えている様な感じがした。けれども重吉にはそんな蟠《わだか》まりがないから、いくら口数を減らしてもその態度が自《おの》ずから天然《てんねん》であった。仕舞に自分は真面目《まじめ》になって、こう云った。

「実は昨夕もあんなに話した、あの事だがね。どうだ、一層の事きっぱり断ってしまっちゃ」

重吉はちょっと腑《ふ》に落ちないという顔付をしたが、それでも何時もの様なおっとりした調子で、何故《なぜ》ですかと聞き返した。

「何故って、君の様な道楽ものは向の夫になる資格がないからさ」

今度は重吉が黙った。自分は重ねて云った。

「己《おれ》はちゃんと知ってるよ。お前の遊ぶ事は天下に隠《かく》れもない事実だ」

こう云った自分は、急に自分の言葉が可笑しくなった。けれども重吉が苦笑いさえせずに控《ひか》えていてくれたので、此方《こっち》も真面目に進行する事が出来た。

「元来男らしくないぜ。人を胡麻化《ごまか》して自分の得ばかり考えるなんて。まるで詐欺《さぎ》だ」

「だって叔父さん、僕は病気なんかに、まだ罹《かか》りやしませんよ」と重吉が割り込む様に弁解したので、自分は又可笑しくなった。

「そんな事が他《ひと》に分るもんか」

「いえ、全くです」

「とにかく遊ぶのが既《すで》に条件違反だ。御前はとても御静さんを貰う訳に行かないよ」

「困るなあ」

重吉は本当に困った様な顔をして、色々泣き付いた。自分は頑《がん》として破談を主張したが、最後に、それならば、彼が女を迎えるまでの間、謹慎《きんしん》と後悔《こうかい》を表する証拠《しょうこ》として、月々俸給《ほうきゅう》のうちから十円ずつ自分の手本へ送って、それを結婚費用の一端とするなら、この事件は内済にして勘弁してやろうと云い出した。重吉は十円を五円に負《まけ》てくれと云ったが、自分は聞き入れないで、とうとう此方《こっち》の云い条《じょう》通り十円ずつ送らせる事に取り極めた。

間もなく時間が来たので、自分は早速起《た》って着物を着換た。そうして俥《くるま》を命じて停車場《ステーション》へ急がした。重吉は無論付いて来た。けれども鞄膝掛《かばんひざかけ》その他一切の手荷物は既に宿屋の番頭が始末をして、ちゃんと列車内に運び込んであったので、彼はただ手持無沙汰《ぶさた》にプラットフォームの上に立っていた。自分は窓から首を出して、重吉の羽二重の襟と角帯と白足袋を、得意気に眺めていた。愈《いよいよ》発車の時刻になって、車の輪が廻り始めたと思う際《きわ》どい瞬間《しゅんかん》をわざと見計って、自分は隠袋《かくし》の中から今朝読んだ手紙を出して、おい御土産《おみやげ》を遣ろうと云いながら、出来るだけ長く手を重吉の方に伸《の》ばした。重吉がそれを受取る時分には、汽車がもう動き出していた。自分はそれぎり首を列車内に引込めたまま、停車場《ステーション》を外れるまで決してプラットフォームを見返らなかった。

　宅《うち》へ帰っても、手紙の事は妻《さい》には話さなかった。旅行後一カ月目に重吉から十円届いた時、妻はでも感心ねと云った。二カ月目に十円届た時には、全く感心だわと云った。三カ月目には七円しか来なかった。すると妻は重吉さんも苦しいんでしょうと云った。自分から見ると、重吉の御静さんに対する敬意は、この過去三カ月間に於《おい》て、既に三円がた欠乏《けつぼう》していると云わなければならない。将来の敬意に至っては無論疑問である。

注解

ページ

八　＊三重吉《みえきち》　鈴木三重吉（1882―1936）　小説家。東大英文科で漱石に学び、その門下生となる。文鳥の出てくる小説は、短編集『千代紙』（明治四十年）所収の『三月七日』。

一〇　＊豊隆《ほうりゅう》　小宮豊隆（1884―1966）　評論家。漱石の門下生で、当時はまだ学生だった。

一一　＊二返目　普通「二遍目」と書く。

一三　＊青軸《あおじく》　梅の品種のひとつ。樹肌が緑色をしている。ここではその枝で作った止り木のこと。

二四　＊一所　普通「一緒」と書く。

三四　＊海中文珠《かいちゆうもんじゆ》　「文珠」は普通「文殊」と書く。「渡海文殊」ともいう。獅子《しし》に乗った文殊菩《もんじゆぼ》薩《さつ》が従者を連れ、雲に乗って海を渡《わた》ってくる姿を描いた仏教画。

三五　＊束《つか》　普通「柄」と書く。

＊趙州曰《じようしゆういわ》く無と　『無門関』第一則の趙州狗子《くし》の公案に〈趙州和尚、因《ちな》みに僧問ふ、狗子に還《かへ》って仏性有りや也《ま》た無しや、州云く無〉とある。

四一　＊沢々《つやつや》　普通「艶々」と書く。

四二　＊肝心絢《かんじんより》　「観世《かんぜ》縒《より》」の訛《なま》りへの当て字。

四七 *運慶《うんけい》 生没年《せいぼつねん》不詳。鎌倉時代の代表的な仏師。十二世紀の末、奈良の東大寺や興福寺の復興に際し、名作をのこした。

五二 *金牛宮《きんぎゅうきゅう》の頂《いただき》にある七星《しちせい》 「金牛宮」は黄道十二宮の第二宮で、おうし座をさす。「頂にある七星」は、おうし座に属するプレイアデス星団の七星で、昴《すばる》のこと。

*派出 普通「派手」と書く。

五八 *一図《いちず》 普通「一途」と書く。

六二 *雲右衛門《くもえもん》 桃中軒雲右衛門(1873—1916) 浪曲師《ろうきょくし》。武士道の讃美《さんび》で知られた。

六六 *メルトン フロック・コート(礼服)などの生地に用いる厚手の毛織物。

六七 *東北《とうぼく》 謡曲《ようきょく》。代表的な本三番目物で、のどかで優美な曲。

六八 *羽衣《はごろも》の曲《くせ》 謡曲「羽衣」の〈春霞《はるがすみ》、棚引《たなび》きにけりひさかたの……白雲の袖《そで》ぞ妙《たえ》なる〉の部分を「クセ」(曲舞《くせまい》の節《ふし》をとり入れた部分)という。

七〇 *黒節《くろぶし》 「踝《くるぶし》」の訛りへの当て字。

八〇 *造兵 陸軍造兵廠《しょう》の略。陸軍の兵器・弾薬などの製造・修理にあたる工場で、いまの文京区後楽一丁目にあった。

九〇 *ウェスト・エンド the West End ロンドンの西部地区で、バッキンガム宮殿《きゅうでん》やハイド・パークなどがある。

九二 *ドレッシング・ガウン dressing gown (英) 化粧着《けしょうぎ》、部屋着。

九四 *推《お》し掛ける 普通「押し掛ける」と書く。

九七　＊嶮《けん》どん　普通「慳貪」と書く。
九九　＊御車台《ぎょしゃだい》　普通「御者台」と書く。
一〇〇　＊切歯《せっぱ》　普通「切羽」又は「切端」と書く。
一〇一　＊ガレリー　ギャラリー　gallery（英）最上階の桟敷《さじき》で、もっとも安い大衆席。天井桟敷ともいう。
一〇六　＊小さい人間　ロンドンのトラファルガー広場にあるネルソン記念塔《とう》の上に建っているネルソンの銅像をさす。
一一〇　＊注《し》目《め》飾《かざ》り　普通「注連飾り」と書く。
一一二　＊甲子《こうし》　某氏、ある人の意味。
一一三　＊御納戸《おなんど》　「御納戸色」のこと。鼠《ねずみ》がかった藍色《あいいろ》。
一二〇　＊組屋敷　江戸時代に与力や同心など、身分の軽い役人が一組になって住んでいた屋敷。長屋造りで横に長く、奥行は狭《せま》かった。
一二二　＊ローン　lawn（英）芝生《しばふ》。
一二三　＊バスの屋根　二階つきのバスの二階のこと。
＊ビッグベン　Big Ben 英国国会議事堂の時計塔にしつらえられた重さ十三トン半の大時《じ》鐘《しょう》。
一二四　＊仕舞屋《しもたや》　町中にあって商売をしていない、普通の住宅をいう。
一二五　＊王若水《おうじゃくすい》　中国元《げん》代の画家。花鳥竹石の画にもっともすぐれ、絶芸と称された。

一二七　*眼の明かない男　美術の鑑賞眼《かんしょうがん》のない男。

一二九　*両　江戸時代の通貨の単位で、明治になってからは俗に〈一円〉を現わすのに使った。

一三六　*キルト　kilt（英）スコットランドの北西部、いわゆる高地地方の男子や軍人が正装とする縦ひだ格子縞《こうしじま》の短いスカート。

一三七　*キリクランキーの峡間《はざま》　the Pass of Killiecrankie（英）グランピア山脈の中の山道で、一六八九年に、ダンディ卿《きょう》の指揮するジャコバイト党（ジェームズ二世支持派）とヒュー・マッケー将軍の率いるウィリアム三世軍とがここで戦った。

一三九　*帆足万里《ほあしばんり》（1778―1852）江戸後期の蘭《らん》学者。オランダの自然科学を研究し、『窮理通《きゅうりつう》』（物理学の解説書）を書いた。

一四二　*彼是《ひし》　普通「彼此」と書く。

一四四　*なぞえに　ななめに。

一四七　*中村　中村是公《ぜこう》（1867―1927）漱石の大学予備門時代からの友人で、のちに満鉄総裁、鉄道院総裁などをつとめた。

一四八　*学僕《がくぼく》　ここでは学校の用務員として働きながら、同時に学生として学ぶもの。

一四八　*予備門　大学予備門のこと。東京帝国大学に入学する学生を対象にした、予科的な性格の学校。のちの一高、東大教養学部の前身。

一四九　*アーノルド　Matthew Arnold（1822―88）イギリスの文芸批評家。

一五三　*スウィンバーン　Algernon C. Swinburne（1837―1909）イギリスの詩人・文芸批評家。

東洋的な宿命論の影響《えいきょう》が強い劇詩『アタランタ』(Atalanta in Calydon) が代表作。

一五四 ＊ワトソン Sir William Watson (1858―1935) イギリスの詩人。政治的信条を主題とする詩が多い。

＊シェレー シェリー Percy B. Shelley (1792―1822) イギリス浪漫《ろうまん》派の詩人。社会改革に走り、『西風の賦《ふ》』などを書いた。

一五五 ＊ワルト・ホイットマン Walt Whitman (1819―92) アメリカの詩人。個人・自由の尊重をうたう『草の葉』が有名。

一五六 ＊ウォーズウォース ワーズワース William Wordsworth (1770―1850) イギリスの詩人。日本の浪漫詩人にも大きな影響を与《あた》えた。ここではワーズワースの著書。

一五七 ＊アーデン・シェクスピヤ "The Arden Shakespeare" W・J・クレーグが監修《かんしゅう》した分冊のシェークスピア全集。一冊ごとに編者が違《ちが》い、作品についての長い序文が付されている。

一五八 ＊ブリチッシ・ミュージアム ブリティッシュ・ミュージアム British Museum 大英博物館。ロンドンのブルズベリーにあり、世界最大の規模を誇《ほこ》る。

＊シュミッド Alexander Schmidt (1816―87) ドイツの英語学者。シェークスピアの作品中のすべての語彙《ごい》を集めた『シェークスピア語彙辞典』を編んで、学界に貢献《こうけん》した。

＊ダウデン Edward Dowden (1843―1913) イギリスの文学史家。シェークスピア研究で知られている。ここではダウデンの著書。

一六二 ＊病院　いまの千代田区内幸町《うちさいわいちょう》にあった長与胃腸病院。明治二十九年の創立で、後出の〈院長〉長与称吉は、「白樺」派の作家長与善郎《よしお》の兄にあたる。

一六六 ＊雪鳥君《せっちょうくん》　坂元雪鳥（1879—1938）国文学者。本名三郎。漱石の門下生で、能に精通し、批評家としても活躍した。

一六八 ＊ジェームス教授　ウィリアム・ジェームズ William James（1842—1910）のこと。アメリカの哲学者・心理学者。〈意識の流れ〉やプラグマティズムの唱導者として、漱石にも影響を与えた。『多元的宇宙』（A Pluralistic Universe）では、プラグマティズムに基づいて真理の複数性を説いている。

一七〇 ＊ベルグソン　Henri Louis Bergson（1859—1941）フランスの哲学者。生の哲学の端緒《たんしょ》を開いた。

＊ヘンリー　ヘンリー・ジェームズ Henry James（1843—1916）イギリスの小説家。ウイリアムの弟にあたる。近代小説論の先達《せんだつ》としても知られる。

一七二 ＊ミュンステルベルグ　Hugo Münsterberg（1863—1916）ドイツの心理学者・哲学者。ウイリアム・ジェームズに認められ、渡米《とべい》し、ハーバード大学教授になった。

＊池辺《いけべ》三山《さんざん》君　（1864—1912）本名吉太郎。「大阪朝日新聞」「東京朝日新聞」の主筆を歴任し、漱石の朝日入社に尽力《じんりょく》した。

一七四 ＊掛念《けねん》　普通「懸念」と書く。

一七六 ＊天来の彩紋　天から恵《めぐ》まれたいろどり。ここでは俳句や漢詩の比喩《ひゆ》。

一七七 *文芸欄《らん》 「東京朝日新聞」の文芸欄。明治四十二年十一月二十五日付の紙面から設けられたもので、漱石が編集の全責任を負っていた。

一七八 *心の耽《ふけ》り 心がある事柄《ことがら》に深くそそがれている状態。没頭している状態。

*東洋城《とうようじょう》 松根東洋城（1878―1964）俳人。本名豊次郎。漱石に師事し、「国民新聞」の俳句欄の選者などをつとめた。

一七九 *佶屈《きっくつ》 難解で、ごつごつしていること。

*玄耳《げんじ》君 渋川玄耳（1872―1926）本名柳次郎。「東京朝日新聞」の記者で、当時は社会部長。藪野椋十《やぶのむくじゅう》の筆名で書いた『藪野椋十東京日記』など、皮肉で軽妙《けいみょう》な文章も有名である。

*酔古《すいこ》堂剣掃《どうけんそう》 十二巻。編者は明《みん》の陸紹珩《りくしょうこう》で、『史記』『漢書』などから名言・佳話を選んだもの。

*列仙伝 ここでは還初道人編の『列仙台』四巻。絵入り本で、仙人の伝記を綴る。

一八一 *蘐園十筆《けんえんじっぴつ》 江戸の儒学者、荻生徂徠《おぎゅうそらい》（1666―1728）の随筆集。十巻。経学《けいがく》・文武・芸術・故実など主題は多彩である。

*アルピニー Henri Harpignies（1819―1916）フランスの画家。地方の農村や地中海の海岸など、風景画にすぐれていた。

*スチュージオ Studio 一八九三年に創刊されたイギリスの月刊美術雑誌。漱石は定期購読していた。

一八二 ＊国朝六家詩鈔《こくちょうりくかししょう》 清《しん》の劉執玉の編纂《へんさん》した詩集。清代初期の宋琬ら六大詩人の詩を集めている。

＊ハイズン ハイドン Franz Joseph Haydn (1732—1809) ウィーン古典派の代表的な作曲家。

＊ウォード Lester F. Ward (1841—1913) アメリカの動物学者・社会学者。ブラウン大学の社会学教授をつとめた。

一八七 ＊万里一条の鉄 禅宗の用語。すべての差別が消えて、万物平等のさまをいう。

＊百尺竿頭《ひゃくせきかんとう》 百尺もある長い竿《さお》の頂点の意で、到達すべき究極の目標をいう。

一八八 ＊大塚夫人 大塚楠緒《くすお》(1875—1910) 漱石の友人大塚保治《やすじ》の妻で、女流小説家としても知られた。

一八九 ＊注告 普通「忠告」と書く。

一九〇 ＊臍上方《さいじょうほう》三寸 へその上、三寸四方のところ、つまり胃のことをいう。

一九八 ＊塔《とう》の沢《さわ》の福住《ふくずみ》 箱根の塔の沢にある温泉旅館福住楼のこと。現存する。

＊尾頭《おがしら》もない はじめも終りもはっきりしない。

二〇一 ＊半可《はんか》 半分ほどしか知らないこと。なまかじり。

二〇二 ＊弘法様《こうぼうさま》 「修禅寺《しゅぜんじ》」の俗称。修善寺温泉は弘法大師（空海）の発見と伝えられ、その霊《れい》跡《せき》に建立《こんりゅう》された修禅寺は「弘法様のお寺」ともいわれる。

二一五 ＊アンドリュ・ラング Andrew Lang (1844—1912) イギリスの歴史・古典学者。詩人としても知られ、スコットランドの伝承を研究した。

二五 ＊フランマリオン Camille Flammarion (1842—1925) フランスの天文学者。心霊現象にも関心がふかかった。

二六 ＊オリヴァー・ロッジ Sir Oliver J.Lodge (1851—1940) イギリスの物理学者。死者と交信できると信じ、心霊現象を研究した。

＊スピリチズム Spiritism (英) 死者の霊が霊媒《れいばい》を介して生者と交霊すると説く心霊論。

＊マイエル マイアズ F. W. H. Meyers (生没年未詳) 無意識心理学に先鞭《せんべん》をつけ、心霊現象の研究者としても知られる。

＊ポドモア Frank Podmore (1856—1910) イギリスの心霊学者。「遺著」とあるのは一九一六年刊の『新心霊論』(The newer Spiritualism) をさす。

＊フェヒナー Gustav Theodor Fechner (1801—87) ドイツの実験心理学者で、研究方法の確立にも貢献した。神秘主義者としても知られる。

二八 ＊努力《どりょく》 普通「努力」と書く。

三三 ＊煢然《けいぜん》 孤独《こどく》で、よるべなきさま。ひとりぼっちのさま。

三五 ＊神聖なる疾《やまい》 てんかんのことを、英語では sacred malady という。

＊ドクインセイ ド・クインシー Thomas De Quincey (1785—1859) イギリスのエッセイスト。著書に『一イギリス人のアヘン喫飲者の告白』(Confessions of an English Opium Eater) がある。

二三〇　＊擒縦《きんしょう》　捕えることと釈放すること。

二三一　＊犬の眠りと云う英語　dog-sleep のことで、途中《とちゅう》でたびたび目のさめる眠《ねむ》りをいう。たぬき眠りをいうこともある。

二三七　＊的皪《てきれき》　白くあざやかなさま。

二四四　＊平野《ひらの》水《すい》　炭酸水（ソーダー）の旧称。もともとは兵庫県の平野温泉湧出《ゆうしゅつ》の炭酸水を清涼《せいりょう》飲料として売出したときの商品名。

二四五　＊オイッケン　オイケン Rudolf Eucken（1846—1926）ドイツの哲学者。フィヒテやヘーゲルを継《つ》いで精神生活の意義を強調し、明治末以降、日本の思想家に与えた影響も大きい。

二四六　＊処生　普通「処世」と書く。

二四七　＊コムト　コント Auguste Comte（1798—1857）フランスの哲学者。実証主義の唱導者として知られる。

二五二　＊修善寺　地名は「修善寺」だが、寺名は「修禅寺」が正しい。十四行後には「修禅寺」とある。

二五五　＊芥舟《かいしゅう》君　畔柳《くろやなぎ》芥舟（1871—1923）英文学者。本名都太《くにた》郎《ろう》。一高教授で漱石の同僚、著書に『文談花談』がある。

二五七　＊範頼《のりより》　源範頼（?—1193）源義朝の第六子。兄頼朝に謀《む》反《ほん》を猜疑《さいぎ》されて、修善寺で討たれた。その墓は明治になって修善寺の近郊で発見された。

二五七　＊畠山《はたけやま》の城趾《しろあと》　畠山入道道誓《どうせい》とその一門の築いた修善寺城の旧趾《きゅうし》をいう。

二五九　＊「ヴァージニバス・ピュエリスク」〝Virginibus Puerisque〟(1881) イギリスの小説家ロバート・スティーブンソンの著書で、『若き人びとのために』の意。

二六五　＊蔵沢《ぞうたく》　吉田蔵沢（1722—1802）江戸中期の日本画家。本名良香。とくに竹の画は神品と称された。

二七〇　＊ケーベル先生　Raphael von Koeber（1848—1923）ロシア生れの哲学者。明治二十六年以降、東京帝国大学で西洋哲学やドイツ文学を講じ、とくに大正の思想界に大きな影響を与えた。

＊角並《かどなみ》　普通「門並」と書く。

二七三　＊過渡層　半封建的、過渡期的な社会状況をさす。

＊音なしく　普通「大人しく」と書く。

二七五　＊深田教授　深田康算《やすかず》（1878—1929）美学者。当時は京都大学の教授をしていた。

＊〝no more, never more.〟アメリカの詩人・小説家のエドガー・アラン・ポーの代表作『大がらす』(The Raven) のなかの一句。

二八二　＊十六貫　「貫」は銭を数える単位で、一貫は一文銭一千枚をいう。明治以後は俗に十銭を一貫と称するならわしで、「十六貫」は一円六十銭のこと。

二八八　＊プレヴォー　Marcel Prévost（1862—1941）フランスの小説家。女性心理を描くのにすぐれ、『フランソワーズへの手紙』などの作がある。

二八八

＊端物《はもの》　ほんらいは「段物」に対して、断片の浄瑠璃《じょうるり》をさしていう言葉だが、ここでは短編小説ないし小品の意。

三好行雄

解説

三好行雄

日本の近代文学には〈小品〉と呼び慣わされた独自のジャンルがある。小説ともつかず、感想ともつかず、いわば短編小説と随筆《ずいひつ》との中間にひろがる曖昧《あいまい》な領域なのだが、小説のように身構えることをしない、いたって自由な語りくちが、逆に、小味ながらあざやかな感動をたたえていたり、ふかい情感に裏づけられた新鮮《しんせん》な表現を手に入れていたりする。思いがけない作家の素顔や肉声を彷彿《ほうふつ》することも多い。〈私〉の直接表現という意味で、西洋のリアリズムとは異質な、きわめて日本的な様式といえよう。

本書に収められている『文鳥』以下の七編も、その小品の部類に属する作品群だが、見てのとおり、『手紙』のように短編小説に近いものから、『ケーベル先生』のように随筆あるいは感想と呼んですこしもおかしくないようなものまで、作風の幅《はば》はきわめてひろい。文体や語りくちにも、微妙《びみょう》な変化が見られる。漱石自身、たとえば『手紙』の冒頭《ぼうとう》で、モーパッサンの短編小説『二十五日間』を〈小品〉と呼んでいる。これを見ても、漱石はこれらの作品群に、短編小説の手法を持ちこむのをすこしも恐《おそ》れなかったはずである。事実、『永日小品』と題された連作にも、「声」や「モナリサ」のように、明らかに、首尾を完結した一箇の短編と呼んでよい作品がふくまれている。前者は〈豊三郎〉、後者は〈井深〉という三人称を主語としていて、名付けられることによる他者性という小説的性格も欠けていない。

しかし、そうした若干の例外は別にして、『文鳥』以下のほとんどが、時に実名を点描《てんびょう》しながら、〈自分〉あるいは〈余〉を視点＝語り手とする一人称で統一されているという事実は見逃《みのが》せない。

漱石はいうまでもなく、虚構《きょこう》と想像力によって構築された世界で、自己のモチーフを托《たく》して他者を動かすという、いわゆる客観小説の手法を最後まで崩《くず》さなかった。漱石の文学を〈拵《こしら》えもの〉として批判した自然主義のリアリズムに対して、〈拵えもの〉であることを苦にするよりも、活《い》きているとしか思えぬほどに拵えることに苦心したら如何《いかが》、といった意味の批判を投げかえしたのも有名な事実である。

『吾輩は猫である』から『明暗』にいたる、その層々とした漱石文学をかたわらにおけば、『文鳥』その他の小品は確かに、見せかけは貧しく、みすぼらしいとさえいえる。しかし、ここで語られている作家の〈私〉は――たとえば作家の創造した虚構の時間が逆に、作家の発想そのものをまきこんでしまうといったふうな、客観小説に不《ふ》可避《かひ》な可逆関係からも自由であるゆえに――意外に率直な漱石の〈告白〉に近づくのである。比喩《ひゆ》としてなら、漱石の〈私小説〉と呼んでよいかもしれない。

所収の諸編はいずれも、漱石が専属作家の格で入社していた「朝日新聞」のために書かれたもので、初出および初版はつぎのとおりである。

(一)『文鳥』「大阪朝日新聞」のみ、明治四十一年六月十三日～二十一日。のちに「ホトトギス」の明治四十一年十月号に転載《てんさい》され、明治四十三年五月、春陽堂刊の小品集『四篇』に収められた。

(二)『夢十夜』東西両「朝日新聞」、明治四十一年七月二十五日～八月五日。『四篇』所収。

(三)『永日小品』東西両「朝日新聞」、明治四十二年一月一日～三月十二日。『四篇』所収。

(四)『思い出す事など』東西両「朝日新聞」、明治四十三年十月二十九日～四十四年四月十三日。のち明治四十四年八月、春陽堂刊の『切抜帖より』に収められた。

(五)『ケーベル先生』東西両「朝日新聞」、明治四十四年七月十六日、十七日（「大阪朝日新聞」は七月十八日、十九日）。のち大正四年十一月、至誠堂刊の『金剛草』に収められた。

(六)『変な音』東西両「朝日新聞」、明治四十四年七月十九日、二十日（「大阪朝日新聞」は七月二十日、二十一日）。漱石の生前、単行本には収められなかった。

(七)『手紙』「東京朝日新聞」、明治四十四年七月二十五日〜三十一日。おなじく、生前の単行本には収められなかった。

集中で、もっとも哀切《あいせつ》な趣《おもむき》がふかいのは、〈美しきものの死〉を描いた『文鳥』であろう。鈴木三重吉のはからいで小鳥を飼うことになって、それが家人の不注意から死んでしまうまで、日常のありふれた瑣事《さじ》を描いているように見えて、背後には、生きることのはかなさと、その裏返しとしての惨酷《ざんこく》さを彷彿する。〈たのみもせぬものを籠《かご》へ入れた〉、文鳥の繊細《せんさい》な姿態、可憐《かれん》なしぐさがみごとな描写で再現され、しかも、過去の〈美しい女〉の記憶《きおく》がそこに重ねられることで、作品の奥行《おくゆ》きはいっそう深くなる。女性の実在を考証する必要はない。文鳥は漱石の日常に唐突《とうとつ》にあらわれ、束《つか》の間にそれを横切って消えていった。〈昔紫の帯上でいたずらをした女〉もおなじように、淡《あわ》くつかみどころのない存在だったかもしれない。が事実はどうであろうと、女が、漱石の心象の闇《やみ》にひそむ〈夢〉だったことだけは確かである。

『文鳥』は初期の『幻影《まぼろし》の盾《たて》』や『薤露行《かいろこう》』の系譜《けいふ》につながる――というより、最初の短編集『漾虚集《ようきよしゆう》』(明治三十九年)にあざやかだったロマンティシズムの変奏であり、それはまた『夢十夜』の「第一夜」、百年を待った男の眼前にゆらぐ白い百合《ゆり》にも通じる。

『夢十夜』には最近、研究者の関心がとみに集中しつつある。とくに歌舞伎の怨霊劇《おんりようげき》ふうな道具立てで、存在のかかえこむ不条理な恐怖《きようふ》を描いた「第三夜」が、戦後、伊藤整氏や荒正人氏らによって、漱石の〈暗い部分〉=原罪意識のありかを告げるものとして注目されて以来、この連作は漱石の〈無意識〉に秘められた願望や不安、恐怖、虚無などを対象化した作品として、論の対象にされることが多くなった。確かに、識《しき》閾下《いきか》のフロイトふうなリビドーを風景化したかに見える「第四夜」、自然との一体化を喪失《そうしつ》した明治文化への絶望と批判を語る「第六夜」、ロンドン留学の体験を投影《とうえい》しながら、西方の〈近代〉と触《ふ》れあうことで存在の根を断たれた失墜《しつつい》感のきわだつ「第七夜」など、漱石文学の主題とも密接な〈夢〉が語られていて、興味ぶかい。短編小説的な性格のもっとも濃《こ》い作品である。〈こんな夢を見た〉という書きだしで、いわば夢を仮構もしくは意識化した『夢十夜』が、フロイト流の〈無意識〉の分析《ぶんせき》にどこまで耐《た》えるかという問題は残るが、いずれにしても、漱石が夢を夢としてはじめて描いたという事実の意味はおもい。

漱石ははやくから〈夢〉、あるいは〈無意識〉を描くことに自覚的な作家だった。ロンドン留学から帰朝後、一年ほどの間にかかれた英詩のひとつに、

I looked at her as she looked at me:
　We looked and stood a moment,
Between Life and Dream.

という一節からはじまる無題の詩がある。男と女は、夢と人生のあわいに現前した一瞬《いっしゅん》に、互《たが》いにみつめあい、たちつくすのである。

おなじ詩は、つぎの一節で閉じられる。

Oh that Life could
Melt into Dream,
Instead of Dream
Is constantly
Chased away by Life !

漱石は人生が、生が夢にいだきとられる至福を、それこそ夢想していた。のちに『道草』（大正四年）でみずから描くように、かたのつかない日常の煩忙《はんぼう》にあえぎながら……。漱石が自己の内に〈小説家〉を誕生させる過程で、『吾輩は猫である』を書きつぐかたわら、『漾虚集』の〈夢を描く文体〉の模索《もさく》が必要だったゆえんである。集中の『一夜』はまさしく、夢が人生と遭遇《そうぐう》した稀有《けう》の風景である。しかし、夢にも人生にもかたづけぬままに、男と女は眠《ねむ》りこむ。その漱石が『夢十夜』で、夢を夢としてはじめて描いたとき、ことは〈夢を描く文体〉の断念を意味した。『三四郎』以下で、二十世紀日本の地平に降りたつための手続きなのであろうか。

『永日小品』は、『夢十夜』のような作品をとの依頼《いらい》に応じて書かれたものだが、語りくちはいっそう自由になっている。青年時代の回想、ロンドン留学時代の嘱目《しょくもく》、日常生活のあれこれなど、主題もきわめて多岐《たき》である。しかし、たとえば「蛇」や「火事」「声」などのように、どこか夢幻《むげん》、怪異《かいい》の雰囲気《ふんいき》をただよわせた短章の魅力《みりょく》も捨てがたく、平凡な日常性のかなたに〈夢〉を透視《とうし》する漱石の資質はなお生きている。〈無意識〉の存在に自覚的な漱石にとって、明治四十三年八月のいわゆる修善寺の大《たい》患《かん》、とくに八月二十四日の〈三十分間の死〉の体験は、生と死を往還《おうかん》した命運への思いとともに、心象の奥にひそむ消えぬ記憶と化したにちがいない。『思い出す事など』

は、修善寺体験の意味を執拗《しつよう》に分析した記録であり、『彼岸過迄《ひがんすぎまで》』以下の漱石文学の後期を解く重要な鍵《かぎ》のひとつである。主調低音としてたえず奏《かな》でられるのは、死を確実な未来に予定された人間＝〈執行《しっこう》を猶予《ゆうよ》された死刑囚《しけい》〉への鎮魂歌《ちんこんか》である。死を光源として照りかえされた生の原風景といいかえてもいい。闘病《とうびょう》時代のなにげない経験を書きとめたかに見える『変な音』でも、たとえば〈胡瓜《きゅうり》の音で他《ひと》を焦《じ》らして死んだ男と、革砥《かわど》の音を羨《うらや》ましがらせて快《よ》くなった人との相違《そうい》〉をいう収束部に、おなじ感《かん》慨《がい》はなおいきいきと動いている。

最後に、『思い出す事など』の随所に象眼された漢詩と俳句は、日本近代の最高の西欧型知識人のひとりにまぎれもない漱石にしてなお、生の根底に秘めた心性の形式において、ついに東洋との交響《こうきょう》を断ちえていない事実を明証する。たとえば、東洋の美的伝統に洗練された漢詩の音楽に托《たく》して、漱石はおのれにもさだかでない、生と死のあわいにたゆとう幽暗の感覚に形を与えようとしたのである。

（昭和五十一年四月）

表記について

新潮文庫の文字表記については、原文を尊重するという見地に立ち、次のように方針を定めました。

一、旧仮名づかいで書かれた口語文の作品は、新仮名づかいに改める。
二、文語文の作品は旧仮名づかいのままとする。
三、旧字体で書かれているものは、原則として新字体に改める。
四、難読と思われる語には振仮名をつける。
五、漢字表記の代名詞・副詞・接続詞等のうち、特定の語については仮名に改める。

本書で仮名に改めた語は次のようなものです。

恰も→あたかも	雖も→いえども	屹度→きっと
流石→さすが	左様→さよう	是非共→是非とも
責めて→せめて	其儘→そのまま	頼母しい→頼もしい
詰らない→つまらない	兎に角→とにかく	可成→なるべく
許り→ばかり	若し→もし	八釜しい→やかましい

夏目漱石著

吾輩は猫である

明治の俗物紳士たちの語る珍談・奇譚、小事件の数かずを、迷いこんで飼われている猫の眼から風刺的に描いた漱石最初の長編小説。

夏目漱石著

倫敦塔《ロンドンとう》・幻影《まぼろし》の盾《たて》

謎に満ちた塔の歴史に取材し、妖しい幻想を繰りひろげる「倫敦塔」、英国留学中の紀行文「カーライル博物館」など、初期の7編を収録。

夏目漱石著

坊っちゃん

四国の中学に数学教師として赴任した直情径行の青年が巻きおこす珍騒動。ユーモアと人情の機微にあふれ、広範な愛読者をもつ傑作。

夏目漱石著

三四郎

熊本から東京の大学に入学した三四郎は、心を寄せる都会育ちの女性美禰子の態度に翻弄されてしまう。青春の不安や戸惑いを描く。

夏目漱石著

それから

定職も持たず思索の毎日を送る代助と友人の妻との不倫の愛。激変する運命の中で自己を凝視し、愛の真実を貫く知識人の苦悩を描く。

夏目漱石著

門

親友を裏切り、彼の妻であった御米と結ばれた宗助は、その罪意識に苦しみ宗教の門を叩くが……。「三四郎」「それから」に続く三部作。

夏目漱石著

草枕

智に働けば角が立つ——思索にかられつつ山路を登りつめた青年画家の前に現われる謎の美女。絢爛たる文章で綴る漱石初期の名作。

夏目漱石著

虞《ぐ》美《び》人《じん》草《そう》

我執と虚栄に心おごる美女が、ついに一切を失って破局に向う悽愴な姿を描き、偽りの生き方が生む人間の堕落と悲劇を追う問題作。

夏目漱石著

彼岸過迄

自意識が強く内向的な須永と、感情のままに行動して悪びれない従妹との恋愛を中心に、エゴイズムに苦悩する近代知識人の姿を描く。

夏目漱石著

行人

余りに理知的であるが故に周囲と齟齬をきたす主人公の一郎。孤独に苦しみながらも、我を棄てることができない男に救いはあるか？

夏目漱石著

こころ

親友を裏切って恋人を得たが、親友が自殺したために罪悪感に苦しみ、みずからも死を選ぶ、孤独な明治の知識人の内面を抉る秀作。

夏目漱石著

道草

健三は、愛に飢えていながら率直に表現できず、妻のお住は、そんな夫を理解できない。近代知識人の矛盾にみちた生活と苦悩を描く。

文鳥《ぶんちよう》・夢《ゆめ》十《じゆう》夜《や》

新潮文庫　な-1-18

昭和五十一年七月三十日　発行
平成十四年九月三十日　五十七刷改版
令和　六　年八月二十日　九十七刷

著者　夏《なつ》目《め》漱《そう》石《せき》
発行者　佐藤隆信
発行所　株式会社新潮社

郵便番号　一六二—八七一一
東京都新宿区矢来町七一
電話　編集部（〇三）三二六六—五四四〇
　　　読者係（〇三）三二六六—五一一一
https://www.shinchosha.co.jp

価格はカバーに表示してあります。
乱丁・落丁本は、ご面倒ですが小社読者係宛ご送付ください。送料小社負担にてお取替えいたします。

印刷・錦明印刷株式会社　製本・株式会社植木製本所
Printed in Japan

ISBN978-4-10-101018-2 C0195